目　次

はじめに

学術コミュニケーションというと、かなり限定的で専門化された研究分野だと思われるかもしれません。ほとんどの人は知る必要があるとも知りたいとも思わないでしょう。ですから、当然皆さんが抱くであろうこの疑問からまず考えてみることにしましょう。***学術コミュニケーションについて、「誰もが」知らなければならないことなど本当にあるのでしょうか？***

第1章で解説していますが、「学術コミュニケーション」という用語は少なからず雑多な概念で、意外にたくさんの慣習やプロセスに広く当てはまります。実はそれこそが、気付かないうちに学術コミュニケーションが多くの人々の生活に大いに関連していることを示唆しています。しかし実際には、誰もが（というかほとんどの人が）学術コミュニケーションについて知っておくとよいと思う理由がもう一つあります。

「学術コミュニケーション」という用語は、新しい科学的・学術的な知識を生み出したり、分析したり、まとめ上げて広く流通させるために文化的に隅々まで行きわたり、複雑に分散化したエコシステムを指します。がん治療の進展や、シェイクスピアの戯曲を書いた人物、特定の政治家があなたの国で選出される理由、経済政策が賃金や不動産の価値に与える影響などについて興味を持っているなら、学術コミュニケーションのエコシステムやその有効性、効率性や公正さについて、（そうと意識しているかどうかはともかく）利害関係にあるといえます。もしそうしたことに関心があるのなら、学術ジャーナルの価格設定にまつわる昨今の論争や、「オープンアクセス」と「パブリックアクセス」の違い、査読のオープン性、著作権の適切なあり方、フェアユースの定義なども全て、あなたに関わりがあるでしょう。そして、こうした論争が最終的にどのように解決されるのかによっては、あなたの生活に具体的な影響があるかもしれません。

それだけではありません。もしあなたが日常的に新聞や雑誌を読んだり、ウェブサイトを見たり、ニュースや評論番組を視聴しているなら、公共政策や科学、経済、社会の動向に関連した重要な事柄に関わる絶え間ない議論に多少なりとも触れていることでしょう。そうした議論の中では、多かれ少なかれ、「ある研究では」とか「科学的には」といった主張をほぼ常に耳にするはずです。そのような主張を受け入れたり拒絶する限りにおいて、あなたは科学（それを語るメディア情報も含めて）とは現実について信頼できる情報源だという立場をとっているのです。なぜそうした主張を信じたり、拒絶したりするのでしょうか？　もしあなたが科学や学問の信頼性について何らかの意見を持っているのなら、学術的・科学的な分析を生み出して世間一般に発信する学術コミュニケーションのエコシステムについて（意識しているかどうかはともかく）ある一定の立場をとっているのだと言えます。

だからといって、全ての人が学術や科学のコミュニケーションについて専門家にならなければいけないというわけではもちろんありません。ただ、学術コミュニケーションについて知ることによって理解が深まる何かを、誰もが持っていると思うのです。これが、本書の執筆の動機です。

この本は何について書かれているのか？

本書をデザインするにあたっては、瑣末な事柄や細かすぎる内容で読者が圧倒されることのないよう十分に短く、でも学術コミュニケーションのエコシステムの役に立つ程度の全体像と、関連する重要事項が見わたせる程度には長く、ということを心がけました。私一人で書いているので、他の人が書くとしたら欠かせないと思われるようなトピックについて（そうならないよう努力はしましたが）見過ごしているかもしれません。あるいは、（これも努力はしましたが）全ての事柄についての微妙なニュアンスを欠いたり、完全な正確さとバランスを欠いたりしているかもしれません。それでも、学術コミュニケーションのエコシステムが日々生み出して、知らず知らずのうちに私たちの生活に影響を及ぼしている文献や事実、データやその他の成果を利用するにあたって、一般的な読者が一般的なレベルでの知識を得るための有用なガイドとなるように願っています。

具体的には、本書ではこのエコシステムにある程度の関心がある人なら誰でも抱くであろう疑問の数々を提示しています。例えば「学術出版社とは何をするのか？」とか「査読とは何か？」とか「著作権の仕組みは？」などです。できるだけシンプルかつ読者の知的レベルを損なわない程度のバランスを保ちつつ、これらの疑問に答えるように努めたつもりです。

本書の執筆にあたっては、特定の主張を擁護することはできるだけ避けるように努めました。最近の学術コミュニケーションの世界では、さまざまな事柄について論争が巻き起こっています。オープンアクセス、学術ジャーナルの価格設定、図書館の役割、出版社の役割、著作権の見直し、著者の権利など、ますます緊迫しているようなトピックについては、できるだけ公平かつ私情をはさまずに、異なる意見を網羅するように心がけました。しかし全ての主張にはそれを擁護する人がいて、自分の意見に与しない論客は公平と見なさない、というのが常です。このため、個人的な心情や見解によっては、論争的なトピックに関する本書での解説が公平かどうかは意見の分かれるところでしょう。もちろん、著者としてはそれらのトピックをできるだけ公平かつ客観的に扱おうとしましたが、果たして成功したかどうかは読者の判断にお任せしなければなりません。

この本に書かれていないことは何か？

熟慮した結果、本書のタイトルには「学術コミュニケーション」という用語を選びました（この用語が何を意味するのかは第1章で取り上げましたが、残念ながらそれほど単純なものではありません）。本書は一般的な出版業界の話ではありませんから、例えば著作権エージェントの仕事や、人気雑誌のライターや編集者にどうしたらなれるかとか、スポーツのブロガーやジャーナリストとして成功するためにはとか、出版社がどうやって商品を宣伝するのかとか、そういったことについては書かれていません。本書では学術ジャーナルや学術書、研究レポートや白書、会議録などを通して流通する、ある程度フォーマルで学術的な著作について取り上げています（学術的なブログや、プレプリントなどのそれほどフォーマルでない出版形態にも言及しますが）。

第 1 章
学術コミュニケーションの定義と歴史

「学術コミュニケーション」とは何か、どんな形式なのか？

学術コミュニケーションという用語は、学術的・科学的な成果を生み出す著者や製作者がお互いに、あるいは広く世間に対して情報を共有するためのさまざまな方法を総合的に言い表すものです。学術コミュニケーションが一般的にどのような形で表現されるのか、以下に列挙します（これらの多くについては、後で詳しく解説します）。

◉ **学術ジャーナルに発表される論文**

論文は、研究の成果を比較的短い報告として発表するものです。こうした報告は特定の科学研究（実験室で行った研究結果）や、人文的な考察（文芸作品や芸術に関するもの）、社会科学的な研究（アンケート調査の報告や経済分析など）について書かれています。一人の著者が執筆することもありますし、複数の著者によって書かれている場合もあります。特定の領域、例えば医学やその他のいわゆる「ハードサイエンス」と呼ばれる領域では、20 人以上の著者が一つの論文に関わっているような場合もあります。研究論文の構成はいろいろですが、特に科学の分野では、調査対象としている事象について現状を概観したり、実験の手法や実験自体についての説明、その結果わかったことについての考察、などのセクションが含まれているのが普通です。後述しますが、ほとんどの分野の研究者にとって、査読付きのジャーナル論文は最も重要な学術コミュニケーションの成果物です。

◉ **単行本（モノグラフ）**

「モノグラフ[訳注1]」という言葉がよく理解されていない理由の一つは、それがあまり一貫性なく使われているからですが、一般的にこの用語は***一人の著者***が***一つのトピック***について書いた***学術書***、ということを意味します（もともとのギリシャ語の語源は、「1 (mono)」と「書く (graph)」)。時にははっきりと意図して「学術的なモノグラフ」という言葉も使われます。学術的な単行本は必ずではありませんが多くの場合、大学出版局（これも後述します）から出版され、一般的な読者のためというよりは研究者を対象として書かれているのが普通です。人文系の分野では、学術書が研究者にとって特に重要な学術上の業績となります。定評のある出版社から学術書を出版していない限り、テニュアを獲得することはほぼ不可能です。

◉ **研究レポート**

研究レポートはさまざまな学術出版物が当てはまる雑多な

訳注1　通常、monograph は「単行本」などと和訳されますが、ここでは原文の文意を伝えるため、あえてカタカナ表記をしています。本書の他の部分では、一般の単行本と区別するために、特に学術的なモノグラフであると判断できる場合には「学術書」と訳しています。

概念ですが、通常は査読されていない、正式にジャーナルに掲載されていないものを指します。シンクタンクやコンサルタント会社、企業や業界団体などにより出版されていることが多く、無料で公開されている場合もあれば、マーケティング担当者などのプロフェッショナル向けに非常に高額で販売されていることもあります。

◉　**投稿前の論文（通常は電子的に仲間内で共有されるもの）**

これは通常「プレプリント」と呼ばれるもので、その表現からは今にも出版されるような印象を受けますが、実際には出版社に投稿される前のドラフト段階で共有されるものを指します。そのように学術的成果を共有することで論点を精査したり、最初にその議論を展開したということを公に記録したり（これは科学者にとっても人文･社会科学の研究者にとっても非常に大事なことです)、有料のジャーナルに正式に掲載されるよりも幅広く読者を獲得したりすることができるのです。

◉　**ホワイトペーパー**

ホワイトペーパーと研究レポートの違いは微妙ですが、重要です。ホワイトペーパーは通常、著者の研究に基づいた報告書ではなく、あるトピックについて読者が結論にたどり着くのを助けるための梗概のようなものです。ホワイトペーパーは政府機関による公共サービスや企業のマーケティング手段として、あるいは非営利機関による提言を目的として製作されたり、コンサルタントが書くこともあります。理想的な研究レポートが客観的で公正な学術的調査であるのに対して、ホワイトペーパーは読者を特定の結論に導く目的で書かれていることが多いのです。このため、著者やそのスポンサーにもよりますが、往々にして学術的でないこともあります。

◉ **ポジション・ペーパー**

一人ないし複数の著者が特定の事柄について意見を述べるために執筆する単発の論文がポジション・ペーパーです。個人がその主義主張を述べるために書く場合もありますし、擁護団体やシンクタンクなどの組織に属する個人やグループが書くこともあります。文字通り、ポジション・ペーパーは目下の事柄についての立ち位置を示すものですから、公正な学術的研究というよりは意見を述べるための道具のようなものです。ポジション・ペーパーを書く人達はその主張を展開する上で、厳正な研究結果を参照するかもしれませんが、明らかに選択的で、あらゆる関連情報を包括的あるいは公正に提供するということはありません。

◉ **コンファレンス・ペーパーやプレゼンテーション**

研究者が集まって学術成果を発表する学会大会や専門家による会議は、学術コミュニケーションで最も重要な場の一つです。こうしたコンファレンスでの発表は、論文の口頭発表や、スライドを使ってのプレゼンテーション、パネルディスカッション（通常、パネリスト全員による簡単な発表に続いて、参加者も交えた質疑応答を含む）などの形式をとります。必ずしもそうとは限りませんが、こうした論文やプレゼンテーションは最終的に、何らかの形で正式に出版されることが多いです。

◉ **ポスター**

学会発表は特定のセッションに集まる聴衆に対するものだ

けとは限りません。通常、コンファレンスにはポスター発表がつきもので、ポスターとはその名の通り研究プロジェクトについての報告や議論について、視覚的に表現して説明を加えたものです。ポスターはコンファレンスの開催期間中、大きな部屋や廊下などに掲示されるのが普通で、ポスターセッションと呼ばれる時間にはポスターの作成者が傍にいて、興味を持った人たちとディスカッションすることができます。口頭発表としては受理されなかったものの、注目に値するとして受け入れられるポスターもありますし、特定のトピックについてポスターが募集されることもあります。

◉　会議録

学会発表は正式にジャーナルや書籍として出版される以外にも、コンファレンス自体の会議録として出版される場合があります。会議録(conference proceedings)とはその名の通り、あるコンファレンスの全て（ではないかもしれませんが、理想的には全部）の発表が含まれている出版物です。多くの学会の年次大会が毎年そのような会議録を出版していて、ジャーナルと同じように図書館や読者によって定期購読されています。研究分野やコンファレンス自体の評判や重要性によって、会議録に論文が収録されることの学術的な意義は微妙に異なります。

◉　学位論文

大学院では、学生と研究者の境界線が曖昧になります。通常はプログラムの修了時に、修士課程では修士論文 (thesis) を、博士課程では博士論文 (dissertation) を提出することになります（国によってはこれらの用語は同義の場合もあります）。いずれも、指導教員による指導のもとに執筆されるオリジナルの学術的探求で、修士論文よりは博士論文の方が分量が多く対象も広範で、研究分野に対してより多くのオリジナルの貢献を含んでいます。分野によって、特に人文系や社会科学においては、博士論文を（大幅な改訂を重ねた上で）最初の学術書として出版する研究者が少なくありません。学位論文が受理されると、学位を授与する機関の図書館によって、冊子体かオンラインで、もしくは最近ではその両方で公開されるのが普通です。

◉ **データセット**

定量的な調査に依拠する学術分野においては、論文ではなくデータセットが最初の研究成果となります。例えば、もしあなたが何らかのアンケート様式によって社会科学的な調査を行なっているのであれば、そのアンケート結果はあなたの研究活動における最初のデータセットとなります。もしあなたが植物生物学者で、さまざまな種類のキノコの成長速度を比較しているのであれば、実験や観察から得たデータがあなたの最初の研究成果となるでしょう。以前よりもデータを簡単に共有したり再利用できるような技術が開発されている近年では、従来の研究成果と同様にデータ自体が出版公開されて、公に吟味されたり、再利用に供されることが増えています。

◉ **マルチメディア**

いくつかの分野、特に芸術分野では、学術的成果の最終形がテキストとは限りません。音楽作品や、舞踏などの振り付け、ビデオ、録音、あるいはそれらの組み合わせなどが考えられます。

◉　ブログ

つい最近まで、「学術的ブログ」というアイディアはまるで冗談のように思われていました。結局のところ、ブログというのは（ウェブログの短縮形です）、ほとんどお金をかけずに誰でも始めることができるオンライン日記のようなもので、何を書いたって構わないのですから。しかし近年では、ブログはもっと複雑なものに進化しています。個人の政治的見解やゴーゴル・ボールデロ[訳注2]の最新アルバムについての感想だけでなく、最新の研究や重要で学術的なトピックについての専門的な論争、影響力のある評論家や研究者によるディスカッションなどをまとめて広く公開するのに、ブログは極めて効果的なプラットフォームであることがわかってきました（著者自身、*The Scholarly Kitchen* という学術コミュニケーションに関連する事柄を扱う専門的ブログに定期的に寄稿しています）。学術的な論考におけるブログの役割については賛否両論がありますが、物議を醸すということ自体、ブログが学術の世界で盛んになっているということの表れだと言えるでしょう。

注意深い読者はすでに気付いたかもしれませんが、教科書(classroom text) は学術コミュニケーションに含まれません。教科書は確かに学問の産物ではあるのですが、学術コミュニケーションと

訳注2　ゴーゴル・ボールデロ (Gogol Bordello) は、1999 年にニューヨークで結成された多国籍ロック・バンド。

は全く異なる市場原理のもとで流通しています。教科書は学者によって書かれますが、いわゆる学術的成果とは異なります。学術論文や学術書が通常、その読者が書かれている事柄について基礎知識を持ち合わせているということを前提にしているのに対して、教科書というのは全くその逆で、基礎知識を培うことを目的としています。学術出版物は通常、研究者が同僚に向けて書くものですが、教科書は学生のために書かれます。学術書は独創的なアイディアを知的な討論の場に披露するものですが、教科書は既知の事柄についてまとめる役割を果たします。

教科書が学術コミュニケーションのエコシステムの一部として通常扱われないというのは、いくつかの興味深い事実を示唆しています。中でも、教科書は大学図書館の蔵書には通常含まれません（米国では、ということですが)。これについては第6章で解説したいと思います。

学術コミュニケーションの成果は誰に使われるのか？

前述したような学術成果は、研究者どうしで交わされるほか、多少非公式に一般大衆にも発信されます。編集が加わることなくオンラインで出版されることもありますし、ソーシャルネットワークで共有されたり、あるいはリポジトリに保存されて積極的に発信されない場合もあります（実際しばらく非公開のままだったりすることもあります)。あるいは慎重に編集者や他の研究者によって吟味され、「最終版」として正式に出版されることもあります。

こうした学術成果のほとんどは、同僚や同業者を念頭に置いて書かれているものです。実際、学術コミュニケーションの特質の一つは、コミュニケーションの主な対象者がそのトピックについて深い知識を備えているということです。それについてあまり馴染みがない人々を対象に書かれている場合、そのコミュニケーションは「学術的」とは言えないでしょう。

例えば本書はどうでしょうか。タイトルが示す通り、学術コミュニケーションの全体像について広範で深い知識をすでに持っている人々に向けて書かれたものではありません。言い換えれば、本書はこの分野の専門家や研究者のための学術書ではなく、「全ての人々」を対象とする一般的な概要です。広義には学術コミュニケーションの一例として考えることもできるかもしれませんが、例えば大学出版局の歴史に関する学術書や、学問におけるオープンアクセスに対する一般的な姿勢について調査した査読済みの研究報告、といったような学術コミュニケーションとは異なるものであると言えます。

だからといって、学術コミュニケーションが著者と同じ分野の研究者の枠を超えて、広く一般の関心を引くことがあり得ないわけではありません。意図するしないに関わらず、時にそういうこともあります（特定の学術的なトピックが世論で切迫した重大事になったりした場合には）。しかしながら、学術コミュニケーションの一つの特質として、通常は学術的あるいは科学的な人々を対象としている、というのは間違いありません。

「学術的あるいは科学的な」という表現がすでに何度か登場していますので、ここで説明しておきましょう。当然ながら、全ての学術的成果が科学的であるとは言えません。文芸批評や音楽作品、言語研究などは人文系です。そしてもちろん、（物理学や地質学のような）「ハードな」科学と（経済学や心理学のような）「ソフトな」科学や社会科学との境目についても長らく論争が続いています。第 9 章では少し掘り下げてみますが、本書ではそうした論争に決着をつけるつもりはありません。その代わり、この問題は棚上げし、これ以降「学術的」といった時には、全ての学術・科学分野における学究的、学問的、研究に根ざしたコミュニケーションを指すことにします。その一方、さまざまな科学や学問における実践や前提、文化などを取り扱う上で、区別しなければならないこともあります。そのような場合は、STM（Science, Technology and Medicine 科学・技術・医学）と HSS（Humanities and Social Sciences 人文・社会科学）を区別することにします[訳注3]。もっとも、全ての学術的・科学的探求がきちんとどちらかに当てはまるわけでもなく、また両者の区別についても論争の余地はあることは承知の上で。

研究者はどのくらい前から お互いに学術コミュニケーションをしているのか？

最初に学術書が書かれたのがいつなのか特定するのは難しいのですが、はっきりした学術会議の記録を遡ると、17 世紀初頭のヨーロッパでそれが始まっているようです。そして歴史家の多くは、学術ジャーナルの出版の始まりを 1665 年にパリで刊行された *Le journal des sçavans* と、それに続いて同年に刊行を開始した *Philosophical Transactions of the Royal Society* であるとしています[1]。いずれのジャーナルも、哲学者や科学者どうしのやりとりを公式なものとすることを目的として刊行されました。それ以前は手紙のやりとりで行われていたコミュニケーションは、学者の数が増えるに従って交わされる学術的知識の量も膨大となり、文通では手に負えなくなり

訳注 3　STM と HSS の違いについては 、第 9 章を参照。

ました。そして、当時まだ新しかった印刷機によって、初めて同じドキュメントを多くの人に同時に配布することが可能となったのです。

今日では約 3 万ものさまざまな学術ジャーナルが、オンラインあるいは冊子体で流通しています。過去数世紀にわたってジャーナルの数が増える原動力となったのは、科学的知識の増加（が招いた分野のさらなる細分化と主題を細かく絞った各ジャーナルの市場拡大）と、急速に進展するコミュニケーション技術という、対をなす二つの流れでした。しかし、知識自体はコミュニケーション技術よりはゆっくりと着実に拡大してきました。ジャーナル出版の黎明期には、学術情報のコミュニケーションに使われた技術は紙とインクであり、掲載論文の収集、編集、そして購読者への冊子体の送付は郵便によって行われました。1990 年代の初頭に至るまで、これが学術コミュニケーションの業界標準だったのです。20 世紀の終わりにインターネットが登場して（現在ウェブと呼ばれる）グラフィカルなインターフェースが開発されて初めて、ジャーナル出版は紙とインクの世界からネットワーク化されたデジタル環境に移行したのです。ただ、その変化が起こった時、学術コミュニケーションへのインパクトは劇的で即時的でした。このインパクトは現在に至るまで続いていて、本書で取り扱う議論の多くに影響を与えています。

学術コミュニケーションの組織的な文脈とは何か？

「研究者」とそのコミュニケーションといえば、通常は大学で働いている教員のことを指します。研究者にとって、フォーマルなコミュニケーションは不可欠な仕事の一部であるばかりでなく、昇進や雇用にあたっての必要条件でもあります。出版しなければクビになります。これがいわゆる「テニュア（終身在職権）」を得ている教授たちで、彼らは大学の教員として雇用されている限り、新たな研究や科学的な成果について定期的に出版し続けなければなりません。

しかし、大学で研究する人々の全てがテニュアトラックで職を得ているわけではありません。そのうち「非常勤」教員と呼ばれる人たち（実際その数は増えているのですが[2]）は、年毎に更新される雇用契約だったり、時にはフルタイムですらなく、一学期に数コマのクラスを教えてその科目だけについて給与をもらっています。あるいは教員ですらない人たちもいて、ポスドクや研究員などがそうですが、キャンパス内の研究室で契約ベースで研究をしています。米国の大学キャンパスで働く研究者のうち、「ポスドク」が占める割合は増加しています[3]。非常勤教員もポスドクも大学でのテニュア獲得を求めているので、そのような職を得るにふさわしい候補者となることを目指して熱心に学術コミュニケーションに取り組んでいます。

実はさらに複雑なことに、大学で研究している人々全てがそこで雇われているわけではありません。例えば大学院生ですが、彼らは授業料の免除やなんらかの奨学金を得る代わりに授業を教えなければならず、「学生」と「教員」の中間の曖昧なところにいます。彼らが学位を得るために書かなければならない学位論文というのも、学術コミュニケーションのエコシステムの中では重要な要素の一つです。学位論文がそこでどのような役割を果たしているか、あるいは果たすべきなのかというのも論点の一つで、これについては本書の後半で詳しく解説します。

実は一層複雑なことに、まだ触れていませんでしたが、学部生が取り組む学術コミュニケーションというのもあるのです。学部学生は研究者の卵でしかありませんが、特に学部の後半で取り組むような研究や、成績優秀者を対象とした特別教育プログラムなどで執筆された論文などについては、学術コミュニケーションの一部として認知されるようになってきました。

以上が大学という組織の文脈における学術コミュニケーションの主な範囲ですが、全ての研究者が大学に所属しているとは限りません。自発的に、もしくは大学での職を得られないために、そのような組織から独立して研究を続けている人々もいて、彼らもまた出版活動を行なっています。大学ではない組織も、さまざまな学術的あるいは専門的な研究を出版しています。レポートやホワイトペーパーを出版するシンクタンクや、広くは配布されないかもしれませんが研究成果を生み出している企業もありますし、啓蒙やビジネス獲得を目的として動向レポートを発表するコンサルティング会社、関連分野の動向や論争について議論するためのブログを立ち上げる学会など、さまざまなものがあります。

これらの全てが相まって、内外の組織の文脈が絡む複雑でニュアンスに富んだ学術コミュニケーションのエコシステムを作り上げています。このエコシステムがどれだけ広範で複雑かというのは、何を「学術的」であるか、何を「コミュニケーション」として考えるかによるのです。

学術コミュニケーションが「エコシステム」である、とはどういうことか？

「エコシステム」という用語は通常、自然生態系の文脈で使われますが、市場という意味で用いられることもあります。例えば「ビジネスのエコシステム」は、「ある特定の製品やサービスの提供にあたって競争したり協力したりする組織のネットワークで、卸売業者、販売業者、顧客、競合相手や政府など」を指します[4]。この意味において、学術コミュニケーションの世界はまさにエコシステムであるといえます。かなり複雑な状況の中で、組織と個人がさまざまな形で貢献し、お互いにさまざまな形で競争したり協調したりするのですから。第3章では、学術コミュニケーションのエコシステムの特徴と、そこで活動するさまざまな人々や組織についてより深く掘り下げます。

学術出版と商業出版の違いは何か？

こういう質問をするのは、学術コミュニケーションの世界の住人どうしの会話を漏れ聞いたり、シカゴ大学出版局とハーパー・コリンズが出版する本が何となく違うことはわかるけれどはっきりと何が違うのか言えない、という人かもしれません。

「商業出版」は通常、特定の職業や業界に従事する人々を対象として出版される雑誌やその他の専門的な出版物です（英語で the trades という複数形の表現を聞いたことがあるかもしれません。これは、*Variety* や *Billboard* などエンターテインメント系の雑誌を意味していて、ファンよりもむしろ業界のプロに向けて出版されています)。

「一般書」は「学術書」に対してよく使われる用語です。一般書は一般的な読者に向けて出版されるもので、興味がある人なら誰でも買える程度の価格で販売されるのが普通です。学術書は通常、きわめて限定された主題について、学術的な読者を対象として書かれています。例えば、エミリー・ディキンソン[訳注4]の伝記は一般書として出版されますが、その一方、彼女が1860年から1865年にかけて書いた詩作に関する詳細な分析は学術書として出版されるでしょう（でも、一般書と学術書の境目は曖昧なこともあります）。学術書はしばしば大学出版局によって出版され、「商業出版社」という用語は「学術出版社」や「大学出版局」に相対するものとして使われることが多いです。

「トレード・ペーパーバック」という用語も一般によく使われますが、特定の意味があって、通常は「マスマーケット・ペーパーバック」に相対するものとして使われます。マスマーケット・ペーパーバックは、よく空港の書店で見かけるようなもので、コートのポケットに収まるほど小さく、光沢のある表紙と新聞誌のような安い紙に印刷された中身が特徴的です。つまりマスマーケット・ペーパーバックはそもそも使い捨て感覚で扱われるもので、（常にそうとは限りませんが）読み終えたらすぐに捨ててしまって、大切に本棚にしまっておくようなものではありません。これに対してトレード・ペーパーバックは通常、マスマーケット・ペーパーバックよりも大きく、同じ本のハードカバー版とほぼ同じ大きさで、ある程度上質な中性紙に印刷されていて長期間の所蔵に耐えるものです。トレード・ペーパーバックにはノンフィクションが多く、マスマーケット・ペーパーバックは小説などですが、これも常にそうとは限りません。興味深いことに、空港の書店で売られているペーパーバックは、マスマーケットの小説などよりもトレード・ペーパーバックのノンフィクションが最近は多くなっています。

訳注 4　エミリー・ディキンソン（Emily Elizabeth Dickinson、1830 - 1886）は、アメリカの詩人。

学術コミュニケーションは近年どう変わってきたのか？

当然のことながら、インターネットの出現は学術コミュニケーションの世界にとてつもない影響をもたらしました。1990年代の初頭から半ばにかけて、ウェブが世界中で出版とコミュニケーションの手段として成熟するにつれて、学術ジャーナル出版の世界も数世紀に及んだ冊子体の環境からオンラインの時代へと移行しました。この変化は始まった途端に勢いを増して、現在ではほぼ完了したといえます。いまだに冊子体を維持しているジャーナルもありますが、その多くは基本的にオンラインで流通していて、新しいジャーナルが冊子体のみで刊行されるということはほとんどあり得ません。実際、現在では新しいジャーナルはオンラインのみで刊行されるのが一般的です。

どうしてこうなったのかは、検討に値します。冊子体はいまだに学術書の出版にとっては重要なフォーマットなのに、なぜ学術ジャーナルにとっては主流でなくなってしまったのでしょうか？　一つの答えは、ジャーナルと書籍の構成が非常に異なるという点にあります。基本的にジャーナルは、一連の論文が一つの「号」としてまとめられたものです。この「号」という考え方は、各論文が整い次第個別に出版することが可能なオンライン環境ではほとんど意味をなさないもので、いわば印刷時代の遺物なのです。規模の経済性から一年に何回かに分けて製本した号を読者に発送する必要があった頃から続くこの習慣のために曖昧になってしまいましたが、ジャーナルの基本的な構成要素は論文であって号ではないのです。論文というのは比較的小さくコンパクトな研究成果ですから、オンライン形式で利用するのは簡単です。論文をオンラインで読むのは特に難しくありませんし、ダウンロードしたり後でオフラインで読むために印刷しておくことだってできます。

当然ながら、学術書については事情が異なります。特定のアイディアや議論の詳細について、長い文章を通読する必要があるからです。電子ブックリーダーの人気は高まっていますが、気楽で一般的な読み物に限られます。犯罪小説を電子ブックリーダーで読みたいと思う人はたくさんいるかもしれませんが、エミリー・ディキンソンの晩年の書簡に関する 400 ページにわたる詳しい解説をオンライン形式で提供するのがベストかどうかは疑問です。こうした理由で、ジャーナル出版はオンラインへの移行が早くから進みましたが、学術書についてはこの変化は長くかかっていて、実際に電子ブックは現在でも標準的な出版形態ではありません。ほとんどの学術書が電子ブックでも冊子体でも手に入りますし、(図書館にしろ個人にしろ) より多くの学術書の購入形態がデジタル形式になっているのは確かなのですが。

学術コミュニケーションの印刷媒体からオンラインへの大規模な移行は、たいへん興味深いものです。面白いことに、この変化はとても破壊的であると同時に、全くそうではないのです。どういうことでしょうか？　まず、学術コミュニケーションにおけるドキュメントの形態（論文であれ、ホワイトペーパーであれ、本であれ）は、物理的なものからオンライン環境へと凄まじい変化を遂げました。印刷媒体としての書籍やジャーナルは便利ですし、読書体験を楽しいものにし、保存にも適しています。しかし、インクと紙というのはたくさんの人々に情報を伝達するには全く相応しくないメカニズムです（例えば 50 万人の読者に印刷した本を届けるために必要な時間とコストを考えてみてください)。また、ただ読むだけではなくて、研究をしている人たちにとっては不便なフォーマットです。印刷されたドキュメントの中を検索しようと思ったら、結局のところそれを全部読む以外に方法がありません。研究者や学生はとても長い文章の中で特定の情報を見つけなければいけない、ということがよくあるのです。研究者は関連文献の全てのページを読まなければならない、なんていうのは愚の骨頂です（冊子体の書籍には、もちろん索引というものがありますが、どんなに良い索引であっても、その書籍全体の内容の大雑把なガイドにしかなりえません）。学術文献が印刷媒体からオンラインの時代に移行して、検索は急激に簡単になり、より多くの人々に伝達することも可能になったのです。この変化の重要性とそれがもたらしたインパクトは、どんなに誇張してもしすぎることはありません。

しかし、インターネット革命の最中にあっても、学術コミュニケーションについてほとんど変わらないこともあります。インターネットの出現と、徐々にそれがさまざまな種類のコミュニケーションの土台となってきたことで、たくさんの新しい出版形態やイニシアチブ（ブログやメーリングリスト、チャット、プレプリント、リポジトリなど）が可能となりましたが、そうした変化は学術コミュニケーションの最も根幹に関わる部分にはほとんど影響を与えていません。今日でも、もしあなたが人文系の研究者なら、1979 年にそうだったように、テニュアを得るためには大学出版局から学術書を出版しなければならないでしょう。今日でも、1979 年にそうだったように、自然科学や生物学の領域でテニュアを獲得したり昇進するためには、査読付きのジャーナル論文が「法貨 (coin of the realm)[訳注 5]」となります。そしてその論文はオンライン環境ではほとんど意味をなさないにも関わらず、いまだに他の論文とひとくくりにされて、仮想の巻号が付けられているのです。編集者や著者、査読者によるコミュニケーションは、郵便や電話を使わなければならなかった時代と比べたらずっと早くて簡単になりましたが、やっていることは 1950 年にやっていたこととほぼ同じです。ただもっと効果的なツールを使って、もっと迅速に効率的に行なっているというだけのことです。一部の大学や応用研究の分野では、こうした従来の慣習を抜本的に見直していますが、それほど大きな変化には至っていません。まあいつまでもそうではないかもしれませんが。

インターネット革命の初期段階でほとんど変わらなかったことがもう一つあります。学術出版物にアクセスできたのが、その対価を払うことができた（あるいは進んで支払った）人々に限られていた、ということです。情報をドキュメントとして物理的に製本した場合、印刷するにしても送付するにしてもお金がかかったのですから、これが問題になることはほとんどありませんでした。インターネットによって実質的に限界費用ゼロでドキュメントを無限に複製して配布できるようになると、次第に議論の的となったのです。オープンアクセス (OA) 運動は、この新しい現実への反応として生じたものですが、これについては第 12 章で詳しく解説することにします。

つまるところ、過去数十年にわたって生じた学術コミュニケーションの変化と発展は、奇妙なくらい多様なものでした。そのエコシステムの根幹にあたる部分では深刻で実存的な変化が生じている一方

訳注 5　学術出版物を貨幣に例えて著者は「法貨（coin of the realm)」という語を用いています。 その国の住人であれば等しく価値を理解していて実際に取引に使う法定通貨のように、学術出版物が研究者のテニュア獲得や昇進の際に「誰もが価値を理解できる」業績として通用する、というニュアンスがあります。

で、その他の部分はほとんど影響を受けていないのです。しかしインターネット革命は、学術コミュニケーションの範疇を超えた部分では相当な変化を引き起こしています。学術コミュニケーションもその影響を受け続けるでしょうし、革命的で破壊的な変化をもたらすかもしれません。そのような可能性については、本書の後半で触れたいと思います。

「学術コミュニケーション」と「サイエンスコミュニケーション」

「学術コミュニケーション」について、何となく「学術的なこと」についてのコミュニケーションだと思っている人は多いのではないでしょうか。著者は学術コミュニケーションの起源が 17 世紀のアカデミー（とそのジャーナル）の成立にあると考え、内容について一定の理解と知識を備えている人々によって行われるものだとしています。学術書や論文を出版したり、学会発表や研究データを共有するといったコミュニケーションの内容や形式だけでなく、その発信者と受信者が主に研究者である、というのが学術コミュニケーションの大きな特徴です。

学術コミュニケーションと混同されやすいものとして「サイエンスコミュニケーション」という用語があります。一般的に、サイエンスコミュニケーションは「研究者や専門家が、そうでない人々に対してわかりやすく説明する」ことを指していて、情報の受け手となるのは行政や産業界、マスコミや一般市民などです。学術研究は一般的に公的資金によって支えられ、分野によっては多額の資金が必要となるため、常に説明責任が求められます。何を研究して、何がわかったのか、それが人類や社会の営みにどのように役に立つのか、一般にわかりやすく説明することが昨今ますます求められています。

ただ、実際にはこれらの用語の境界線は曖昧です。学問分野が細分化した現在では、異なる分野の研究者どうしが協力しなければならない場面も多く、そのような場合は研究者どうしでもサイエンスコミュニケーションのスキルが要求されることになります。また、新型コロナウイルスのように切迫した社会問題が生じた時には、最先端の研究成果に注目が集まり、論文が発表されるやいなや新聞紙上やウェブニュースでその内容が解説されたりします。研究者によるコメントが掲載されることもありますが、こうした場合のコミュニケーションの発信者はマスコミやジャーナリストです。サイエンスコミュニケーションを専門としている「サイエンスコミュニケーター」という職業もあります。

学術コミュニケーションはあくまで研究者が主体となって発信されますが、かといって研究者だけで成立するものではありません。次章ではそのエコシステムに貢献するさまざまなプレーヤーについて見ていきましょう。

第2章

研究者と学術コミュニケーション

学術コミュニケーションのエコシステムで貢献しているのは誰か？

まず重要なのは、学術コミュニケーションはさまざまなプレーヤーが参加する複雑なエコシステムの中で起こっているということです。主なプレーヤーは以下の通りです。

研究者

研究者にとってのコミュニケーションは、自分の取り組む研究に関するものです。歴史学者、化学者、文学の教授、遺伝学者、社会学者、言語学者、がんの臨床医など、さまざまな人々が自分の研究の成果について、さまざまな形で学術コミュニケーションのエコシステムの中で貢献しています。

研究機関

こうした研究者を雇用するのが研究機関です。学術コミュニケーションのエコシステムに貢献する研究者の大半は、大学や研究財団、病院などの職員として雇用され、給与を受け取っています。そうした組織の職員として彼らがさまざまな職能を発揮して生み出す知的な成果物こそが、学術コミュニケーションのエコシステムにおける血となり肉となるのです。つまり、こうした組織が彼らに支払う給与は、エコシステムへの相当な貢献であるといえます。

助成機関

助成機関はどのような学術的研究について助成するか（そしてどのような条件や規則のもとにそうしたサポートが提供されるか）について判断を示します。研究者に対する給与は普通彼らが所属する組織によって支払われますが、研究領域によってはこうした給与だけでは応用研究を実施する費用を賄うのに十分ではありません。そのような領域では、政府や私的財団などから研究資金を獲得することを研究者は期待されていて、それが研究自体を支えるだけでなく、所属機関のサポートに対して貢献することにもなります。なぜなら、研究資金は通常、実験室の維持費や研究アシスタントの報酬などの諸経費を含んでいるからです。しかし、分野によってそのような資金援助のレベルはさまざまです。高エネルギー物理学など非常に高度な応用研究分野で仕事をしている研究者は年に数百万ドルもの資金を獲得することもありますが、アメリカ文学の研究者はほとんど助成金を受け取らずに研究を進めていることもあります。特定の分野に助成が行われるということは、研究資金を提供する助成機関や政府機関が研究の進捗に大きな影響を与える分野もあれば、そうでない分野もあるということです。

政府機関

政府機関は、公的資金によって支援される研究からどのような学術的成果が生み出されるべきかということについて判断を下します。助成する研究から生み出された成果を最終的にどうするか、私的な財団であれば独自のルールを定められますが、政府機関にはそれほどの裁量はなく、包括的な政策に基づいた要件にしばられます。この仕組みの一例としては、米国の科学技術政策局[訳注6]が出している「公的助成研究成果へのパブリックアクセスの拡大に関する覚書」[1]があげられます。この覚書では、年間総額10億ドル以上の研究資金を投じる米国の政府機関が「監督あるいは資金供与した研究について、それぞれに応じた適切な時間枠のうちに、査読済みの論文の最終デジタル版を誰でも読んだり、ダウンロードしたり、分析したりできる」ようにするためのプランの策定を求めています。

利益団体やロビイスト

利益団体やロビイストは、政府や助成機関のポリシーに影響を与えようとします。公私いずれの助成金ポリシーも、学術コミュニケーションのエコシステムの特定の事柄を変えようと（あるいは変えまいと）する組織によるロビー活動や権利擁護活動によって、大いに影響を受けます。SPARC[訳注7]やCODE[訳注8]のような団体は、学術出版物や研究データへのアクセスの自由について運動を展開していますが、一方で米国出版社協会[訳注9]や著作権連盟[訳注10]などは、著作権者や既存の出版社の利益を守るための活動に注力しています。

出版社

出版社は原稿をきちんとした出版物として仕上げ、そのコンテンツを監修したり、宣伝したり、個人や図書館を相手に販売します。

訳注6　Office of Science and Technology Policy (OSTP) は1976年に設置されたアメリカ合衆国大統領行政府の事務局の一つ。その局長は大統領の科学顧問。

訳注7　Scholarly Publishing and Academic Resources Coalition (SPARC) はオープンアクセスの推進を目的として1998年にAssociation of Research Libraries (ARL, 米国研究図書館協会）が設立した研究図書館の国際連合。

理由はまた後で触れますが、出版社は学術コミュニケーションの体裁やコンテンツについてたいへんな影響力を持っています。一般に学術コミュニケーションの世界で「法貨」と見なされる書籍や論文について、出版社は選別し、制作し、配布するという役割を担っています。ですから、多くの著者が出版したがるような名声の高い出版社は、その世界で並外れた影響力を持っているのです（後で触れますが、それが健全な状態であるかどうかについては、学術コミュニティの中でさまざまな意見があります）。しかし注目すべきは、出版やコミュニケーションの場としてのインターネットが普通に使われるようになるに従って、その他の学術コミュニケーションが登場したことです。ブログやプレプリントのアーカイブ、機関リポジトリなどですが、それらは従来の正式な出版というチャンネルと共生しているものもあれば、競合しているものもあります。

編集者と査読者

編集者と査読者は出版社に勤務している場合もありますが、その多くは大学の教員で、著者と出版社のあいだをとりもつ調停者の役割を果たします。編集者は著者からの投稿を受け付けて、それを受理するか拒絶するかを独断で決める場合もありますが、決断を下す

訳注８　Center for Open Data Enterprise (CODE) は 2015 年に米国ワシントン州を本拠地として設立された非営利団体。政府のオープンデータ施策を推進。

訳注９　Association of American Publishers (AAP) は 1901 年に設立された出版社による業界団体。

訳注 10　Copyright Alliance は 2007 年に設立された非営利団体。音楽や映画、写真などの芸術産業やソフトウェア開発に関わる人々の著作権を保護するためのさまざまな活動を展開。

前に査読者に回してレビューを仰ぐこともあります（これについては第４章で詳しく述べます)。論文や書籍が受理されると、編集者は内容や体裁を著者と一緒に吟味しますが、このプロセスには相当の時間がかかります。極端な場合には何年も。

学　会

学会は研究者どうしの情報交換の場を提供し、コンファレンスを開催したり、往々にして出版社の役割も果たします。英国では“learned society”、米国では“scholarly”または“scientific”“professional society”と呼ばれることが多いです。学会は、研究者にとってたいへん重要です。学術的な行為、特に出版やその他の学術コミュニケーションについて考える際に大切なのは、多くの研究者が忠義を尽くしているのはその研究領域に対してであって、彼らが雇用されている特定の組織に対してではない、ということです[2]。組織への帰属は偶発的なものですが、研究領域の探求は一生続くものです。言い換えれば、生物学者としてシカゴ大学で１年教員を務めた翌年にノースカロライナ大学に移るということはあるかもしれませんが、生物学者であることを辞めたりはしません。ですから、研究者は大学よりもむしろ、米国生物学会や英国王立生物学会のような組織に対してより深い忠誠心を抱くことが多く、このためにどこでどのように出版するかという選択の際にはこれが影響することがあるのです。

図書館

図書館は、書籍やジャーナルを購入して学生や教員に提供します。学術コミュニケーションにおいて大学図書館が果たす役割はそう単純でなく、これについては第６章で詳しく解説します。ここでは、図書館が果たす最も重要な役割の一つは「仲介」であると指摘しておくことにします。研究者は実際に自分では購入（もちろん保存も整理も）できないほど多くの情報にアクセスする必要があります。ですから大学などの組織は図書館を建築してその資金を提供することで、全ての構成員、つまり学生や教員が使うかもしれない研究情報を集中的に管理するのです。変わりゆく学術コミュニケーションのエコシステムと、学生や研究者の探索行動の大きな変化は、図書館の実務に大きな影響を与えてきました。これについても後述します。

言うまでもなく、各プレーヤーはそれぞれ異なる方法で何らかの形で学術コミュニケーションに貢献していて、そうした貢献はお互いに連動しながらさまざまなレベルで依存し合っています。例えば、出版社は原稿を書いてくれる著者が必要ですから、優れた著者を獲得するために互いに競い合っています。著者である研究者は、出版社が提供する編集や査読などのサービスと引き換えに、出版の（著作権の完全譲渡も含めて）権利を引きわたします。そして権威あるジャーナルや（書籍の場合でも）一流の出版社から出版するためにお互いに競争しあうのです。学生や教員は高額なジャーナルや書籍の購入だけでなく、その保存や管理についても（そして安定したオンラインアクセスの確保も）図書館に依存しています。図書館は、消費者であると同時に学術情報の生産者である彼らのニーズに配慮しつつ、（常に上昇傾向の）価格を睨みながら（頭打ちの）予算のやりくりをしています。研究の費用を負担する政府や助成機関は、研究成果が社会に及ぼすインパクトを最大化するために適切なルールを定め、そのルールは著者や出版社、一般大衆にも影響を及ぼします。そうした機関に対して、特定のルールが公共の利益を最大化するのだと熱心に勧める利益団体やロビイストたちもいます。

このエコシステムはもともと複雑でしたが、1990年代初頭から半ばにかけてウェブが出現してからは一層複雑になりました。ウェブによって初めて、莫大な人数が同時にドキュメントにアクセスできるようになり、また、ほとんど追加コストをかけずにそれらのドキュメントを複製頒布できるようになりました。すぐにジャーナルはオンライン環境へと移行しはじめましたが、ジャーナル出版が完全に印刷媒体に背を向けることはなく、今日でも完全に移行したとは言えません。冊子体とオンライン版の両方を出版するジャーナルは少なくなってきたとはいえ、全てのジャーナルが完全にオンラインで出版されるようになるのはまだ先のようです。インターネットが偏在しているように、開発途上国でのオンラインアクセスにはまだばらつきがあります。需要は減りつつありますが、出版社はジャーナルを冊子体で提供し続けなければならないのです。つまり出版社は複数の生産工程を維持しなければならず、そもそも困難で費用のかかるプロセスはさらに複雑に、高額になるということを意味します。

二重の出版フォーマットが存続するということは、図書館にとっても複雑でコストを強いることになります。図書館は単純に物理的な資料で埋め尽くされた建物ではなく、オンライン資料へのアクセスを提供する仲介者になりつつあります。物理的な蔵書の何倍ものオンライン資料へのアクセスを提供している大学図書館も珍しくありません。図書館員は新たな役割を果たすために、ライセンス交渉や認証システムの不具合への対処やデータベースの管理など、新たなスキルを身につけなければなりません。同時に、物理的な資料はその利用頻度が下がったとはいえ、これまでどおりの保存場所と管理を必要とします。

研究者にとっては、新しい学術コミュニケーションのエコシステムは機会の拡大だけでなく、新たな厄介事や時に危険すらもたらします。比較的低コストで始められるオンライン出版によって爆発的に新しいジャーナルが刊行されて出版の機会は拡大しましたが、同時に品質を見極めることが難しくなりました（近年急増しているあからさまな悪徳出版については第13章でとりあげます）。さらに、オンラインアクセスによって論文がいつ読まれたのか、引用されたのかを正確に追跡することが可能となり、これまでは考えられなかったような方法で論文の実際の影響度をはかることが（理論的には）可能となりました。これによって新しいツールの競合が生まれたり、組織や政府が新たなポリシーを掲げることにもなりましたが、これはエコシステムの中で生きる人々、とりわけ著者である研究者にとっては必ずしも好ましい状況ではありません。そしてオンライン出版は安価で簡便な情報の流通を可能にするはずなのに、宣伝費用は相変わらずで、出版社にはコンテンツを永久保存しなければならないなど新しい責任も生じています。

カレッジ(college)とユニバーシティ(university)はどう違うのか？

この二つの用語の使い方（とそれらが日常の会話で混同される度合い）は、国によって異なります。米国では、going to college という表現が日常的に使われていて、これは一般的に中等教育から高等教育に進むことを意味します。ですから、「どこのカレッジに行ったの？」という質問の答えが「ミシガン・ユニバーシティ」だったとしても、誰も矛盾を感じないでしょう。ですが、カレッジとユニバーシティのあいだには明白な差異があります。より正確に言えば、文脈によって変化するさまざまな意味を持った差異があるので、そのためとても複雑なことになります。

カレッジとユニバーシティの一般的な区別として、組織のタイプがあります。米国では、ユニバーシティは学士号の授与に必要な最低四年の就学期間を設けているのが常で、修士号や博士号を授与する大学院と共に設置されることも多いです。これに対して、カレッジは普通二年または四年の就学期間を課します。コミュニティカレッジは通常、オープンアドミッション（高校を卒業していれば誰でも入学できることを意味します）が普通で、二年の就学期間で準学士号を授与します。また、専門資格のプログラムや、ユニバーシティあるいは四年制のカレッジに進学する事前準備を必要とする学生のための補習なども、コミュニティカレッジの果たす重要な機能です。四年制のカレッジは、応用科学よりは一般教養科目に、研究よりもクラスでの授業に重点を置いています。

カーネギー分類とは何か？

カーネギー分類は、1973年に米国のカーネギー教育振興財団[訳注11]が考案したシステムです（2014年に、財団はこのシステムについての責任をインディアナ大学のブルーミントン高等教育研究センターに移管しています[3]）。高等教育機関をそれぞれの使命や、教育と研究のどちらにより重きを置いているか、あるいは就学年限などによって大別することを目的としています[4]。カーネギー分類では以下の7つを定めています。

訳注11　Carnegie Foundation for the Advancement of Teachingは、「鉄鋼王」として有名な米国の富豪アンドリュー・カーネギーによって1905年に設立された教育関連のシンクタンク、研究所。

先住民大学 (Tribal Colleges)：アメリカンインディアン高等教育連合に属するカレッジやユニバーシティなどがあります。

専門大学 (Special Focus Institutions)：二年制と四年制の大学がありますが、全て高度な主題専門性を有しています。法科大学院や医学部、芸術やデザインのカレッジ、技術専門学校、その他高度に専門化された大学があります。これらは全て、一般教養よりも職業的な訓練やおよび資格の授与に力を入れています。

準学士号授与大学 (Associate's Colleges)：しばしばコミュニティカレッジとも呼ばれ、二年で準学士号を取得できるのが特徴です。従来の一般教養に重点を置くものや、技術教育を重んじるもの、あるいはその両方を学べるものなどがあります。

学士号・準学士号授与大学 (Baccalaureate/Associate's Colleges)：最低でも一種類の学士号プログラムがある大学のことで、学士号と準学士号のプログラムをある程度均等に提供するものもあれば、準学士号のプログラムを主とするものもあります。

学士号授与大学 (Baccalaureate Colleges)：授与する学位の半分以上が学士号か、より上位の学位である大学のことで、年間に授与する修士号が50以下、あるいは博士号が20以下のものです。リベラルアーツカレッジ（一般教養大学）と呼ばれる大学の多くはこのカテゴリに属します。

修士号授与大学 (Master's Colleges and Universities)：年間に授与する修士号が50以上、博士号は20以下の大学を指します。大きさによって、M3（小）、M2（中）、M1（大）のようにさらに分類されます。

博士号授与大学 (Doctoral Universities)：年間に授与する博士号が20以上の大学を指します。修士号授与大学と同様に、このカテゴリに属する大学は研究活動の状況によって、R3（普通）、R2（高度）、R1（最高度）のようにさらに分類されます。「研究活動」にはたくさんの基準があり、さまざまな科学分野における研究開発費や、（教員ではない）研究スタッフの数、授与する博士号の学際性などさまざまです[5]。

ご推察の通り、どの大学がどのカーネギー分類に属するかというのは、そこに所属する研究者が実際に学術コミュニケーションのエコシステムにどの程度関わっているのかによるところが大きいのです。例えば博士号授与大学の教員は、広く出版されるような研究に深く関わっていることが多いですし、準学士号授与大学の教員はオリジナルの学術研究を生み出すというよりは、それを消費する立場にいることが多いのです。

大学はどのように構成されているのか？

カレッジとユニバーシティを区別する際のもう一つの重要な概念として、大学における組織構成があります。伝統的な英国式のモデルでは、ユニバーシティは実はカレッジの集合体であって、それぞれが多少なりともお互いに（そしてユニバーシティ全体としての組織からも）独立しています。このモデルの最も極端な例は英国のオックスフォード大学とケンブリッジ大学です。どちらの大学でも、構成要素であるカレッジは特定のカリキュラムに重点を置いていますが、それはカレッジの名前に反映されていません。米国式のモデルでも基本的なユニバーシティの中のカレッジという構造は見られますが、米国のカレッジは組織的にそれほど独立しておらず、人文学部や法学部などの分野が名称となっていることが多いです。さらに米国のユニバーシティでは、カレッジの中にスクールというものが存在することも多く、このためユニバーシティの中に芸術のカレッジがあって、その中に音楽のスクールがあったり、地球科学のカレッジの中に鉱山学のスクールがあったりします。ただ、往々にしてカレッジはデパートメントの集合体であることも多く、スクールとデパートメントがどう違うのかというのははっきりしておらず、組織によって異なるようです。

さらに紛らわしいことに、高等教育機関の中には、カレッジでもユニバーシティでもないものもあるのです。そのような機関は多岐にわたって存在しますが、一つ重要な例としてあげるとすれば、マサチューセッツ工科大学やカリフォルニア工科大学に代表される私立の研究機関です（ただし、Georgia Tech という名称で有名なジョージア工科大学は公立の大学であることに注意してください）。

またもう一つの重要な高等教育機関として、営利目的のカレッジやユニバーシティなどがあります。認定されているものもされていないものもありますが、伝統的な学位や専門資格をとるための教育を通常はオンラインで（時には通りに面したオフィスビルに設けた「キャンパス」で）提供しています。近年では、こうした機関はますます厳しい監視対象となっています。強引な勧誘手段を用いたり、あり得ないような卒業生の将来の就職先をむやみに約束したり、法外な学費を請求したりして告発されるケースもあります。このような圧力のもとで、米国ではいくつもの大きな営利教育機関が認定資格を失って閉校しています。にもかかわらず、このような営利教育機関は高等教育システムの重要な一部としてその役割を果たしていますが、学術的成果や出版物には大きな貢献をしていません。営利教育機関には大学出版局がなく、教員にオリジナルの研究成果を出版することを要求していないからです。

テニュアとは何か、なぜ研究者はそれを欲しがるのか？

学術コミュニケーションについて語る時、必ず出てくるのがテニュア（tenure、終身在職権）と昇進（promotion）の概念です。多くの研究者はキャリアの最初の段階で、テニュアトラックで採用されるために、あるいは（そこにたどり着いてからは）テニュアを獲得してずっと雇用され続けるために努力します。この段階で研究者がどのような学術コミュニケーションを行うかは、かなりこの目標に支配されています。

テニュアとは何でしょうか？　基本的には終身雇用の状態を指します。若い研究者がテニュアトラックの職位（通常は助教）に就くと、5年から7年程度で研究者や教育者としての功績をあげることが期待され、その期間が終わるとテニュアを獲得して無期限に教員として雇用されるか、あるいはテニュアを得られずに契約終了となります。通常は、テニュア獲得と同時に准教授へと昇格します。テニュアトラックのシステムは、「アップ・オア・アウト」の典型的な例で、契約期間の終わりに昇進するか、さもなければクビになるか、というものです。

なぜ研究者がテニュアを欲しがるか、もうおわかりでしょう。学術コミュニケーションについて説明する時になぜこれが関連するかというと、研究成果を定評のあるところに出版するということが、ほとんどの分野でテニュアを獲得する基本条件だからです。そのような出版物は、助教が自分の研究成果の価値を同じ分野の他の研究者たちに認められたということを意味し、優れた出版業績はテニュアの審査にあたる教員たちがまず考慮する事項の一つなのです。

教員にとってテニュアが大事であるもう一つ重要な理由として、学問の自由に関わる問題があります。これについては、この章の後半で詳しく解説します。

ここで注意したいのは、多くの大学教員がテニュアトラックに就いているわけではなく、非常勤扱いであるということです。非常勤の教員の雇用期間は一年ないし二年間が普通で、給与も定額ではなく、担当する授業のコマ数に連動します。近年では、テニュアトラックの教員に対して非常勤教員の割合が増加しています。理由としては、非常勤の方が安く雇用できること、また、博士課程の修了者が非常に増えたため、テニュアトラックの職位が不足していることがあげられます。当然ながら、非常勤教員はテニュアトラックを目指していて、そのために学術出版の業績をあげようとすれば相当な努力を強いられます。

もう一つ注意したいのは、「解雇されることのない快適な終身雇用の教授」という大衆紙がよく使う表現とは裏腹に、テニュアの「終身在職権」は「何があっても終身雇用を保証されている」というわけではないことです。テニュアを獲得したら正当な理由のもとに解雇されないということではありませんし、レイオフされないということでもありません。それは大学が継続して雇用すると決定したにすぎず、教員である限りその業績は定期的な査定や評価の対象であって、仕事をしなければ解雇されることがあるのです。また、大学の財政状況が悪化すれば、レイオフされることもあります。そうは言っても、テニュアを獲得している教員を解雇することは難しい、という点で大衆紙は概ね間違っていませんし、そうあるべきです。これは次の質問につながります。

大学はなぜ教員にテニュアを与えるのか？大学としての利益は何か？

テニュア制度について最もよく引き合いに出される理由として、この制度が自分の信念と専門家としての判断によって発言し、執筆し、教えるための学問の自由を担保するという考え方があります。正当な理由（きちんと授業に姿を見せないとか、研究不正に関与するとか）があってテニュアを得ている教員が解雇されることがあったとしても、学部長や学長が良しとしない事柄について教えたり、物議を醸すような本を出版したり、特定の政治的な立場をとったりしたために解雇されるということは通常はありません。さらに、教える内容の全ては教員自身が決めるというのが大学における理念であって、大学の管理者が授業の内容をデザインしたり決めたりということは普通はありません。教員はどの授業を担当し、それをいつ教えるのかということは通知されますが、どんな情報を授業に盛り込むのか、またそれをどのように教えるのかは、自由に決定することができます。

このやり方は教員だけでなく、大学にとってもメリットがあります。大学の学問的な卓越性についての評判を高め、優秀な教員を集めることになるからです。テニュアを得た教員の取り扱いが難しいと大学職員はよく不満を述べますが、大学からテニュア制度を廃止しようとする動きは（全くないわけではありませんが）ほとんどありません。

ここまで述べてきた通り、テニュア職の教員を解雇することは確かに困難で、本当に稀にしかあり得ません。あったとしても教員と大学管理職から構成される最低一つの（普通は複数の）委員会によって監督される長くて複雑で、政治的に難しいプロセスを経てからになります。授業の内容を決めるだけでなく、教員に誰がなるのかならないのか、誰が継続雇用されるべきか、などを決定するのも教員の仕事であって、しかもそのような決定は簡単に下せるものではありません（多くの大学では、学長や総長が教員のテニュア獲得を承認し、また理事役員の同意も得なければなりませんが、ほとんどの場合それは形式的なプロセスであって、本当に決定しているのは教員たちなのです)。

学術コミュニケーションとはどんなものなのか？

学術コミュニケーションのエコシステムに流通するよくあるドキュメントやその他の成果物については、すでにたくさんの例をあげてきましたが、ここではその特徴や種類についてもう少し詳しく見てみましょう。

STM分野で最も典型的な学術コミュニケーションといえば、査読付きジャーナルに掲載される論文です。査読というのは学術コミュニケーションにおいて非常に重要な概念です。端的に言えば、査読とは、投稿された原稿を著者と同じ分野の研究者が吟味することで、編集者が最終判断を下す前に行われます。ジャーナルの編集者はその分野（に加えてその分野での自分自身の専門領域）について一般的な知識を備えているものですが、その分野の全ての領域について熟知して全ての投稿原稿について完璧な評価ができるわけではありません。投稿される原稿のほんの数パーセントしか受理されないような人気のあるジャーナルでは、その規模を維持するために投稿の早い段階で評価を外注することがどうしても必要になります。そこで査読者は、投稿された論文に注目すべきかどうか編集者に知らせるという、いわば暫定的な編集判断を提供することになります。査読は通常、「ブラインド(blind)」（著者は査読者が誰か知らされない）ですが、時に「ダブルブラインド(double blind)」（査読者も著者が誰だか知らされない）で行われることもあります。すでに述べたように、査読の仕組みについては本書の第4章で詳しく解説します。

人文学でも論文は重要ですが、特にテニュアを求めている教員にとっては大学出版局から学術書を出版することが欠かせません。学術書の出版は十分条件ではありませんが、人文系の多くや一部の社会科学分野では学術書を出版していなければテニュアを獲得するのはたいへん難しくなります。

しかし、重要な学術コミュニケーションが全てジャーナルや書籍として出版されるわけではありません。実際のところ、正式に出版されないものもたくさんあります。ウェブが成熟するにつれて学術情報の出版形態には、研究者どうしにしろ一般大衆に向けたものにしろ、より多様で信頼性の高いものが現れました。インフォーマルな学術コミュニケーションの形態として重要でよく知られているものの一つとして、arXiv（発音は「アーカイブ」、大文字のXはギリシャ文字のchiなので）というプレプリントのリポジトリがあります。プレプリントのリポジトリについては第4章で詳述しますが、arXivの歴史についてはここで述べておきましょう。ロスアラモス国立研究所のポール・ギンスパーグによって開発されたarXivは、物理学、数学、コンピュータ科学、非線形科学、定量生物学、統計学などの分野で研究論文を書いている著者にとって、オンライン上の物々交換の場のようなものです[6]。そこで著者たちは論文の暫定版を共有して、同僚から意見をもらったりするのですが、そこで共有される論文は一般にも無料で公開されます。投稿された原稿は（掲載に相応しくないものを弾くための）形式的な査読を通過しなければならないものの、arXivのスタッフやモデレーターによって編集されることはありません。arXivに登録される下書き論文の多くは、のちに最終版としてジャーナルに正式に掲載されます。2011年にarXivはロスアラモスからコーネル大学の図書館に移管されました。近年では他の分野でもプレプリントサーバーが開設されていて、bioRXiv、PsyArXiv、SocArXiv、engrXivなどがあります。

ウェブの出現によって盛んになったブログもまた、ここ10年くらいのあいだに学術コミュニケーションに大きな影響を与えました。もともと「ウェブログ」と言われていたブログは、基本的にオンラインの日記のようなものです。多くの企業が無料のブログサービス（WordPressやBlogspotなどが人気です）を提供しているので、そこに登録すればあらかじめデザインされたオンラインのスペースに何でも好きなように書き込むことができ、読者からコメントを受け取ることもできます。時間が経つにつれて、ブログは真剣に学術的な議論を展開する重要な場となってきました。「学術的なブログ」という用語は、もはや嘲りの対象でも物笑いの種でもなく、かなり多くの専門学会が重要な事柄を議論するためのブログを開設しています。ブログが果たすようになった最も重要な役割の一つが、議論のためのプラットフォームとしての機能です。正式にジャーナル論文として発表されたものが、関連するブログで検討され、分析され、批評されることもしばしばあります。特にコメンテーターとしての才能があって、たくさんのフォロワーがいるような個人ブログを書いている研究者もいて、正式に出版する論文の読者を増やすことにもつながっています。また、ブログを併設するジャーナルサイトもありますし、ブログのプラットフォームを使って出版しているオンラインジャーナルすらあります。

メーリングリストもまた、インターネットの興隆によって可能となった学術コミュニケーションの形態の一つで、研究者どうしのコミュニケーションに大きな影響を与えました。基本的にメーリングリストは電子メールによるディスカッショングループのようなものです。購読登録すれば、ある分野の進展について、あるいは特筆すべき論争や予定されているイベントなど、さまざまな対話に加わることができます。学術的なメーリングリストには月にいくつかの投稿しかない控えめなものもありますし、一日にたくさんの（時に数百もの）メッセージが交わされるような活発なものもあります。メーリングリストで交わされる内容はオンラインで保存されることも多く、それは権威があるわけでも正式なものでもないのですが、その分野における考察を深めるのに重要な役割を果たすこともあります。

研究者は直接お互いにコミュニケーションをとる場合もあります。日常的に交わされる普段の一対一の会話もあれば、もっと公に専門的なコンファレンスなどで論文や研究成果についてプレゼンテーションをすることもあるでしょう。コンファレンスで発表された論文は通常、後で正式に出版されることが多く、ジャーナルに掲載されることもあれば、コンファレンスで発表された情報を網羅した会議録に収載されることもあります。そしてもちろん、距離を隔てて交信することもあって、その場合は郵便や電子メール、電話などを使って、アイディアを交換しあったり、未発表の成果や出版物のコピーを送ったりすることもあります。

最終版 (version of record) とは何か？

学術コミュニケーションの主要な場としてインターネットが使われるようになり、版の管理（バージョン・コントロール）が大きな問題となっています。これはインターネット上のコミュニケーションの大きなメリット、つまりドキュメントの複製や頒布が簡単に、迅速にできるということの裏返しです。学問の発展は研究者どうしのたゆまないコミュニケーションの上に成り立っていますから、インターネットが学術コミュニケーションに大いに活力を与え、その対話を加速させたのは事実ですが、それと同時に無秩序に増え続ける大量のドキュメントの原因にもなっています。

この問題が及ぶ範囲を理解するために、例えばあなたが社会心理学を研究する学者だったとしてみましょう。あなたは地理的に離れた三つの大都市の人口におけるうつ病の発生について大規模な調査を行い、それぞれのグループの中で、あるいはグループどうしを比較して、興味深い類似や相違を発見しました。この発見についてあなたは暫定的なレポートを書いて、信頼できる何人かの同僚に電子メールで送ったり、SocArXivなどのプレプリントのリポジトリに投稿したりして、レポートへの意見を求めます。彼らの意見に基づいて、あなたはレポートの体裁を整えたり議論を精査して、改訂したバージョンを査読付きジャーナルに投稿します。ジャーナルの編集者は、あなたの投稿原稿を何人かの査読者に送り、査読者はコメントを返します。査読コメントとともに、原稿を修正するようにというリクエストがあなたに届きます。あなたは原稿を修正し、新しいバージョンを編集者に送ります。このバージョン（しばしば「著者最終稿」と呼ばれます）が出版社によって受理されると、その数カ月後には活字となってきちんとフォーマットされたバージョンが届き、出版前にエラーがないかどうかチェックするように求められます。あなたはいくつかのエラー（表現が不十分な文章や、少し弱めた方がよい断定的な物言いなども）を見つけ、修正を入れた校正刷りを戻します。この最後の修正を反映したバージョンが、ようやく論文として出版されるのです。

このようなプロセスは多くの研究者にとっては典型的なものですが、ここには最低でも五つのバージョンが出てきます。同僚に共有した最初のレポート、ジャーナルに投稿した最初の原稿、査読者からのコメントを加味した改訂原稿、活字となってフォーマットされた修正前の校正刷り、そしてあなたの校正を反映した最終版です。このうち、あなたが修正を入れる前の校正刷りのように、いくつかのバージョンについては二度と誰の目にも触れないものもあります。しかし他のバージョンは、そのままあるいは部分的に、さまざまな形でオンライン上に現れます。あなたの同僚が、最初のレポートから一段落を引用してメーリングリストに送信するかもしれません。あるいはあなたが自分の大学の機関リポジトリに、著者最終稿を登録することもあります。最終版は当然オンライン上で出版され、直ちにあるいはエンバーゴ[訳注12]期間を経て、無料で公開されるでしょう。さらに、後日あなたはその論文の手法や結果の概要をパワーポイントでまとめて、出版された論文と同じタイトルのプレゼンテーションとしてコンファレンスで発表するかもしれません。するとほら、バージョン6です！

訳注12　embargo はもともと国際取引で特定国との通商禁止令を意味します。学術出版の文脈では、論文の閲覧やダウンロードに対して課金するジャーナルが、論文の公開後に一定期間を経てそれを無料にすることを指します。ジャーナリズムの世界でも、ニュース記事やプレスリリースなどある特定の日時に公開される情報について事前に共有する際に使われます。

訳注13　VOR と略したり、「出版社版」と呼ばれることもあります。

このようにあなたの論文についていくつものバージョンがインターネット上にある時、どのバージョンが正式なものか、つまり最終的に出版されるまでの期間にあなたが必要だと認めた変更や修正の全てが反映されているのはどれか、というのは極めて重大な問題です。あなたの同僚が最初のレポートから引用した一段落は、最終的に論文が出版される前にあなたが何か重要な変更を加えたものだったでしょうか？　あなたは著者最終稿を提出してから校正刷りに修正を施すまでのあいだに、何か重大な変更をしませんでしたか？（もしあなたが豊富な出版経験をお持ちなら、答えはおそらく「はい」でしょう。私は以前、校正刷りの中でほんの些細な誤字を見つけましたが、もしそれを修正していなかったら、その段落で私が言おうとしていたことが正反対の意味になってしまうところでした。）

論文の正式なバージョンのことを、最終版（Version of Record[訳注13]）といいます。当然ながらそれは最終版として完全にフォーマットされ、正式にジャーナルに掲載されたバージョンのことを指しています。またこれも当然ですが、他の研究者が引用する場合はこの最終版にあたるのが普通です。しかし最終版だけが有用であるとは限りません。場合によっては、著者最終稿や、その他のプレプリント版も十分通用します。ただ、学術コミュニケーションのエコシステムの中では、最終版こそが完全で正式なものだと考えるのが一般的です。

なぜ研究者はわざわざそのような
コミュニケーションをするのか？

非公式な学術コミュニケーション、例えばブログや、同僚との電話、論文のドラフトを友人に送ったり、コンファレンスの廊下での雑談などは、時間がかからず簡単で、時に効果的に情報を共有することができます。学術書やジャーナル論文、その他の出版物のような正式な学術コミュニケーションには、常に多大な労力が強いられるだけでなく､時間もかかります。ではなぜ研究者はそれをするのでしょうか？

もちろん、理由は一つだけではありません。テニュアトラックの教員であれば大抵、正式な出版物は普通の職務要件の一つです。もし大学出版局から学術書を出版したり、名のある査読付きジャーナルにある程度の論文が掲載されたりしなければ、テニュアを獲得することはできずに職を失うことになります。こうした立場におかれた研究者にとって正式な出版物は、従事している研究が高度で学術的だと同じ分野の他の研究者に認められたということを証明する手段なのです。

テニュアトラックを目指している研究者にとっては、正式な出版物があればそうしたポジションの有力な候補者となるのに有利です。大学で非常勤講師やポスドクの数が増えるに従って、これがますます重要になってきます。多くの学問領域で、テニュアトラックの職を得るのは非常に難しく、大学に就職したい人々はまずインストラクターや非常勤のポジションに一時的に落ち着くか、将来への足がかりとしてポスドクの道を選ぶのです。こうした状況に身を置く若手の研究者にとって、正式な出版物というのは同僚に研究成果を共有するという以上の意味があります。知的探求への真剣さや学術的な功績を、のちに候補者となった時にそれを審査するであろう人々に対してデモンストレーションするのです。自己宣伝とテニュアトラックを目指すにあたっての証明手段としての学術コミュニケーションの側面は、強調してもしすぎることはないでしょう。

もちろん、研究者は自分の仕事について読んでもらいたい、自分の分野やそれを超えたインパクトを与えたい、と思っています。ウェブが発展する以前は、研究成果を興味のある人々に届けるには、名のある出版物に掲載されることが最も効果的で効率的でした。しかし、ほんの少数を除いては、評価の高い学術誌でも読者はそれほど多くなかったのです。現在では、研究についてできるだけ多くたくさんの人に広くアクセスしてもらうようにすることは本当に単純で、オンラインで発表すれば直ちに数十億の人々が読むことができるようになります（見つけてもらえるようにするにはもう少し手間がかかるのですが）。このことと、研究者が研究発表の場をどうやって決めるのかについては、第4章で詳しく述べたいと思います。

なぜ正式な学術コミュニケーションは高価で多大な労力を要するのか？

無料のブログが作成できて、すぐに発信できる電子メールやメーリングリスト、プレプリントのリポジトリもあるこのインターネットの時代に、なぜ正式な学術コミュニケーションはいまだに時間と労力を要する（そして高価な）ものなのか、不思議に思う人もいるかもしれません。これには少なくとも二つの回答があって、一つは納得がいくものですがもう一つはそうでもありません。

納得がいかない方から説明すると、学術出版という分野は大学と同じように、変化に時間がかかるのです。近年では、学術ジャーナルや学術書のような従来型の出版形態にも非常に革新的な再編成がされて注目すべき実験も行われていますが（そのうちいくつかは本書でも解説しています）、*正式*な学術コミュニケーションが行われる大まかな仕組みは50年前とほとんど変わっていません。ジャーナルはこれまでどおり査読と編集が行われて毎月、あるいは隔月、年２回と出版されますし、学術書だって電子ブックとして出版されてもなお、印刷された本とほとんど同じような格好をしています。形式や構成が古いことは、必ずしも時代遅れだということではありませんし、これらが価値のある学術出版の特質として受け継がれていることには議論の余地はありませんが、多大な時間と労力を要するものだということは否定できません。学術と出版の世界は、私たちが期待するほど早くも完全にも進化していない、というのが大方の意見なのです。

もう少し納得がいく回答としては、学術成果の完全性と品質の維持のために多くの人が不可欠だと考える手順を遂行するには、それほどたくさんの近道がないのです。例えば、査読のプロセスについて悪く言う人はいて、その代わりになるものを提案しようとする人もいますが、いまだに査読はジャーナル論文を（学術書についてもある程度は）学術的に認定するための究極の判断基準だと一般的には考えられています。単純にその規模について考えれば、これがなぜかは明白です。投稿されてくる全ての論文を完全に吟味するために必要な編集者を全て雇うことができるジャーナルなどありません。ほとんどの場合、数が多すぎますし、さまざまな専門領域にわたっているからです。さらに、投稿の数は増え続けていますし、専門領域の数もどんどん細分化しています。この規模の問題を解決するためには、分担するか外注するしかありません。外部の査読者は、投稿された論文を丁寧にレビューし、編集者にコメントを返すために無償で時間と専門知識を提供します。直接対価が支払われることがほとんどないこの仕事は、多くの場合、研究者が勤務時間や自分自身の時間を使って無償で引き受けています。彼らは学術という一大事業に貢献しているとわかっていて、彼ら自身の論文も誰か他のボランティアによって査読される必要があるので、善のカルマを積んでいるというわけです。

もちろん、この仕組みには多くの問題があります。まず、最終的に出版されるよりもずっと多くの論文が査読されなければならず、査読者の労力は論文や書籍を世に出すためというよりは、そうさせないために使われているのです。査読のプロセスを管理すること自体、とてつもなく時間がかかるだけでなく、精神的に消耗する仕事です。どの論文がどの査読者に送られているのか管理し、査読者の反応が遅ければ（あるいはいったん引き受けても全く音沙汰がないこともあります）督促し、査読者のコメント（これによって改訂された原稿をもう一度査読に回すことになります）を処理し、そのコメントに同意しない著者にも対応しなければなりません。ほとんどの編集者は、彼ら自身フルタイムの研究者であることも多く、編集作業の対価を受け取っていない場合がほとんどです。査読者がボランティアするのと同じ理由ですが、それに加えて職務経歴書に良い経験を書き込むことができますし、それによってテニュア獲得や昇進に役立つこともあるかもしれません。

正式な学術コミュニケーションにコストと時間がかかるのには、他にも厄介な要因があります。大多数の学術出版社は予算が非常に限られた学会であって、新しい効率的な出版技術を採用することが難しいのです。新しい研究の爆発的な成長は、多くのジャーナルへの投稿の過剰供給を引き起こしましたが、それでもその全部について何らかの対応が必要で、早期のリジェクトですら時間とコストがかかるのです。現在の学術コミュニケーションの環境では、かつて冊子体で発行されていたジャーナルがオンラインでも発行されなければなりません（その一方で冊子体を最低限維持しているという事情は後で述べますが）。こうした問題の全てが、将来にわたって学術コミュニケーションの特徴であるべきだと考える人ばかりではありませんし、実際にシステム全体への解決策がやがて見つかるかもしれません。しかし現在はそのような解決策はなく、正式な学術コミュニケーションは高価で多大な労力を要するものなのです。

研究者どうしの競争はあるのか？

研究者どうしの競争は確かにあります。それはいろいろな形で現れますが、全て何らかの形で学術コミュニケーションに関わっています。

まず、***大学での職位についての競争***があります。この競争は熾烈で、就職口の数をはるかに超える研究者を大学院が生み出し続ける限りさらに激しくなっていくでしょう。このアンバランスにはいくつかの原因があります。一つには、年長の教員がなかなかリタイアしないので、多くの大学では既にあるテニュアトラックのポジションに欠員が生じないのです。同時に、そうした大学からは若手の研究者が就職口を求めて出て行くことになります。また、高等教育、特に公立大学[訳注14]の財政が一般的に伸び悩んでいるということも原因の一つです。予算が増えない、あるいは減っているということは、テニュアトラックのポジションにたとえ欠員が生じたとしても、そのポジションを埋めるのか、あるいはその給与分を何か他のこと（例えば

訳注14　アメリカの公立大学のほとんどは「州立」で、各州に必ず一つ以上あって、州政府の財政によって支えられています。

その他の教員の給与引き上げなど）に使うのか、大学は難しい選択を迫られることになります。すでに述べたように、多くの教員がそもそもテニュアトラックに就いているわけではなく、（一年ごと、あるいは学期ごとに特定の授業を教える契約で）非常勤となっています。こうした非常勤教員の数が増えているのは、大学への就職競争が激しくなっていることの表れです。激化する競争は若手の教員に対してますます出版のプレッシャーを与えます。優れた出版業績は、競争から一歩抜きん出るために最も有効なのですから。

このことは、研究者どうしの競争について二つ目の重要な側面を示唆します。***一流ジャーナルへの出版競争***です。何をもって一流とするのか、またこれに関わるその他の論争については後で解説しますが、ここで指摘しておきたいのは、特定のジャーナルの方が他のジャーナルよりも重要だということと、一流のジャーナルは投稿されてくる論文の大多数をリジェクトするものだ、ということです。そうしたジャーナルに出版するために研究者のあいだに相当な競争が生じることは明らかです（もちろん、学術書の出版においても、大学出版局から出版するためには同様の競争原理があります）。

もう一つ重要なのは、***研究資金の獲得競争***です。特に研究をするために高価な器具や施設が必要で、実験のために何十万ドルも、時には億単位のコストがかかるような分野では、この競争は特に激しいのです。

このように、研究者どうしの競争原理というのは、車の製造業や石鹸メーカーのようなものと比べると複雑なものだと言えるでしょう。研究者たちはしばしば共同で研究をしますが、現実的な競争というのは確かにあって、学術コミュニケーションのエコシステムの仕組みをかなり形作っているのです。

日本にもテニュア制度はあるのか？

本章では主に米国におけるテニュア制度について解説されています。テニュアトラックの教員は、定評のあるジャーナルに論文を掲載したり学術書を出版したりして、業績を積み上げていかなければなりません。雇用契約のもとに定められた期間（北米では通常五年間）を成功裡に満了して審査にパスすれば、終身在職権、すなわちテニュアが与えられます。テニュアの審査に臨む人々は dossier と呼ばれる分厚いファイルを用意します。出版業績以外にも、職務経歴や担当した授業の一覧、学内外で携わった学術的な活動や受賞の記録など、さまざまな学術的貢献が dossier には含まれます。晴れて審査を通過した者だけが、テニュアを獲得できるのです。これに対して非常勤（adjunct）の教員にはそのような義務がなく、学内の部署や別の組織で働いている人が能力や職務経験を活かして非常勤講師として授業を教えることもあります。

日本の大学教員の要件や資格は、大学設置基準の第四章「教員の資格」に定められていて、これは総務省が提供する e-Gov 法令検索サイトで検索することができます。例えば教授には、博士の学位（またはそれに準ずる研究上の業績）や専攻分野について特に優れた知識及び経験、大学における教育を担当するにふさわしい教育上の能力などが求められています。大学設置基準では、大学の規模や学部の種類に応じた専任教員の数も定めています。

日本の大学では非常勤講師というと一年以内の契約、というのが普通です。それ以外にも任期制のポジションがあり、数カ月から五年までと任期には幅があります。さらに、「特任」教授／准教授／助教といったポジションもありますが、これらは外部研究資金によるプロジェクトや寄付講座の開催などのために特別に任用するものです。

文部科学省では「テニュアトラック普及・定着事業」として、以下の要件を満たした研究者の育成制度を実施する機関を対象として科学技術人材育成費を補助しています。

1. 博士号取得後 10 年以内の若手研究者を対象とすること
2. 一定の任期（5 年）を付して雇用すること
3. 公募を実施し、公正・透明な選考方法を採っていること
4. 研究主宰者（Principal Investigator：PI）として、自立して研究活動に専念できる環境が整備されていること
5. 任期終了後のテニュアポスト（安定的な職）が用意されていること

科学技術・学術政策研究所が実施している「博士人材追跡調査」によれば、日本ではテニュアのポジションは増えているものの、博士号を取得した若手研究者の約半数が任期制の職務に就いていることが報告されています。

参考：

総務省 . "e-Gov 法令検索 ." https://elaws.e-gov.go.jp/
文部科学省 . "科学技術人材育成費補助金：テニュアトラック普及・定着事業 ." https://www.jst.go.jp/tenure/
科学技術・学術政策研究所 . "博士人材追跡調査 ." https://www.nistep.go.jp/jdpro/

第3章

学術コミュニケーションの市場

論文や学術書を出版する研究者はどのくらいいるのか？

これは妥当な質問ですが、あいにく答えるのがたいへん難しいのです。どれだけ多くの研究者が研究成果を発表しているのか見定めるのが難しい理由の一つは、「研究者」について普遍的な定義というものがないからです。彼らが全て大学に所属しているわけではなく、シンクタンクや研究財団で働いている研究者もいれば、企業の研究者もたくさんいて、その一部は成果を発表する一方、内部で利用するためだけに研究成果をあげている人たちもいるのです。さらに、どの組織にも所属せずに、独立して研究をしている研究者もいます(科学者よりは人文系の学者にこの傾向が見られますが、厳密にそうしたルールがあるわけではありません)。

もちろん、出版している研究者の数は、出版されている論文数に直接反映されているわけではありません。理由の一つは、一年にたくさんの論文を出版する研究者がいるからですが、著者の数と論文数が直接結びつかないことにもっと大きな影響を与えているのは、共著の数が年々増える傾向にあるからです。特にハードサイエンスでは、一つの論文に10人以上の共著者がいるのは当たり前のようになっていて、極端な場合は何百、何千という著者が名を連ねていることもあります。当然ながら、この慣習は議論の的となっています。何百もの（あるいはそれが数十人だったとしても）著者が全員、一つの論文に何か意味のある形で貢献しているとは考えにくいからです。指導的な立場にある人が著者に名を連ねることもありますし、時には名前だけの名誉著者ということもあります。事情はどうあれ、10人以上の著者が論文に名を連ねるような習慣は蔓延していて、科学コミュニティではこれについて懸念が広がっています。その習慣を完全に改めるというところまではいっていないようですが。

学術コミュニケーションの市場では どのくらいの金額が動いているのか？

2015年の時点で、STM（科学・技術・医学）分野の世界の（ジャーナル、書籍、データベースなどを含めた）出版市場の規模は、調査会社のOutsellによる概算では262億ドルです[1]。同じく調査会社のSimbaは、HSS（人文学・社会科学）の世界の出版市場を50億ドルと見積もっています[2]。この二つの数字の開きはたいへん興味深いものです。OutsellとSimbaの見積もりが正しいとすると、いわゆるハードサイエンスには人文社会系の約5倍の市場サイズがあることになります。ですがこの著しい違いは、これらの分野に流通する出版物を購入したことのある人にとっては特に驚くようなことではありません。科学系のジャーナルや書籍は人文系よりもずっと高額なのが普通ですし、ハードサイエンスの出版物は社会科学のものよりもやはり高価なのです。

なぜこのような差があるのでしょう？ 答えは複雑で、こうした分析をする人たちよりも、学術コミュニケーション界の内部からそれを擁護する人たちの方が、ずっと雄弁で熱心なのです。出版社は自分たちのこれまでの慣習を擁護し、変化を求める人々は改革を叫び、客観的な経済分析は一顧だにされません。ですが、少なくとも二通りの説明ができます。

まず最初の説明は、科学系の出版社は需要の高い出版物について独占的なコントロールを持っているということです。言い換えれば、非常に高額であっても図書館がSTM出版物を購入するので、出版社は高値をつけているのです。なぜ図書館員はそんなに高いものを購入するのでしょう？　そうしなければ図書館の利用者がとても怒るからです。特に研究大学では、高品質の科学出版物（基本的にジャーナルですが）への教員や学生からのアクセス要求はとどまるところを知りません。彼ら自身が購読料を支払うわけではないので、購読価格がどんなに高くても値上がりしても、その要求が止むことはないのです。そして、そのように需要の高いジャーナルの出版社は、競合他社が出版していないような独自の内容を売っていて（それゆえに各出版社はそれぞれの出版物について独占的な立場にあるのです）、市場原理の中では需要の高い科学ジャーナルの価格を下げるような力が働かないのです。このロジックから、科学ほど需要の高くない人文系のジャーナルや書籍がずっと低価格であるという基本的な理由がわかります。

二つ目の説明としては、科学研究が人文研究よりもずっと高額だということです。厳密にそうだと言い切ることはできませんが、一般的にはそうだと言えます。高額な器具を揃えたラボや、研究アシスタントのチームを雇わなければいけないような研究は、ひとりで本を読んだりアンケート調査をしたりするような研究よりはずっとお金がかかるのですから。もちろん、全ての科学研究がそのようなラボの中で行われるわけではありませんし、全ての人文学者が書棚に向かって仕事をしているわけではありません。ですが全体的に見わたせば、人文系の研究の多くは低コスト、ハードサイエンスの多くは高額だという図式が成り立ちます。

このような観察からは、また別の疑問が生じます。研究者は論文を掲載する出版社から研究資金を得ているわけではないのに、なぜ科学研究のコストが高いとその出版物も高額となってしまうのでしょうか? 言い換えれば、ジョン・ダン[訳注15]の詩について研究するよりも、DNAの研究をする方がコストは高いでしょうが、それはダンについての論文よりもDNAに関する論文を掲載するコストの方が高くなるという理由になるでしょうか? 少なくとも多くの場合、答えはイエスです。ダンに関する論文はおそらくテキストだけで、比較的安価に出版できますが、それに対してDNAに関する(あるいは組織学や腫瘍学の)論文は、カラー画像がいくつもあったりして、出版コストは高価になります。ハードサイエンス、特に医学系の論文の査読は、文学的な論考よりも込み入っていて高価なものになるでしょう。しかしこうした違いは、果たして科学ジャーナルと人文系ジャーナルの価格の違いの根拠となるでしょうか? これはたいへん難しい問題です。

もう一度言っておきますが、こうした差異は多様な連続性の中に存在する、というのは大事なことです。学術出版のエコシステムが医学研究と文芸評論だけで成り立っているわけではありませんし、出版コストがハードサイエンスよりも高額な社会科学研究だってあ

訳注15 ジョン・ダン(John Donne, 1572 - 1631)は、英国の詩人。

るかもしれません。結局のところ、STM と HSS の出版コストの違いの原因として唯一重要なのは、需要と供給の市場原理ではないでしょうか。研究図書館であればその機関が戦略的に重要としている分野のトップジャーナルを購読しないということはありませんし、出版社はそうしたトップジャーナルの価格を高額に設定できる、ということです。

学術出版社はどのくらいあるのか？

「学術出版社」の定義は曖昧なもので、まとまった世界の学術出版社の一覧のようなものもありません。ですから正確な数字を答えることは難しいのですが、2006 年に報告された世界の学術ジャーナルの出版社数は 657 です[3]。本書の執筆時点でウィキペディアによれば、世界には 157 の大学出版局があるようです[4]が、全ての学術書の出版社が大学出版局というわけではありませんし、本を出版する出版社が「学術的」「非学術的」ときれいに区別されているわけでもありません。世界の学術出版に関する調査でこの曖昧さを示す例として、2007 年の分析では国際標準図書番号 (ISBN) を登録している出版社がインドだけでも 12,000 もあった[5]ということです。そのようなわけで、どの時点でも、学術出版社が正確にはいくつあるかを知ることはおそらく不可能です。

どのくらいの学術書やジャーナルが出版されているのか？

この数字はもう少し簡単に計算することができます。2014 年には、約 28,000 の査読付き学術ジャーナルが出版されています。最近では、ジャーナルの数は一年に 2.5% ずつ増えています[6]。しかし、ジャーナルのエコシステムが変化するにつれて、こうした数字はあまり意味を持たなくなっています。例えば、一年に何万もの論文を掲載するようなメガジャーナルが出現し、単にジャーナルの数を数えても以前のようにジャーナル市場の規模を理解する助けにはならなくなっているのです。例えば *PLOS One*（一年に約 25,000 から 30,000 論文を掲載）と *American Journal of Obsterics and Gynecology*（一年に 100 から 200 論文を掲載）をそれぞれ 1 ジャーナルとして数えた場合、ジャーナル市場のサイズというものを著しく歪めてしまうことになりかねません（メガジャーナルについては、第 12 章でより詳しく説明します）。

もう一つの交絡因子として、「ハゲタカ」、すなわち詐欺ジャーナルの存在があります。この問題については第 13 章で詳しく述べますが、ここで指摘しておきたいのは、偽ジャーナル（だけでなく偽の出版社も）をオンラインで立ち上げるのは早くて簡単だということです。また、露見したらすぐに消去することもできるので、追跡するのはとてもたいへんですしその数を数えるのは事実上困難なのです。どのジャーナルが真正で（だからジャーナル市場の一部として数えていいか）、どのジャーナルが偽物なのかというのは、大まかには答えられるものの、多くの場合曖昧な部分が残るのです。

学術書については、最新の業界データは入手するのが難しいですが、*Humanities Indicators* プロジェクト（アメリカ芸術科学アカデミーによる）の調査によれば、2013 年には全ての学術分野の合計で約 12 万冊の新刊本が出版されたとのことです。そのうち 5 万 4 千冊は人文学、1 万 3 千冊は行動科学・社会科学、7 千冊は工学、8 千冊は医学、1 万 3 千冊が自然科学、2 万 6 千冊がその他の分野で出版されています。さらに同じ調査では、2013 年までの 5 年間にわたり、ゆっくりですが着実に学術書の出版が増えていると報告しています[7]。

毎年何冊の学術書が出版されているかという問いに答えるのが難しいのは、それにあたって何を数えるのかという点について曖昧さをまず解消しなければならないからです。同じ本のハードカバーとペーパーバックと電子ブックを別々に数える場合もあり、特に電子版やペーパーバックがハードカバーの出版より後になって出版された場合などはそうするしかありません。

もう一つ曖昧なのは、「学術的」とか「学問的」とかいう言葉にあります。特に人文系の分野では、歴史や伝記のようなものが学術的かそうでないかという区別ははなはだ曖昧です。一方で、医学のような分野では、がんについての臨床的な書籍と一般書の違いは明快です。

日本にはどのくらいの研究者がいるのか？

研究者の人数を把握するのは難しいと著者は言いますが、少なくとも日本では研究に従事する人数は毎年、総務省統計局による「科学技術研究調査」の中で報告されています。同調査によれば、2019年3月31日現在の日本における研究関係従業者の総数は約109万人、研究事務や補助にあたる人を除くとその8割にあたる約87万人が専ら研究開発に従事する人、すなわち「研究者」です。この数字は直近の10年間にわたってほぼ一定ですが、男女の内訳を見ると、2009年には86%を占めていた男性の比率が2019年には83%と徐々に下がってきています。

この調査から、研究者が全て大学に所属しているわけではない、ということもわかります。日本では87万人の研究者のうち、50万人あまりが企業で働いています。大学に所属しているのは33万人あまりで、そのうち自然科学系を専門とするのは約23万人、人文・社会科学系に従事するのは約10万人です。企業にも大学にも所属しない研究者は、研究開発法人、独立行政法人、各種非営利団体などに勤務しています。

分野の違いによる出版コストの差は、そもそも研究コストの差を反映しているのだというのが著者の意見です。日本における自然科学部門の研究費は2兆4253億円(2018年度大学等の研究費全体に占める割合65.9%)、人文・社会科学部門は8308億円(同22.6%)です。自然科学部門の中でも、保健医学は1兆2327億円(33.5%)、工学は7116億円(同19.3%)、理学は3314億円(同9.0%)、農学は1497億円(同4.1%)というように分野によって差があります。人文・社会科学部門では、経済学が2452億円(同6.7%)、文学が2030億円(同5.5%)、法学が999億円(同2.7%)などです。

「こうした差異は多様な連続性の中に存在する」と著者も述べているように、一概には言えませんが、少なくとも研究費の分布を見る限り、日本でも人文・社会科学よりも自然科学の方により多くの資金が使われていることがわかります。

日本の学術出版社の数やジャーナル数については、第4章の章末コラムで紹介することにします。

参考：

総務省統計局.“科学技術研究調査.” https://www.stat.go.jp/data/kagaku/index.htm

第4章
学術出版の仕組み

学術コミュニケーションと学術出版はどう違うのか？

第2章で解説した通り、研究者はさまざまな形でお互いにコミュニケーションをとるのですが、それらは公式さの度合いによって連続スペクトルのように存在します。非公式には、職場やコンファレンス会場の廊下、電話やメールなどでの会話がありますし、もう少し公式になるとコンファレンスのポスターや卒業論文、学位論文、公開前の論文の原稿の共有や、プレプリント、ブログ記事などのドキュメントになります。最も公式なのは、ジャーナル論文や学術書、ホワイトペーパー、コンファレンスでのプレゼンテーションなどです。

当然ながら、学術コミュニケーションのモードがより非公式になるに従って、正式に出版される可能性は低くなります。出版社は学術コミュニケーションがより公的な形になってから関わってくることになります。コンファレンスのポスターはそのままの形で、あるいは（こちらの方がありがちですが）後々の論文の基礎となって出版されるかもしれません。財団によって内部資料として作成されたホワイトペーパーは、後々きちんと体裁を整えてから、有料あるいは無料で公開されるかもしれません。博士論文は改訂されて正式に学術書として出版されるかもしれません。出版することを目的として執筆されたドキュメントは、普通は書き上がり次第、出版社に送られます。

そういうわけで、この質問に対する答えは、学術出版は学術コミュニケーションの一部だということになります。学術出版は全て学術コミュニケーションだといえますが、正式に（あるいは非公式にでも）出版される学術コミュニケーションは少ししかない、ということです。

それでは、学術出版社というのはいったい何をするのでしょう？

学術出版社は何をするのか？

歴史的には、学術出版社は以下の四つの重要なサービスを著者に対して、また読者全般に対して提供してきました。

1. 品質と妥当性という観点から*投稿原稿を取捨選択する*。
2. 著者の原稿をより良いものに洗練するために*編集作業を行う*。
3. 編集され査読された最終版を、（普通は有料で）*広く出版する*。
4. 一定の権威性を与えて著者の同僚（だけでなく広く一般）から注目を集められるように、*著作のブランド価値を高めて宣伝する*。

これらはつまり、出版社自身の言葉を借りれば、研究者の仕事に「付加価値を与える」ということです。ただ著者が書いただけでは、その内容が特定の分野にふさわしいとは限りません。明瞭でなかったり、文法や句読点が慣例に従っていないかもしれません。きちんとフォーマットされて活字に組まれて、正式なジャーナルや書籍のようになっているということはほとんどないでしょう。十分に吟味されていない原稿と見分けることも難しいのではないでしょうか。出版社は付加価値を与えるために、以下のような機能を果たしています。

- 論文や本の原稿を取捨選択する（これによって、読者が信頼性の高い情報を求めて、何百、何千という資料を読んで評価する必要がなくなります）。
- 元々の論文や本の原稿を編集してより良いものにする（不適切な言い回しをあらためたり、全体の構成を直したり、など）。
- 文献として検索できるようにして、読者に広く提供する。
- 信頼できる、質の高いものであることを保証する。

こうした機能がそれぞれ、近年どのように変化してきたのか、あるいは変化し続けているのか、以下に順番に見ていくことにします。

出版社による***取捨選択の機能***は、当初から著者や読者にとって重要なもので、上に示した大まかな機能はこの数十年のあいだほとんど変わっていないでしょう。出版社に送られてくる原稿の全てが自動的に受理されて、品質や分野との関連性を考慮することなく出版されるとしたらどうでしょうか？　読者は本を手にしても、それが全くの出鱈目なのか、慎重に吟味された学術業績なのか判断できません。小児科医学のジャーナルにアクセスしても、そこに掲載されている論文が本当に小児科医学に関連するものなのか、またきちんとした科学的根拠に基づいた信頼に足るものなのか、わからないでしょう。いくつかの論文はそうかもしれませんが、他のいくつかはそうでないかもしれません。大学出版局から出版される学術書や学術ジャーナルに掲載される論文が、常に最高の知的水準にあるというわけではありません。正式な出版のプロセスが十分に厳格であれば、読者が批判的に読んだり評価をしなくてもいい、というわけでもありません。しかし、ざっくりと学問的なものを選りすぐるというのが、従来より出版社が読者に対して提供してきた重要な機能の一つなのです。「*Lancet* に載っていたから、これは確かなことだ」とまでは言い切れないにしても、*Lancet* に掲載された論文であれば、その分野に精通している科学者によって慎重に吟味されたもので、医学分野に関連したまともに受け取って良いものだとは言えるでしょう。

学術出版における***編集機能***もまた、著者にとっても読者にとっても大事なものです。論文や書籍が大いに有用で革新的な情報を含んでいたとしても、構成がまずかったり書き方がいたずらに曖昧だったりすることがあります。著者に文才がなかったら（あるいは文才豊かだったとしても）、原稿が読みやすくなるように相当の校正が必要かもしれません（校正によって文意が変わってしまわないようにするため、著者が見直す必要はありますが）。内容が満足のいくものとなったら、今度は出版物にふさわしい体裁に整えなければなりません。どんな出版社にも、テキストと引用のフォーマットには「ハウススタイル」というものがあり、論文であれ書籍であれ、全ての原稿はある程度の一貫性をもって調整されるのです。もし原稿に写真や図表などの画像が含まれていれば、画像のサイズや解像度も考慮しなければなりません（もちろん複雑な著作権処理についても）。テキストに含まれるリンクや、参考文献についても正しいかどうかを誰かがチェックする必要があります。他にも多くの編集上の役割を出版社は担ってきましたし、これからもそうでしょう。

選別と編集は、学術出版が始まった当初からの重要な要素でしたし、情報の生まれ方や一般大衆への伝達方法が大きく変わった現在でも、それは変わりません。しかし出版社の伝統的な付加価値の三つめ、つまり***学術情報を検索できるようにして***読者や研究者に広く提供するという機能は、最近の変化によって大きな影響を受けました。

何世紀ものあいだ、特定の文献を見つけるのは難しいことでした。目録にアクセスできるのは特権階級だけでしたし、そうした目録はせいぜい初歩的なもので、常に最新ではありませんでした。出版印刷の技術が発達したおかげで、読者が特定の本や論文の所在を突き止めるのは簡単になり、もちろんインターネットのある現在ではパワフルな検索エンジンによって、かつてないほど豊富な検索が可能になりました。しかし文献の所在がわかっても、それにアクセスできるかどうかはまた別の問題です。印刷物の時代には、文献にアクセスできるように出版社はたくさんのコピーを印刷し、物理的に流通させ、それらのコピーを販売しました。コピーを一部入手したら、それを他の人に貸したり、(合法的かどうかはともかく)新たなコピーを作成したりして、さらにアクセスを拡大することができました。

当然ながら、インターネットの登場によっていちばん変わったのは、この部分です。もはや著者は出版社に依存しなくても、書いたものを広く読者に提供することができます（提供することと検索可能であることが同義でないことは後述します)。インターネットはいくつかの技術が組み合わさって劇的な変化を実現しました。テキストやメタデータを高速で検索したり、自動的に文献をコピーしたり、テキストや画像を瞬時に送信したり、オンライン文献の検索可能性をかつてないほどに高めて、無限に共有可能としたのです。そのように人間のコミュニケーションに劇的な影響を与えた技術革新は、電話機の発明以来です。知的成果物を無数の人に提供するのにもはや出版社は必要なくなった、という事実はその影響のほんの一つの側面にすぎません。

選別と編集、品質管理が読者にも（正式な学術出版物にアクセスするためにお金を支払い続けているというのがその証拠です）著者にも（単にオンラインで無料配布するのではなく、正式な出版物として投稿するというのがその証拠です）これまでどおり重要視されている一方で、流通手段を提供するという点において出版社の価値はほとんど損なわれています。

出版社が果たす四つめの重要な役割は、***ブランド化とマーケティング***です。著者にとっては、ある特定のジャーナルに論文を発表すること、または特定の出版社から本を出すことは、その出版社の名声を自分の著作に結びつけ、その出版社のマーケティング力を利用するということです。一般的に研究者は研究成果を単に読者に提供するだけでなく、それが吟味され、価値あるものだと認められたことを読者にわかりやすく伝える必要がありますから、出版社からのお墨付きは殊の外重要です。*New England Journal of Medicine* に論文が掲載されたり、ハーバード大学出版局から本を出版すれば、そのメッセージはとても効果的に伝わります。出版社から出版することによって、読者にきちんと見つけてもらえるようになりますし、これは特に玉石混交のインターネット上では大事なことです。技術的に提供できるようにすることと、実際にそれを読もうとする人々に見つけてもらえるようにすることは、同じではないのです。

査読とは何で、どのような仕組みなのか？

査読（ピアレビュー）は学術コミュニケーションの世界ではたいへん重要な概念で、一名、もしくは複数名の著者と同じ分野の研究者が依頼を受けて批評や意見を述べるという、出版前に行われる知的品質管理のプロセスです。通常は、著者が投稿した原稿について、内容が適切である程度きちんと書かれているか、また学術的・科学的に意義のある妥当な議論を展開しているか、などの一般的な編集チェックの後に査読が行われます。

著者の同僚からの意見が求められる理由の一つは、投稿されてくる全ての論文を徹底的に批評できるだけの広い知識や十分な時間がある編集者などいないからです。特に、比較的対象範囲の広いジャーナルはそうです（例えば*Journal of Bone and Join Surgery* に対して *Nature* を考えてみてください)。また、公平な吟味という手続きを加えるという点でも査読は重要です。伝統的に査読は「ブラインド」、すなわち著者には誰が自分の論文を査読したかがわからないように行われます。時には「ダブルブラインド」、つまり著者に関する情報が原稿から削除されて、査読する側にも誰が著者なのかわからない、という場合もあります（にもかかわらず、査読の公平の原則は常に完全ではありません。小さな領域では、査読対象の論文を誰が書いたのか推測することは比較的簡単です。また、特に自説と異なる、あるいはそれに逆行するような仮説や価値を追求している同僚の仕事をレビューする時には、常に自分のバイアスを排除することは難しいものです)。

原稿の査読を依頼されると、査読者は通常それを読んで、以下のような質問をします。

- 論文はジャーナルにふさわしいか？
- オリジナルか？
- 重要な研究課題を取り扱っているか？
- 方法論は確かか？
- 結論は提示されたデータから導かれているか？
- 明快で説得力があるか？

そして査読者は原稿をそのまま出版すべきか、修正して再提出を求めるべきか、あるいはリジェクトするべきかについて意見を求められます。査読者のコメントや意見を考慮した上で、編集者は最終的な決断を下します。もし修正して再提出すべきだということになれば、修正されたバージョンは同じ査読者に依頼されることになるのが普通です。

近年では、オープンアクセスの動きや、一般的に盛り上がりを見せている透明性への関心からか、オープンピアレビューへの関心が高まっています。オープンピアレビューにはさまざまな形がありますが、著者と査読者はお互いに誰だかわかっていて、査読のプロセスもオープンに、しばしば公に行われます。

伝統的な査読に対するもう一つの最近の変化として、「出版後」の査読というのもあります。このシステムでは、論文は最低限の査読、あるいは全く査読なしで出版されます。出版後に査読が行われて、それは論文とともに公開される記録の一部となります。査読者は自らそれを引き受けたボランティアか、著者またはジャーナルの出版社によって依頼されます。

査読者には普通、直接報酬は支払われません。多くの場合、査読者は大学や研究機関に勤務する研究者で、学術コミュニケーションのエコシステムへのこうした貢献は雇用条件に含まれており、職務上の義務の一部とみなされます。彼らは他の人たちの書いたものを査読することで、その人たちも自分が書いたものを査読してくれることを期待します。当然ながら、こうしたボランティアに支えられる査読には困難が伴います。依頼されてもそれに応じる人ばかりではありませんし、むしろひどいのは引き受けても期限を守らなかったり、結局査読しなかったりする人たちです。査読のプロセスを管理することは、ジャーナル編集者の最も重要な任務の一つで、最もイライラする厄介な仕事です。

本書では「査読付きジャーナル」という表現をよく使いますが、これはしばしば学術コミュニケーションに関する会話の中に登場します。多くの学術分野では、査読付きジャーナルに出版することは大学での昇進に不可欠です。学術書の出版社も、ジャーナルとほとんど同じように査読を実施します。さらに、本の企画をレビューしてどれを採用すべきか、委員会を構成して意見を求めることもあります。

査読は実際に有効なのか？

有効ですが、人間が作り出すどんなシステムもそうであるように、不完全なものです。近年、伝統的な査読のモデルについて、その効果や公平性、効率性などについて議論が高まっていて、それは主に査読や出版の新しいモデルが増えてきたことが原因です。基本的に広く受け入れられているのは、学問は精査と品質管理に対してオープンでなければならず、また編集者だけではその精査を十分にすることができないこと、また必要とされる意見を述べたり必要な品質管理にあたるには、著者の同僚がおそらくいちばんふさわしい、といった考え方です。しかし伝統的な査読で何が機能していて何が機能していないか、また伝統的な査読を何か新しいものに置き換えた方がよいのか、という点についてはあまり一致した意見がありません。そして伝統的な査読は新しいものと置き換えられた方がよいと思っている人々の中にも、何をもって置き換えるのか、またどのように改善されるべきなのか、という点についてはまだ意見の一致がみられないのです。こうした論争自体、科学や学問の正常な機能の一部なのですが。

しかし、伝統的な査読のシステムが意図された通りに機能していたとしても、そのシステムには批判が多いということは指摘しておきます。査読があることで出版のプロセスは遅くなりますし、うまく機能していたとしても、査読の信頼性と効果はその分野に注意力と客観性をもって査読できる人がどれだけいるか、ということに依存しています。査読者に経験があって定評があるほど、それだけ査読者としての彼らは改革や新しい考え方を軽んじる傾向があります。また少なからぬ研究者が経験していますが、有用で信頼性の高いレビューをする（そして締め切りを守る）能力と意思を示した途端に、たくさんの査読依頼が来てしまうのです。

査読が期待通りに機能しない場合にはどうなるのか？

査読は信頼制度の一例です。参加者が自分のアイデンティティや所属先、専門性などを偽ることなく、勤勉さと誠意をもって義務を遂行した時に初めて期待通りに機能します。毎年出版社に寄せられる学術論文や本の原稿の膨大な量を考えると、また多くの場合それらは複数の査読者のレビューを受けるのですから、信頼を損なうようなことが起こるのはある意味当然でしょう。そうした行為にはいくつかの種類があります。

査読者が利益相反の開示を怠るというのはその一例です。例えばある研究の中で調査対象となっている製品を提供する会社から、査読者となる研究者がコンサルタントとして報酬を得ている場合、その研究の質と成果を評価するのに影響を与えるかもしれません。査読者自身が行っている研究が、査読を依頼された論文と異なる結論に向かっているような場合にも、利益相反の恐れがあります（自分自身のプロジェクトに対してどれだけ打ち込んでいるかにもよりますが）。

信念との矛盾や不一致によっても、査読は失敗するかもしれません。学術的なトピックについて論文の査読を依頼されるのは、同じ分野で論文を書いている研究者であることが多く、著者と競争するような立場に置かれていたり、査読対象の論文に示されたエビデンスとはあまり関係のない理由で著者に意義を唱えるかもしれないからです。自分とは反対意見を唱える者に対するバイアスを完全に取り除くことは難しく、それによって査読者としての客観性が損なわれることはあり得ます。

査読が失敗に終わる理由は、時にもっと単純です。約束された査読を実施すると言っておきながら、全くしない場合です。これはどんなジャーナルでも起こり得ますが､特に「ハゲタカ」ジャーナル（これについては第13章で詳しく述べます）で顕著な問題です。時には、査読を実施しないのはジャーナルではなくて査読者の側だったりもします。査読付きジャーナルの編集者であれば誰でも、査読依頼を引き受けても何もせず、ジャーナルと著者を時には何年も待たせておくような研究者についての恐ろしい事例をたくさん知っているでしょう。

そしてもちろん、査読の仕組みが全て正常に機能したとしても、完璧な査読者などいないことは明白です。誠意があって偏見のない査読者でも、論理の破綻や研究デザインの誤り、剽窃など、学問にそもそもつきものであるいろいろな不具合について見逃してしまうことはあるのです。

つまり、査読が不完全なシステムであるということに疑問の余地はありません。学術コミュニケーションの仕組みの中で重要であるということは完全さの証ではなく、（今のところ）それに代わって広く受け入れられるような審査や品質保証のシステムが欠如しているからなのです。

「撤回」とは何で、なぜ起こるのか？

学術論文の撤回 (retraction) は、出版後に何か深刻な欠陥が認められた場合に起こります。時にそうした欠陥は驚くほどいい加減な研究の結果だったりするのですが、当然、そうした欠陥を投稿原稿が出版に回されるずっと前の段階で検知するのが査読の大きな目的で、それによって編集者は論文を拒絶したり、大幅な改訂を要求するといった判断をすることができるのです。

しかし、どんなに丁寧で良心的な査読者であっても、全ての論文の全ての根本的な誤りを見抜くことはできません。問題の核心が不注意や不十分な論拠ではなく、意図的で計画的な詐欺行為である場合は特にそうです。データを改ざんしたり、安っぽくいい加減な実験デザインをあたかも緻密で徹底したものに見せかけたりするような研究者は、査読の過程で馬脚をあらわすようなことはしないはずです。結局のところ、査読者は実際に研究室で何が起こったのか知る由もなく、研究を完全に再現することもなく、ベースとなっている生データの全てにアクセスできるわけでもありません。この種の問題は、他の研究者が同じ手法を用いてその研究の成果を再現しようとした（そしてそれに失敗した）時や、研究室の内部から告発があったりして初めて露見するのです。査読者や読者が生データにアクセスできるようにするという最近の傾向は、この問題を回避するのに多少は役立っています。

これらが意味するのは、正式に出版された論文は、単に欠陥があるからとか後発の研究で矛盾する結論が導かれたからとかいう理由で撤回されるわけではない、ということです。論文の撤回は普通、それについてひどく深刻な問題があるということを意味していて、その問題というのはしばしば学術的な不正行為に起因することが多いのです。このため、撤回というのはそう簡単に行われるものではありません。

学術書もまた、不正なデータや捏造された記述、度を超えた剽窃などがあれば市場から回収されることがあります。しかし、「撤回」(retraction) という用語は（どういうわけか）書籍には使われず、通常は「取り下げ」(withdrawn) という用語が使われます。

「再現性の危機」とは何か？

「再現性の危機」[訳注16] は最近になって広く使われ始めた用語で、出版された研究成果の妥当性について学術コミュニティの中で広がりつつある懸念を表しています。

訳注 16　英語では“replication crisis”、または“replicability crisis”、“reproducibility crisis”とも言います。

研究の結果というのは再現可能である、というのは科学的な手法の顕著な特質です。つまり、ある研究がきちんとデザインされて誠実に実施されていれば、同じ条件と環境のもとで行われた場合、いつも同じ（あるいは限りなく近い）結果が得られるはずです。もし出版された研究が再現されて結果が大きく異なる場合、その妥当性に疑問が投げかけられることになります。

近年、こうした基本的な検定に耐えない研究が数多く出版されていることについて、科学コミュニティでは懸念が広がっています。2015年に出版されたある分析では、心理学で上位にランクするジャーナル3誌に掲載された論文の約3分の2に再現性がなかったと報告されています[1]。つまり、出版された研究で報告されている成果が、同じ実験を繰り返しても得られなかった、ということです。これが心理学の分野だということは、おそらくさほどショッキングなことではないでしょう。なぜなら心理学は（その他の社会科学と同様に）測定が非常に難しい事象や、そもそも存在自体が論争の的となるようなもの（感情や態度、心など）を研究対象としているからです。しかし、いわゆる「ハードサイエンス」における再現性についても、厳しい視線が注がれるようになっています。*Nature*に掲載されたアンケート調査によれば、回答した研究者のうち70%以上が他者の研究を再現しようとしてそれができなかったと回答しています。さらに、半数以上は過去の自分の研究について再現を試みて失敗したそうです。「再現性の危機はありますか？」という問いに対して、実に52%の回答者が「深刻な危機にある」と答えています[2]。

現在私たちが直面している科学における再現性の問題は最近の出来事なのか、それとも長いあいだずっと起こっていたことなのか、疑問に思う人もいるかもしれません。この問いに対して厳密な回答を求めるには相当な調査が必要ですが、ここ数十年の学術コミュニケーションの発展を考えると、この問題がより深刻となったのは比較的最近のことだと思われます。第二次世界大戦後に科学出版物が爆発的に増加した[3]ことで、良い研究と悪い研究の割合が一定だったとしても、全体の量が増加したために悪いものが目につくようになったということは言えるでしょう。

もう一つの理由として、同じ時期にジャーナルの数も爆発的に増加した[4]ということが挙げられます。科学ジャーナルの数が増えて競争が激化したために、各ジャーナルには差別化に向けた努力が必要となりました。インパクトの高い論文を掲載するというのはその一つです。このため、驚異的でエキサイティングな成果を喧伝するような論文であっても、さほど批判せずに受理してしまうという誘因が生まれた（あるいはすでにあった誘因が強まった）のです。

当然ながら、再現性の危機は論争の的となっています。社会科学における再現性の問題は、それらが本当の科学ではない証拠だと言う人もいます。社会科学と比べたら、生物医学の再現性の危機が引き起こす問題は生死に関わるもので、より多額の研究費用も絡む[5]ため、もっと切迫していると言う人もいます。いずれにしても危機などない、と言う人はほとんどおらず、この問題にきちんと取り組まなければ科学への信頼を損ないかねないという憂慮が一般的に広がっています（実際それに足る理由もあるのでしょう）。

インターネットの出現によって、出版社の仕事はどう変わったのか？

印刷の時代には、出版社は送られてくる原稿を受け付け、（しばしば一人ないし複数の著者の同僚による査読を経て）編集上の吟味を加え、その著作の関連性と品質についての評価と査読者の意見に基づいて受理するか拒絶するかを決定しました。受理されれば、論文はさらに校正され、出版物としての体裁を整えて活字が組まれ、他の論文と一緒にジャーナルの号として印刷製本され、購読者に向けて発送されました。学術書の出版社も同じようなプロセスをたどっていましたが、最後に出来上がるのがジャーナルの号ではなくて書籍だという点だけが違いました。どちらの場合も、出版社はブランドを強化し、出版物が売れるように宣伝しました。

デジタルの時代でも、出版社は印刷の時代にしていたのとほぼ同じことをしていますが、一方で新しくしなければならないこともたくさんあり、その数は増えています。例えば、冊子体のジャーナルの需要は何年にもわたって減り続けているにもかかわらず、当面はそれがゼロになることはありません。先進国でもいまだに冊子体を好む人たちがいますし、(もっと重要なことには) 開発途上国ではまだインターネットが浸透していないからです。これはつまり、出版社がオンライン出版社となってデジタル情報を製品として提供することになっても、それらのほとんどについて物理的なコピーを提供する印刷ベースの出版社としても存在し続けなければならない、ということを意味します。

オンライン出版社になるとはどういうことでしょうか? 出版にふさわしいコンテンツを取捨選択して編集サービスを提供するということに加えて、通常は過去の号のオンラインアーカイブを作って(あるいは他の業者にその対価を支払って) 維持しなければなりません。そしてそのオンラインのコンテンツにアクセスを提供し続け、政府や助成機関が強いる新しいルールや規制 (そういうものは印刷の時代にはなかったのですが) に対応し続けなければならず、論文のバージョン管理をしたり、新旧の出版物の最新号とバックナンバーを宣伝し、ハッキングや海賊版の脅威を監視し続けたり、その他にもいろいろなことをしなければなりません。

注目すべきは、アーカイブを維持しなければならない、という点です。印刷の時代には、出版物の永久保存は出版社に期待されていませんでした。書籍は絶版にして、ジャーナルは最新号に入れ替えて、出版社は新しいコンテンツを製作し続ければよかったのです。出版物を永久にアーカイブする役割は出版社にではなく、むしろ図書館に任されていました。しかし出版がオンラインに移行すると、読者はジャーナルが永久にそこにあることを望むようになったのです。

もちろん、出版社がこうした多くのことを全部やっているということは、必ずしも皆がそうすべきだと思っているからではありません。そうしたこと全てがされるべきだとも、あるいは出版社がそれをすべきだとも。ここで次の質問につながります。

学問が発展するためには、本当に出版社が必要なのか？
もしそうなら、それはなぜか？

これは 21 世紀になって論争を巻き起こしている疑問で、それにはさまざまな理由があります。

少なくとも 1960 年代以降、学術コミュニケーションの世界では三つの重要な事象について懸念が高まってきました。まず、（特に STEM と呼ばれる科学・技術・工学・数学の分野における）学術ジャーナルの価格高騰、そして大学図書館の予算の伸び悩みあるいは減少、さらに購読ジャーナルのキャンセルを避けるために図書予算を削減したことによる図書館での学術書の購入減少です。それぞれについては本書の他の部分でさらに詳しく述べていますが、ここでは、この三つの現象が（ほかにもいろいろありますが）特に図書館員や一部の教員のあいだで学術出版社への不満を募らせる原因となっているということを指摘しておきます。インターネットの出現と、それによって文書をほとんど追加のコストをかけずに複製配布できるようになったことで、学術エコシステムの一員の中には出版社の必要性について疑問を呈する人々がでてきました。一方では、図書館が必要かどうか疑問を投げかける人々もいるのですが。

これについて考える時に重要なのは、学術出版の世界は大きく分けて二つのタイプの組織があるということです。商業出版社（Elsevier や Taylor & Francis、Wiley など）と、通常は教育機関や学会の一部である非営利出版社（大学出版局やアメリカ地震学会、アメリカ歴史学会など）です。どちらのタイプにも完全には属さない出版社もあります。例えばオックスフォード大学出版局は、大学出版局であると同時に年間数億ドルの売り上げを誇る多国籍企業でもあります。また、アメリカ化学会は定義上は非営利の学会出版ですが、高額なジャーナルやデータベースを提供していてやはり年間数億ドルの売り上げを得ています。しかしこれらはむしろ例外であって、学術エコシステムの中で見られる出版活動の多くは、「コマーシャルな営利出版」か「大学や学会による非営利出版」のいずれかに大別されます。

学術コミュニケーションのエコシステムの中で出版社がいまだに必要とされているかどうか、という疑問が厄介な理由の一つは、学会が出版物へのアクセスに課金しつつ、その売り上げを学会員へのサービス提供に充てているからです。多くの学会では、会員サービスの一部として機関誌の購読が提供されています。そうでない場合でも、ジャーナルの売り上げは組織としての活動や、年次大会への参加費のディスカウントなどの会員特典に充当されるのです。

しかし、これではまだ学問の発展のために出版社が必要かどうか、という問いの答えにはなっていません。この質問の答えは（もちろん!）複雑なのですが、それは出版社が提供するサービスの価値や、出版社が実際どのような役割や機能を果たすべきかということについて全ての人々の意見が一致しているわけではないからです。出版社が提供するサービスは、著者に対するものと読者（とその代理でアクセスを提供する図書館）に対するものとで大きく異なっています。そのため、ここでちょっと違う質問について考えてみるのがいいかもしれません。なぜ研究者は仕事の成果を出版社に投稿するのか、そしてどうやって出版社を選ぶのでしょうか？ 最初の質問についてはすでに第２章で解説しているので、二つめの質問についてここで考えてみましょう。

研究者は出版すべきかどうか、そしてどこに出版すべきか、どうやって決めているのか？

出版すべきかどうか、どこから出版すべきか、どのように出版すべきかということを決めるにあたって、研究者はさまざまな動機をもっています。中でも重要なのは、それも特にテニュアを目指している人たちにとって重要なのは、評判です。（テニュアという形での）雇用契約を継続するためには、研究者は通常、同僚から高く評価されている一流のところから出版する必要があります。定評のある査読付きジャーナルに論文を発表したり、大きな大学出版局から書籍を出版することで、その分野で目が利く同僚研究者があなたの研究成果をまともで価値あるものだと認めたのだと示すことができます。その同僚たちこそが、あなたのテニュアの審査をする人々なのですから、（でもおそらくあなたの研究全てを読んで批判的に評価する時間はないので）*Nature* や *Lancet* などに論文が掲載されたり、シカゴ大学出版局から書籍を出版したりすることは、大学での雇用機会の獲得に実際に影響を与えることになります。このため、そのような学術的な「ブランド」はとても重要なもので、著者が出版しようとする際の選択を大いに左右するのです。

もちろん、研究者がコミュニケーションするのには他にも重要な理由がいくつもあります。他の人々が読んでくれることを期待せずに出版する研究者はいませんし、一流のところから出版したいという願望はその広く読んでもらいたいという欲求と矛盾するかもしれません。*Nature* や *Lancet* のような評価の高いジャーナルには比較的たくさんの読者がいますが、他の多くはたとえ良いジャーナルであってもそうではありません。ほとんどのジャーナルの読者はそれを購読している人だけであって、どんなに多くても限られていることには違いないのです。名声よりもできるだけ多くの読者を獲得したいと考える研究者は、広く一般にアクセスしてもらえるようなオープンな場に出版するでしょう。例えばブログとか、無料のオンライン出版物とか、オープンアクセスジャーナル（それ自体一流のジャーナルになっているものも出てきましたが）などです。また、研究者は目的によって異なる書き方で異なるところに出版しようとする、ということにも注目すべきです。意見を述べる記事であれば専門のニュースレターや個人のブログに、研究論文であれば査読付きジャーナルに、といった具合です。

もう一つの重要な出版形態（この場合「出版」という用語がふさわしくないかもしれませんが）は、プレプリントのリポジトリです[6]。すでに数十年にわたって、研究者は正式に出版する前の暫定版を広く共有するためのさまざまな方法を模索してきました。発明やアイディアの先駆性を公に確立するためだったり、正式に出版社に投稿する前に論文を修正したり洗練したりするための一つの手段としてだったり、その理由はさまざまです。1960 年代には、いくつかの分野ではそうした共有が普通のこととなり、研究者たちはドラフトを郵送しあったりしていました。第 2 章ですでに言及した通り、高エネルギー物理学の分野ではロスアラモス国立研究所によって設立された arXiv[7] というプレプリントのオンラインアーカイブがあります。このサービスはその他の定量科学の分野も取り込むようになって、2011 年にはコーネル大学の図書館に移管されました。生物学の分野でも、bioRxiv[8] という同じようなプレプリントのサービスが 2013 年に開始されています。このような種類の学術コミュニケーションは、興味のある人なら誰でも自由にアクセスできるのですが、それにもかかわらず一般にはあまり知られないまま、研究者どうしの会話と正式な出版活動のちょうど中間のような位置を占めています。

機関リポジトリ (institutional repository) について言及しようとすると、幅広い分野からさまざまな文献が収録されている上に出版されているものもいないものも含まれているため、さらに「出版」について曖昧になってきます。機関リポジトリについては第 12 章のオープンアクセスのところで詳しく解説しましょう。

結局、この時代に出版社は実際必要なのか？

営利目的の商業出版社であれ、研究機関による非営利出版であれ、学術出版社のビジネスは二つの点で成り立っています。著者から継続して投稿されてくるコンテンツと、読者や仲介業者、研究機関などが継続的に支払う購読料による売り上げです（その両方が著者自身か、もしくは著者サイドから来ることもありますが、これについては第12章を参照）。コンテンツと売り上げがなければ、出版社はビジネスを続けられません。

学術出版ビジネスの活況がある程度続いているということは、著者も読者も出版社を実際に必要としているのだと思われます。著者は自分の研究成果を広く知らしめたいだけでなく（正式に出版しなくてもそれはできるのですから）、定評のあるジャーナルや書籍の出版社が提供してくれる品質と妥当性についてのお墨付きを得たいのです。それにアクセスしたい読者は、普通は出版社やその代理店に料金を支払わなければなりません。「本当に出版社は必要なのか？」という問いに対する答えは、出版社が提供するサービスから直接恩恵を得ている人々の行動から判断すると、明らかにイエスです。

しかしこの問いにはもう一つの答えもあり得ます。実際にはもう出版社が必要ないにも関わらず、著者である研究者も、対価を支払っている読者もその現実に追いついていないのかもしれません。著者は出版社が提供するサービスが本当に必要なのではなく、知っていれば十分許容できるような代替手段を単に知らないだけなのかもしれません。あるいは知っているにも関わらず、そうした手段が広く受け入れられているかどうか懐疑的で、ちゃんとした教育が必要なのかもしれません。読者については状況が少し違います。出版社が学術コンテンツの著作権や専属的な頒布権を保有する限り、読者は出版社からそれを購入するか、図書館のように代理で購入してくれる仲介者から入手する以外に合法的な手段はほとんどありません。

興味深いことに、出版社が今後も必要かどうかは、読者や図書館の購買行動よりも、著者による出版行動にかかっているということになります。著者はまだ出版社が必要だと勘違いしているかもしれませんが、コンテンツが出版社の管理下にある限り、それにアクセスしたいと思う読者は出版社のサービスを利用するほかありません（法的には、ということですが）。もちろん、こうした状況が続くことは、真の需要を反映しているというよりは、単なる惰性か、もしくは出版社の側に働いている不健全な市場原理のせいだと主張する人もいるかもしれません。この問いについての意見はさまざまで、否定的な意見は本書の後半で取り扱う論争に直結してきます。

学術コミュニケーションにおける学会の役割とは？

専門的な学術団体や学会（英国では特に learned society と呼ばれますが、本書では単に society= 学会という短い呼称を用いることにします）は、研究者に対して非常に重要な役割を果たしていて、そのいくつかは学術コミュニケーションに直接関係しています。

背景として、全員ではないにしても多くの現役の研究者にとって、所属している大学よりも自分が携わる研究領域の方にこそ、アイデンティティを感じ忠誠心を抱いている[9]ということは重要で、これは次のように考えれば理解できるでしょう。もしあなたがテキサス大学で働く生物学者だったとして、そこにいる限りはロングホーン[訳注17]のファンかもしれませんが、生物学者であることは一生続くでしょう。さらに、同じ大学の文学の教授よりは、他の大学にいる生物学者の方がずっと職業上の共通点を持っているはずです。程度の違いはあってもこれが当てはまる限り、あなたは他の大学の生物学者との交流

訳注17　テキサス大学オースティン校のスポーツ・チーム。

や共同作業の機会をうかがうでしょうし、世界中の同じ分野の研究者が読んでいるのと同じジャーナルを読み、同じコンファレンスに出席し、同じ専門ブログを読むに違いありません。

何百年も前に学会が誕生し、いまだに存在している理由はこのように説明できます。ちゃんと運営されている学会は、多くの現役研究者の切実なニーズに応えているものです。

どんな組織もそうですが、学会もまた運営していくためには収入源が必要です。収入の一つのメカニズムとして、ほとんどの学会が会員から会費を徴収しています。しかし、まだキャリアが浅く経済的に余裕のない、将来の研究のための協力関係を築きつつある若い研究者たちを勧誘するためには、学会は会費をできるだけ抑えなければなりません。

学会のもう一つの重要な収入源は、年次大会のようなコンファレンスです。コンファレンスは研究者がお互いにネットワークを築いたり、雇用のための面接をしたり、研究成果を公に発表したりする場として重要なものです。学会はここでも、コンファレンスにかかるコストをできるだけ抑えて若手研究者（や所属機関から出張旅費がほとんど支給されない人たち）が参加できるように配慮しなければなりません。

ここで学会の第三の収入源が必要となってきます。それは、ジャーナルの出版です。第１章で述べた通り、最も初期の学術ジャーナルは学会の出版物でした。学会出版は、学術コミュニケーション市場において現在でも極めて重要な位置を占めています。あらゆる研究領域や分野における専門的な学術コンテンツを読者に提供する一方、優れた内容だと保証された研究成果を出版して読者に届けるための貴重な方法を著者に提供しているのです。興味深いのは、多くの学会がジャーナルの購読売り上げの一部を会員へのサービスやコンファレンスの費用に充てていて、会員が支払わなければならないコストを低く抑えて便宜を図っているのです。

なぜ多くの学会ジャーナルは商業出版社にライセンスしたり売られたりするのか？

たくさんの学会がジャーナルを出版していますが、その多くは出版のプロフェッショナルを雇っているわけではなく、規模の経済を享受しているわけでもありません。数多くのジャーナルを出版している学会もありますが、ほとんどの学会は一誌から数誌がせいぜいでしょうから、現実的には、ジャーナル出版から売り上げを得るにしても限界があります。一方、規模の経済が成立する、つまり相当の資金があってスタッフもいるような出版社には好機となります。近年、こうした出版社（特にWileyやElsevier、オックスフォード大学出版局など）が、学会ジャーナルの出版を引き受けて売り上げを折半しようと学会に提案する事例が増えています。多くの場合、これらの出版社は学会に売り上げの増加と、学会スタッフの業務量削減を自信たっぷりに約束します。

このような提案は学会にとっては非常に大きな利点がありますが、ジャーナルの購読者にとっては困る点もあります。学会ジャーナルを商業出版社が引き受けた場合には、ほぼ必ず購読料が値上がりすることになるからです[10]。

日本の学会とジャーナル数

この章では学術出版の仕組みと、その中で出版社が果たす役割やそれに関連するさまざまなトピックが紹介されています。著者は米国の大学の図書館員ですから、本書の大部分もその観点から述べられていますが、その多くは日本の文脈にも当てはまります。ただし日本での(日本語での)学術書の出版では、大学出版会のほか、特定の分野を専門とする中小規模の出版社による貢献が顕著です。また、紀要と呼ばれる論文集も数多くの大学や研究機関から出版されています。ジャーナル出版では学会が占める比重が大きく、これは以下のような制度的な背景があるためです。

「学会名鑑」というウェブサイトには、日本学術会議の活動に協力する2,000を超える学会・団体が掲載されています。その要件は以下の四つです。

1. 学術研究の向上発達を主たる目的として、その達成のための学術研究活動を行なっていること。

2. 活動が研究者自身の運営により行われていること。

3. 構成員(個人会員)が100人以上であり、かつ研究者の割合が半数以上であること。

4. 学術研究(論文等)を掲載する機関誌を年1回継続して発行していること。

最後の「機関誌」については継続して年1回以上発行されていて、学術の研究発表および議論を目的とした査読付きの投稿論文等を掲載した論文誌でなければなりません。

それでは日本の学会が出版するそのような論文誌＝ジャーナルは

どのくらいあるのでしょうか？　上記の要件を満たす団体は必ず査読付き論文誌を発行していなければならないのですから、少なくとも 2,000 以上のジャーナルがあるはずです。正確な数字はわかりませんが、日本の学会誌の多くが利用している J-STAGE という電子ジャーナルプラットフォームには、2020 年 5 月現在 3,077 のジャーナルが登載されています。この中には国内最大規模の日本内科学会 (会員数約 11 万人) が発行する英文誌 *Internal Medicine* も含まれています。それ以外にも独自のジャーナルサイトを構築している学会もあり、また本章の最後に解説されているように、商業出版社と提携しているところもあります。

参考：

学会名鑑 . https://gakkai.jst.go.jp/gakkai/
日本学術会議協力学術研究団体 .
http://www.scj.go.jp/ja/group/dantai/index.html
科学技術情報発信・流通総合システム (J-STAGE).
https://www.jstage.jst.go.jp/

第5章

著作権の役割

著作権法はなぜあるのか？

出版を規制するために定められた法律は歴史上さまざまなものがありますが、近代の著作権法のルーツは明らかに1709年に英国で制定されたアン法です。英国議会が制定したこの法律では、「印刷屋や本屋やその他の人々が」「著者、あるいは書籍や著作の権利者の同意を得ることなく、それらを印刷・複製・出版したり、あるいはそうさせようとすることによって、彼らに不利益を与えたり破産させたりすること」を禁じるために制定されました[1]。この法律の基本的な効果としては、自身のオリジナル著作物を印刷したり複製したりする権利を全面的に著者に与え、14年間は著者がこれらの権利を有すること、さらに（もし著者が存命中であれば）14年間の延長を許し、その後、著作物は権利の制限のないパブリックドメインに属することになる、としました。

アメリカの著作権法は、合衆国憲法が採択される数年前からまず州レベルで制定され始めました。憲法の第1章第8条第8項として著作権が認められ、「著者及び発明者に、それぞれの著作物および発明についての排他的権利を限られた期間保障することによって、科学と有用な技術の発展を促進する」ことを合衆国連邦議会の権能としました[2]。米国ではこの制定以来、著者の権利と一般大衆の権利とのあいだでどのように適切なバランスをとるのかについて議論が続いています。ここに示された著作権の目的が「科学と有用な技術の発展」であるのなら、著者にもっと自身の著作についての権利を与える（そうすることでもっと利益を得られるように、そしてさらに良い仕事をする動機付けが高まるようにする）のがよいのか、あるいは一般大衆がその著作物を頒布したり再利用したり拡張できる（それによって多くの人がそれを読んで利用できるように、そして新たな著作を生み出せるようにする）のがよいのでしょうか？

この論争は現在に至るまで未解決で、複製と再配布に手間とお金がかかっていた物理的な世界から、それらを簡単にしかも安く実現できるようになったオンライン環境へと情報経済の大半が移行したために、一層複雑になりました。この長く続いている論争について言えるのは、著作権法が必要だということ、あるいは少なくとも現在の著作権法のままでよい、ということに同意する人ばかりではないということです。例えば、現在広く適用されている米国の著作権法を支持する人々のあいだにさえ、いくつか細かい点については懸念が高まっています。法律で現在定められている著作権保護の期間が長すぎるというのはよく指摘される点です。1998 年の時点では、著者個人にはその存命期間プラス 70 年間、あるいは初版の出版から 95 年間のいずれか先に終わる方が適用されています。また 1978 年以前に発行された著作物についてはまた別のルールがあります。ほら、複雑でしょう[3]？

しかし学術コミュニケーションについては、著作権法の適切な適用についてもっと深い懸念があります。多くの学術研究が公的資金の援助を受けているのに、その成果物に著者の権利を認めてもよいのでしょうか？　そのような成果物はそもそも研究資金を提供している一般社会に還元されるべきではないでしょうか？　もしそうした成果物が私的な援助で支えられていたとしても、知識自体を商品のように取り扱って購買能力のある人だけに限定してアクセスを与えることは許されない、という人もいます。この観点からみれば、学術的な成果物は全て公共のものであるべきです。「科学と有用な技術の発展を促進する」のであれば、学術成果物にできるだけ広くアクセスを与えて再利用できるようにする以外に、どんな良い方法があるというのでしょうか？　こうした視点から見ると、学術コミュニケーションというのは商業映画や小説、ジャーナリズムなどとは非常に異なるもので、公共アクセスという点でも異なる規範を設けるべきなのです。

学術の世界にも伝統的な著作権保護を適用すべきだと考える人々は、原作の翻案や改訂、改変について少なくとも一定の権利を著者に与えるべきだと反論するかもしれません。個人の解釈や表現スタイルが中核となる人文学の領域では、特にこれは重要なのです[4]。この視点に立つと、学術的な著者は（その多くは大学から給料をもらいつつ研究に従事しているので）通常は著作権を直接の収入源としていませんが、ある程度は自分の創作物について権利を保持すべきだというのは妥当かもしれません。

明らかにこれらは複雑で厄介な問題で、学術コミュニケーションのエコシステム自体がより複雑になるにつれて一層こじれてきます。著作権とライセンスについての質問は、オープンアクセスとその関連について論じる第12章でもまた取り上げることにします。

全ての出版物に著作権があるのか？

いいえ、そうではありません。著作権のない著作物は大きく分けると２種類あります。以前は著作権があったけれども現在ではパブリックドメインに属するものと、もともと著作権自体なかったものです。

後者に区分されるものは多くはありませんが、例えば重要な例としては、米国政府が作成する著作権の発生しないドキュメントがあります。米国の著作権法によると、「米国政府の著作」とは米国政府職員が公務として作成するものです[5]。そうした著作物には著作権が発生せず、パブリックドメインに属します。つまり、それらは市民が必要に応じてどんな風にも利用することができるのです。複製や再配布も自由にできますし、許諾を得なくても派生物を作ることができます。政府が発行するドキュメントを製本して販売することすら、違法ではありません。もしタダで簡単に入手できるようなものにお金を払う人がいるのであれば、ということですが。政府職員が公務において作成した著作物は完全に公的資金によって賄われているのですから、それは市民の所有物であってどのように扱ってもいい、というのがその根拠です（公的な研究助成金の支援を受けた研究の成果についても似たような議論がありますが、これについては第12章のオープンアクセスのところで解説します）。

しかし著作権と政府のドキュメントについては、二つの重要な区別をしなければなりません。まず、政府の職員が公務として作成した文書なのか、あるいはその他の活動に関連して作成したものなのか、ということです。例えば教育省の職員がある日の午前中、省のウェブサイトに後日掲載するための教育ポリシーに関するメモを作成したとしましょう。同じ職員が昼休みに（一市民として）、地区の教育委員会の仕事ぶりについて地元の新聞の編集者宛てに手紙を書いたとします。このシナリオでは、彼が午前中に書いたメモは（公務の遂行として書いたのですから）政府文書であって、彼自身も他の誰もそれについて著作権を持たないのです。しかし、昼休み中に彼が書いた手紙は（公務の遂行としてでも教育省の職員としての立場でもなく書かれたのですから）政府の文書ではなく、その著作権は彼が持っていることになります。

二つ目に重要な区別は、***政府の職員***なのか、***公務員***なのか、ということです。この区別は学術コミュニケーションの文脈では特に重要です。大半の研究者は公立大学で働いていますから、彼らは著者であると同時に公務員なのです。さらに、彼らの職務範囲はたいへん広く、研究者として彼らが生産する著作物はほぼ間違いなく「職務」にあたるわけです。例えば、担当するクラスのシラバスを書いた教員は、教育者の義務の一部としてそれを書いているのは明白です。そして自分の分野のジャーナルの編集者に宛てた手紙を書いたとしたら（たとえそれが昼休み中だったとしても）、ほぼ間違いなく職務にあたるでしょう。自分の分野の専門的で学術的な対話に貢献するというのは多くの教員に求められていることなのですから。そしてもちろん、多くの教員には専門的な学術論文や学術書を出版することが期待されていて、それらは通常は（おそらく大部分は）「仕事の時間」を使って書かれるのですから、正式な職務の一部に違いないのです。

ここで、二つの重要な疑問が生じます。まず、研究者が書いたものは、著作権法でいうところの「職務著作」[訳注18（次ページ）]にあたるのでしょうか？　さらに、教員が公立の研究機関で働いているならば、その著作は政府文書になるというのでしょうか？

最初の質問の答えは通常はノーです（詳細については以下をご覧ください）。2番目の質問についてもほぼ確実にノーです。公的機関と政府機関というのは同一のものではなく、政府機関は公的機関の一部にすぎません。この区別は少しややこしいかもしれませんが、著作権法について考える際にはとても重要です。退屈な議論は端折りますが、（少なくともアメリカ合衆国においては）公立大学の教員は公務員ではありますが、政府職員ではない、としておけば十分でしょう。彼らの学術的著作物の著作権を左右するルールは、それぞれの大学で決めるべきもので、それは私立大学の教員の学術的著作物に関するルールとほぼ同じはずです。

公的資金によって全面的に、あるいは一部が支援された著作は、英国の著作権法ではどう扱われるのか？

英国やその連邦国には、国家著作権 (Crown copyright) として知られる特別な著作権のルールが存在します。このルールは政府やその職員が作成した著作に対して適用されるもので、国によって若干の違いがあります。英国の国家著作権の歴史は複雑で、現在の適用もややこしいのですが、基本的には、米国政府の文書が普通は著作権保護の対象とならないのに対し、英国では通常そのような文書の著作権は君主に帰属します[6]。もちろん例外はありますし、英国政府は国家著作権のある著作をしばしば OGL (Open Government License) として開放していることにも注目すべきです。それでも、

訳注 18　個人が職務の一環で著作物を作成した場合、雇用主や業務委託者が著作権を所有するという著作権法上の概念。

著作権自体は君主が持っているという点については変わりません。

著作権はどのように機能するのか？

著作権法（米国では合衆国法典の第17編、英国では1988年著作権・意匠・特許法にそれぞれ具体化されています）はいろいろと複雑で、その影響も多岐にわたりますが、ここでは最も重要な特徴をかいつまんで述べておきます。もしあなたがオリジナルの著作物を製作して何らかの媒体に固定（つまり紙に書き留めるとかコンピュータに保存するとか、ある程度永続的な方法で記録）したら、法によって定められた排他的かつ限定的な権利をその著作物について得ることになります。通常は、著作を（例えば出版などによって）複製したり頒布したり、上演したり送信したり、そこから派生物を製作したりする権利などが含まれます。

著作権者としてのあなたの権利は***排他的***で、誰か他の人に譲渡しない限りはあなただけのものですが、絶対的で永遠に続くものではないという点で***限定的***なものです。一定期間を過ぎればパブリックドメインに移行して、著作権による制限はなくなります。言い換えれば、あなたは自分が書いたオリジナルの論文を複製頒布できる排他的な権利を得ますが、他の人々は「公正利用（フェアユース、米国ではfair use、英国ではfair dealing)」と法律で定められている限定的な形であれば複製も配布も可能です（これ以降、この概念を単に「フェアユース」と表記することにします)。フェアユースの詳細については曖昧な部分もあって法廷で争われたりもしますが、基本的な概念としてはすでに確立されています。すなわち、著作権者としての排他的な権利には限界があって、他の人々は法に定められた範囲であればあなたの排他的権利を侵害するような特定の行為をある程度許容されているのです。

米国でも英国でも、自分の創作物について著作権を取得するために正式な手続きを取る必要がないことは特筆すべきでしょう。希望すれば正式に著作権の登録をすることは可能ですが、自分のアイディアを書き残したり何らかのメディアに固定したら直ちに、そこに記録された表現についての著作権はあなたのものとなるのです。ただ、アイディア自体については著作権がない、というのは大事なことですので覚えておいてください。これは学術コミュニケーションではとても重大な意味をもちます。例えば、新しい化学元素を発見してそれについて論文を書いたとします。その論文をあなたの許可なしに出版することは誰にもできません。しかし、あなたが発見した新しい化学元素について知り得た人は、その発見について論文を書くこともできますし、それを出版することもできます。アイディアに関する記述がオリジナルの著作である限りは、ということです。著作権を取得することができるのは、アイディア自体ではなくて、そのアイディアを記録した表現についてなのです。

上に述べたとおり、著作権の保有者はその著作権を（全部または一部について）他の誰かに譲渡することができます。研究者が論文や書籍として出版するために著作を投稿する場合、出版の条件として著作権を出版社に譲渡するのが普通です。出版社（や大学、助成機関）によっては、法律によって定められた著作権者の権利の一部または全部を一般に開放するように要請する場合もあります。これについては本章の後半で解説することにします。

フェアユースとは何か、どのように機能するのか？

フェアユースは、終わりのない議論と仮定や憶測に終始しがちな法律上のよくあるトピックの一つですが、基本的な原則は比較的単純なものです。著作権者の権利は排他的なものですが、それは限定されていて、絶対的なものではありません。例えば、法律上は著作権者は自分の著作物の複製や頒布についてコントロールする***排他的な***権利を与えられていますが、***完全に***その利用をコントロールすることはできません。米国法でも英国法でも、法律上は著作権者の排他的な権利だとされていても、ある種の利用は一般に許可されているのです。著作物を創り出した人々の権利と、それを利用し享受する一般大衆の権利の両方を保障してバランスをとるために、そのような例外が設けられています。

フェアユースが終わりのない議論につながりかねないのは、必然的にその境界線が曖昧だからです。米国の著作権法では、フェアユースは以下のように定義されています。

> 第106条および第106A条の規定にかかわらず、批評、解説、ニュース報道、教授（教室における使用のために複数のコピーを作成する行為を含む）、研究または調査等を目的とする著作権のある著作物のフェアユース（コピーまたはレコードへの複製その他第106条に定める手段による使用を含む）は、著作権の侵害とならない。著作物の使用がフェアユースとなるか否かを判断する場合に考慮すべき要素は、以下のものを含む。
>
> (1) 使用の目的および性質（使用が商業性を有するかまたは非営利的教育目的かを含む）。
> (2) 著作権のある著作物の性質。
> (3) 著作権のある著作物全体との関連における使用された部分

の量および実質性、および
(4) 著作権のある著作物の潜在的市場または価値に対する使用の影響。

上記の全ての要素を考慮してフェアユースが認定された場合、著作物が未発行であるという事実自体は、かかる認定を妨げない[7, 訳注19]。

重要なのは、この条項が「このリストに該当するような利用は全て裁判所はフェアユースだと考えます」とは言っておらず、その代わりに特定の利用について検討する際に考慮すべき要素のリストを載せているということです。これにより、私たちは「著作物のどれだけの部分をコピーしようとしているのか？」とか「複製物を商業的に利用しようとしているのか？」といったことを自ら考えるように仕向けられます。こうした疑問に答えても、検討している利用がフェアユースかどうか、という点で完全に明快な指針とはならないのが普通ですが、そのような利用がどれだけ法的にリスクを負うことになるのか考える際には役立ちます。リスクが最小限の場合もありますし、大きなリスクを負う場合もあるでしょう。

もう一つ注目したいのは、この四つの要素のどれをとっても法的な切り札にはならない、ということです。利用目的がどれか一つの要素に全く当てはまらないとしても、それはフェアユースかもしれ

訳注19　日本語訳は、公益社団法人著作権情報センターによる。
https://www.cric.or.jp/db/world/america/america_c1a.html#107

ません。「家庭でのテープ録音」のシナリオは古典的な例です。あなたが合法的な手段で入手した音楽アルバムをLPレコードやCDなどで所有しているとしましょう。でもあなたの車にはカセットテープのプレーヤーしかありません。あなたはアルバムの全体をカセットテープに録音して、ドライブ中にそれを聞けるようにします。これは著作物の全てを複製しているので、三つめの要素（量と実質性）に抵触します。でも、もしあなたが合法的に入手した著作物の複製を所有していて、それをさらに複製する目的が個人的な都合によるもので、誰か他の人がアルバムの著作権者から買わなくてもいいようにあなたのコピーを譲ったり売ったりするのでなければ、この場合他の全ての点をクリアするのでフェアユースとして十分に認められるでしょう。

フェアユースの判断は著作権のある著作物を利用しようとする個人に任されていて、著作権者の側に任されていない、というのは重要です。利用目的がフェアユースにあたるかどうか、ということを著作権者には尋ねなくてよいのです。著作権者はあなたの利用がフェアユースかどうか、完全に同意しないかもしれませんが、法的にはそのような反論は無意味です。著作権者と一般市民の権利や特権を規定するのは、あくまでも著作権者ではなく、法律なのです。

英国法においては、フェアユースの概念は米国とほぼ同様ですが、その判断基準となる要素は若干厳しくなります。また、英国流のfair dealingという言い方は、米国法では異なる概念を指すことに気をつけてください[訳注20（次ページ）]。

著作権はどのくらい続くのか？

著作権の重大な制約となるのが、その保護期間です。米国では、著作権のある著作物全てがいずれはパブリックドメインに属することになります。著者（またはその譲受人）が著作権をどのくらいの期間保有できるのか、というのはいくつかの要因によってだいぶ異なります。

米国では、1923年より前に出版されたものは全て、パブリックドメインに属します（当時有効だった法律では、当初の著作権の保護期間は28年間で、パブリックドメインとなる前にもう28年間の延長が認められていました）。1964年より前に出版されたものの多くもパブリックドメインとなっています。これはその当時有効だった法律が更新を許していたにもかかわらず、28年のあいだにその手続きをとる著作権者がほとんどいなかったからです。

法律は1992年、1998年にそれぞれ改正されています。1964年から1977年までのあいだに著作権が生じた著作物は自動的に更新され、しかもその延長期間は20年余計に長いのです。結局、1964年から1977年に著作権が発生したものについては、更新手続きをとらなくても保護期間が95年となりました[8, 訳注21]。

訳注20　米国式の契約書にはよく good faith and fair dealing という言い回しが登場します。これは「信義誠実の原則」といって、契約書に明確に規定されていない事柄で紛争が生じても、誠実な話し合いにより解決しようというものです。

訳注21　著者の説明を少し補足すると、もともと28年間の保護期間に加えて認められていた28年間の延長期間は、1978年の法改正によって47年間となり、さらに1998年の法改正で20年プラスされて67年間となりました。また1992年の法改正によって自動延長が可能になりました。このため、1977年以前の著作物については、28+67=95年の保護期間が与えられるようになったというわけです。

大学で働いている研究者の著作の著作権は誰のものか？

これは学術コミュニケーションの文脈においてはとても興味深い質問です。多くの雇用の現場では、個人が従業員としての立場で書いたり創作したりした著作物は雇用主の所有となります。例えば、あなたが自動車の部品工場で働いているとして、あなたの部署の新人のために手順マニュアルを書くように命じられたとします。この場合のマニュアルは通常、著作権法における「職務著作」と見なされます。それはあなたの創作物であったとしても、著作権はあなたが働く会社のものとなるでしょう（大抵はあなたが雇われた時に署名した雇用契約の中にこれは明確に書かれているはずです）。会社のために作成するメモやプロポーザル、社内向け調査レポート、その他職務上作成するような著作や創作物も同様です。

この点について、大学は少し変わっています。大学というところでは、教員は著作権が発生するような著作（学術論文や書籍など）を執筆するように期待されているのが普通です。そしてもしそれらの教員がテニュアトラックに就いているのであれば、執筆は雇用継続の条件であることはかなり明白です。もし出版しなければテニュアを獲得することはできず、職を失うことになります。いろいろな学術文献が「職務著作」のように見えるにもかかわらず、また通常それを書くのは職務中であって大学のリソースを使っているにもかかわらず、教員が執筆した著作の著作権は、それを書いた著者自身のものとなるのが普通です。

しかし、このポリシーの状況は複雑です。例えば本書の執筆時点では、コロンビア大学は教員が書いた「本、学術書、論文その他」について著作権を保有しないとしていますが、大学自体が正式に出版したもの（「ジャーナル、定期刊行物、年鑑、概要、文集、映画など大学の部局によって制作されたもの」）や、全てではありませんが「学部や部局の支援のもと、共同で制作されたもの」の著作権は大学に帰属する[9]、としています。オンライン授業が教員たちによって開発された場合には、著作権の問題はより複雑なものとなり、その対処は大学によって異なります。学術著作や授業以外にも、さまざまな表現形式の知的財産があって、大学のキャンパス内で開発された製品やプロセスについて取得された特許も含まれます。そのような特許は大学や研究機関に帰属するのが普通です。

要するに、どんな従業員もそうであるように大学教員も、大学での仕事を引き受ける前に雇用条件について注意深く読んでおくことが重要なのです。法律によって著者にどのような知的財産権が与えられていたとしても、雇用の条件としてそうした権利の一部または全部を放棄することを求める権利が一般的に雇い主には認められています。（もしこれがおかしいとか理不尽だと感じるようであれば、次のように考えてみてください。私には自分が思ったことを自由に発言する権利が法律で保証されていますが、その一方で特定の事柄について秘密保持を求める雇い主と契約を結ぶ権利もあります。同様に、著者として法律で私の創作物に対する著作権が与えられても、雇用主に著作権を譲渡するよう求めるような契約を結ぶ権利が私にはあるのです。）

著作権の保護と特許の保護はどのように違うのか？

著作権法と特許法はどちらも、知的成果物の創作者に対して一定の排他的権利を与えますが、保護の対象となる知的財産は非常に異なる種類のものです。著作権法は何らかの著作物、つまり何らかのフォーマット（文書、楽譜、映像、録音など）に固定されたアイディアの表現や解釈に対して適用されますが、特許法はオリジナルの発明（機械や製造工程、化学組成など）に対して適用されます。

著作権と特許では、その権利者に対して与えられる排他的権利が異なります。すでに解説したとおり、著作権者が保有する排他的権利は、何らかのアイディアに関する特定の記録表現の利用に関するものです。ですから、もし私がエイブラハム・リンカーンの伝記について著作権を持っているとしたら、私はそれを本として出版し、複製し、それに基づいた派生物を製作したりできる、という排他的権利を持っていることになります。ですが私はその本を***構成する事実***について著作権を持っているわけではありません。例えば、エイブラハム・リンカーンが1861年にケンタッキー州で生まれたとか、政治家になる前に弁護士として働いていた、という事実について著作権を得ることはできません。しかしそれらの事実について書いた私の著述については、ある程度オリジルな考察や解説が含まれる限りは著作権の対象となります。

特許というのはこれとは違うタイプの知的財産に関わるもので、特許権者に対して発明に関する排他的権利を与えて、ある一定の期間、他の人々がその発明をもとに製品を開発したり売ったりすることを禁じるものです。発明は何らかの物理的な機械かもしれませんし、製造工程やオリジナルの化合物かもしれませんし、具体的なものではなくて何らかの概念やプロセスに関する発明かもしれません。著作権法と同様に、特許法も国によって異なります。

知的財産に関する法律には、もう一つ重要なものとして商標がありますが、本書の目的からは外れるのでここでは取り上げないことにします。

国際的な著作権法や特許法はあるのか？

この質問に対する短い答えはノーです。知的財産に関する法律は国によって大きく異なりますし、特にインターネットで世界中がつながっているためにいろいろ厄介なこともあります。しかしそれでは回答としては不完全です。制度化された国際的な著作権法はありませんが、著作物も含む知的財産の譲渡や保護について定めた国際的に拘束力のある条約は存在します。1967 年に国際連合の専門機関として設立された WIPO（世界知的所有権機関）は、「各国の協力のもとに全世界的な知的財産権の保護を促進する」ために設立されました[10]。本書の執筆時点で 189 カ国が加盟している WIPO は、26 の国際条約を管理しています[11]。これらの条約は重要で、少なくとも国際的な動きにある程度影響を与えますが、国際条約を批准した国々のみが拘束されるもので、それらの国々のあいだですら例外なく一貫して条項が順守されているというには程遠いのが実情です（もちろん、国内の著作権法の順守についても同じことが言えるのですが）。

この最後の点については強調しておきたいと思います。国際的な場での知的財産保護については、二つの重要な不確定要素があります。国どうしの知的財産法の違いと、知的財産を尊重することについての文化的な慣習における違いです。全ての国どころか、いろいろな WIPO の協定を批准している国々ですら、そうした国際条約や国内法が課す制限について一様に真剣に受け止めているわけではありません。一つの国の中でさえ、全ての人々が著作権法に忠実であるわけではないのです。各国の著作権の制限の違いや、国や地域によって大きく異なる著作権や知的財産権に対する姿勢は、国際的な場での混乱を引き起こす上、この混乱はインターネットによってさらに深刻化しました。マウスをクリックするだけで世界中の何十億という人々に向けて知的財産を発信できるようになったのですから。留学生を抱える大学のキャンパスでは、例えば、5年分のジャーナルのコンテンツをダウンロードしたり、それをクラウド上の保存スペースにアップロードして、本国にいる友人や同僚に提供することがどうしていけないのか、知的財産について非常に異なる文化的な理解をもって遠方の国々からやって来る学生に対して説明するのはとても難しいことなのです。

なぜ著者は出版社に著作権を譲渡するのか？

学術的な著者は、小説家やフリーのジャーナリストなどの書き手とはいろいろな点で大きく異なりますが、そのうち最も重要なのは、彼らが著作物の売り上げから直接的に金銭を得ることを期待していない、という点です。学術的な業績をあげるというのは彼らの日常的な職務上の義務であり、彼らはそれに対して給与を支払われています。言い換えれば、彼らは著作について対価をすでに受け取っていることになります。彼らが出版するのはもう一度対価を受け取るためではなく、公にその水準を認めてもらい、そこに書かれたアイディアを最初に思いついた者であることを証明し、学問領域の探求を深め、雇用され続けるためです。学術的な著者は学術ジャーナルに論文を発表してお金をもらうことがほとんどないばかりか、実際には、そのような媒体に出版するという名誉と引き換えに何かを引きわたしています。つまり、彼らは著作権を手放して、法律によって与えられる著作物に関する排他的権利を出版社に譲渡しているのです。

学術的な著者が喜んでこれをしているというのは不思議に思われるかもしれません。特に、著者がお金を受け取らずにコンテンツをジャーナル出版社に提供して、出版社はそれに対するアクセスを、時には非常に高額で売っているというのですから。なぜ著者は自分の著作でお金を儲けることができるのにそれを商業出版社に引きわたしてしまうのでしょうか？

実はこれは単なる譲渡に見えても、実質的には同等の見返りであって、著者はサービスと権利を交換しているのです。著者が出版社に対して引きわたすのは著作権（あるいはもう少し限定的な出版の権利）ですが、著者がそれと引き換えに受け取るのは編集や査読といったサービスや、質の保証、正式な頒布やアーカイブなど、多くの著者が高く評価しているものなのです。第２章で解説したとおり、学術的な著者は自分の論文や本がどこから出版されるかということを非常に気にかけています。多くの著者にとって著作権の譲渡というのは、キャリアを築くのに必要な（就職に直結する可能性もある）出版物を定評のあるジャーナルや出版社から出すために支払う小さな代償のようなものです。実際、著者は当初から著作を発表することでお金を儲けようなどとは考えてもいないのですから、この決断は容易です（実際にはこの他にも支払う代償はあるのですが、それについてはオープンアクセスのところで解説することにします）。

特に書籍について言えば、この決断に伴う計算はもう少し複雑なものになります。学術ジャーナルに論文を発表する著者が収入を得ることはほとんどありませんが、書籍を出版する著者が本の売り上げから印税を受け取るのはよくあることで、これは著者が書籍を出版する際の選択に影響します。しかし、この場合も考慮すべき代償があります。テニュアを目指す研究者にとっては、Basic Books や Little, Brown などの（一般的な読者を対象としている）商業出版社から本を出版しても、（テニュアの審査員に学術的な真剣さをアピールすることができる）主要な大学出版局から出版するほどには評価されないかもしれません。一般書を扱う出版社から本を出す方が印税は多いかもしれませんが、それによって学者としての真剣さが足りないと見なされてしまったら、長い目で見た時には不利になるかもしれません。どちらにせよ、著者は著作権を出版社に譲渡するのが普通です。

「オーファンワークス」とは何か？

「オーファンワークス」という用語は、著作権があるはずなのにその著作権者が不明な著作物を指して使われます[訳注22]。例えば、ある本が1780年に書かれたとしたら、その著作権のステータスは議論の余地がありません。それほど昔に書かれたものであれば、どんな国であれ著作権は消滅していると考えてほぼ間違いありませんから、その本はパブリックドメインに帰属します。でももし本が書かれたのが1930年だったら、著作権はまだ有効かもしれませんし、無効になっているかもしれません。国や地域によって著作権の規定は異なり、著作権者に対する更新要件も異なるからです。もし1990年に米国で書かれた本であれば、それはもう間違いなく著作権で保護されているでしょう。でも著者が不明だったり、著者名はわかっていても所在が不明だったり、著者が死亡していて著作権が相続人や譲受人に譲渡されているかどうかが不明だったりした場合には、この本は「オーファンワークス」と呼ばれることになります。

訳注22　日本語では「権利者不明著作物」ですが、英語のorphan worksをそのままカタカナ表示した「オーファンワークス」と表記されるのが一般的です。

オーファンワークスは学術コミュニケーションにおいては特に難しい問題で、多くの場合は複製や頒布について法的な制限がないので広く自由に複製したり再配布して構わないのですが、そのような制限が存在するかどうかを確実に見極めることはできないのです。

オーファンワークスを取り扱うにあたっては、いくつかの方法があります。一番簡単なのは、その著作がすでにパブリックドメインに帰属したと見なしてしまうか、少なくとも著作権者が（もし存命中であれば）そのように取り扱っても反論しないだろうと憶測した上で著作を複製・頒布して、もし著作権者がそれに同意しないのであれば連絡してくるのを待つことです。このアプローチの問題は、現実的には権利侵害の可能性は最低限であったとしても、厳密に言えば違法であるということです。もう一つの問題は、違法な利用について著作権者がそれを発見してそれが嫌なら反対を唱えてくるだろうと憶測していることで、それはずいぶんな思い込みです。そしてもちろん、三つ目の問題として、著作権者が権利の侵害を認めて訴えてくることもあり得ます。まあオーファンワークスの場合、このリスクは非常に低いのですが。

もう一つの方法は、安全を期して著作権者が再利用を許さないものとしてオーファンワークスを扱うことです。この場合、フェアユースの範囲内でその著作物を利用するように限定するわけです。この方法の利点は、倫理的にも法的にも簡単に抗弁できるということですが、コンテンツを共有するにあたって必要以上に制限されてしまうという不都合が生じます。

三つ目の方法は、最初の二つの方法の中間をとるのですが、著作が自由に利用できると仮定しつつ、著作権者とその所在を確認したいという積極的な意思を明確にし、著作権者が現れた場合に請求されるかもしれない削除依頼に応じる用意があるということを公に但し書きをした上で利用する、というものです。このアプローチはオンラインでしばしば見かけるもので、ウェブサイトの所有者が写真や音源に「この著作物はパブリックドメインに帰属すると思われますが、もしあなたが著作権を保有していて削除を希望される場合にはご連絡ください」といったような但し書きをしていることがよくあります。この方法の最も顕著な事例はハーティ・トラストによるオーファンワークスプロジェクトですが、これについては第８章で解説します。

著作権侵害と剽窃の違いは何か？

剽窃と著作権侵害は互いに関連しあっていて、どちらも他人の著作物の盗用が絡んでいます。しかし、その違いを理解することは重要です。一例をあげると著作権を侵害していなくても剽窃は起こり得ますし、剽窃していなくても著作権を侵害することはあり得ます。もう一つ重要な違いは、著作権侵害は違法ですが、剽窃はそうではありません。

剽窃は他人の著作をあたかも自分のもののように見せかけることです。そっくりそのまま（例えば18世紀に誰かが書いた本の原稿を、さも自分が著者であるかのように自分の名前で出版する）ということもありますし、少しだけ、目立たないように（例えば、他人の著作物から数節をとって、典拠を明らかにしないまま自分自身の著作に取り入れる）ということもあります。どちらの場合も著作権は侵害していません。18世紀の本の原稿はパブリックドメインに帰属していますし、典拠を示すかどうかはともかく、数節を他人の著作からコピーしたり再配布したりするのは著作権法でフェアユースとして一般的に認められています。ですがどちらの場合も、他人の知的成果物を盗用してそれが自分自身のものであるかのように見せかけた、という点で剽窃と見なされます。

その一方、著作権の侵害は、他人が著作権を持っている著作物についてあたかも自分が著作権者であるかのように振舞うことです。例えば、2005年に書かれた本の原稿をあなたが見つけてそれを著者の許可なく出版した場合、仮に誰が著者であるか明示したとしても、これはほぼ確実に著作権の侵害となります。同様に、最近のジャーナルから論文を取り出してそのコピーを3,000人の受信者がいるメーリングリスト上で送信したり、他の人がダウンロードできるようにウェブサイトに掲載したりすると、ほぼ確実に著作権を侵害していることになります（論文がこうした頒布や再利用を許可していない限りは、ということですが、これについては次に解説します）。どちらの場合もあたかも著者自身であるかのように振舞ってはいないので剽窃にはあたりませんが、どちらの場合も著作権者の排他的権利を侵害していることになります。

もちろん、剽窃した上で同時に著作権を侵害することは可能です。もし友人が書いた原稿をあなたが盗んでそれを自分自身の著作であるかのように出版した場合には、あなたは剽窃（友人の著作を自作と偽装）した上で著作権も侵害（友人の著作を許可なく出版）していることになります。このように剽窃と著作権侵害は関連していて、時には同時に発生することもあるのですが、本来は別々のものであってその違いを理解することはとても重要です。

法的な違いもまた重要です。剽窃は学問の世界では「犯罪」と見なされますが、それを取り締まる法律はなく、専門家としての学問上の倫理に違反しているだけです。しかし著作権の侵害は違法なだけでなく、特に深刻なケースの場合には（民事ではなく）刑事犯罪として投獄されることもあり得ます。そのレベルになると、侵害は相当深刻で実害をもたらしているでしょう

「コピーレフト」運動とは何か、学術コミュニケーションとはどのように関連するのか？

「コピーレフト」運動（明らかに「コピーライト」に対する駄洒落です）は、フリーソフトウェアの運動、特にプログラマーであり活動家でもあるリチャード・ストールマン[訳注23]の活動に端を発するものです（「オープン」あるいは「オープンソース」よりも、「フリー」ソフトウェアという用語にストールマンはこだわっていて、その理由はウェブサイト[12]に掲載されています）。ストールマンが説明しているとおり、「コピーレフトはプログラム（やその他の著作物）をフリーにする一般的な方法で、その改変や拡張版についても同様にフリーにすること」[13]です。コピーレフトは一般にソフトウェアについて考慮されるものですが、根底に流れる原則はその他の種類の知的財産についても興味深い示唆を与えてくれます。

学術コミュニケーションの文脈では、コピーレフト運動は次の質問で触れるクリエイティブ・コモンズのライセンス運動の誕生につながったという点で注目すべきものです。

訳注23 リチャード・マシュー・ストールマン (Richard Matthew Stallman、1953-) は、米国のプログラマー。彼が推進するフリーソフトウェアの「フリー」は無料という意味ではなく、利用者が「自由に」コピー、改良、頒布できるもので、独占権のあるソフトウェアに相対する概念。

クリエイティブ・コモンズとは何か、著作権とはどう関連するのか？

クリエイティブ・コモンズは、「無料の法的なツールを通じた創造性と知識の共有と利用」[14]の実現を目的として2001年に成立したもので、一連のクリエイティブ・コモンズ(CC)の著作権ライセンスがよく知られています。これらのライセンスは著作権者にとって、著作権法のもとに自らが保有する特権の一部または全部を許諾することを示す手段で、各CCライセンスはそれぞれ異なる権利を市民一般に開放します。例えば、もし著者がその著作をCC-BY-NC-ND（表示 - 非営利 - 改変禁止）ライセンスのもとに公開した場合、オリジナルの著者を明示する（つまりBYとして「帰属」を示す）限り誰でもそれを複製・再配布することができますが、これは非営利(NC、noncommercial)の目的に限定され、著者の許諾なしに派生物を制作することはできません(ND、no derivative)。

CCライセンスのうち最も寛大なのはCC BYで、これは著作権者が法律によって得た特権の全てを一般市民に許諾するものです。CC BYライセンスのもとでは、オリジナルの製作者を明示している限り、誰でも著作権のある著作物を複製、再配布、改変することができます。著作物にCC BYライセンスを付与していても、厳密には著者が著作権者であることは変わりませんが、***機能的には***その著作物をパブリックドメインに帰属させたのと同じことになります。一般市民は誰でも、あたかもそれに著作権がないかのように取り扱うことができる権利があるからです（唯一の違いはCC BYライセンスではそれを再利用する者に対して、オリジナルの著者を明示する契約義務を課しているという点です。また、もちろん、著者はCCライセンスを後になって取り消すこともできるのです）。

CCでは著者が正式に著作物をパブリックドメインに帰属させ、著作権による管理が全く及ばないようにするための方法もあります。これは厳密に言えばライセンスではなく、むしろ著作権の放棄であって、CC0というシンボルで表示されます。

クリエイティブ・コモンズのライセンスはアクセスに関係しているのか？

学術出版の世界では、著作権と著作権法のところでもそうだったように、ライセンスという用語も若干異なる意味合いがあります。

印刷の時代には、利用者に代わって図書館が高額な学術コンテンツへのアクセスを仲介していました。業務としては比較的単純で、物理的にドキュメントを購入し、学生や研究者がそれを見つけられるように整理し、紛失したり劣化しないように保存する、というものでした。この業務は必ずしも簡単ではありませんが、法的にも取引としても考えてみればごく単純なことでした。ファースト・セール（消尽論）[訳注24]として知られる法原理に基づいて、図書館や個人が著作権のある文献を正規の手段で入手すれば、著作権者の排他的権利を侵害することのない限り、無料で共有できるのです。ですから例えば、もしあなたが小説のコピーを所有していたとしたら、ファースト・セールの原則によってあなたはそれを他の誰かに貸し

訳注24　消尽論（first-sale doctrine）とは、米国著作権法第109条(a)に規定されている考え方で、「合法的に製造された著作物の複製物の所有権を得た者は、当該著作物の複製物を著作権者の許諾なく売却又は処分できる」というもの。この規定により、例えば図書館での本の貸し出しや、ビデオのレンタル、古本の販売などが可能となる。

たり、譲渡したり、売却することができます。ついでに言えば、燃やしたり、捨ててしまったり、切り刻んで芸術作品にしたり、半分にちぎってその一片を隣人にあげてしまうことだってできます。知的成果物の物理的な複製物については、これらは全部合法的な使い方だと言えます。

あなたに許されて**いない**のは、（フェアユースの制限を超えて）著作物を複製したり、中身を改変した派生物を製作したり、公に上演したり、といったことです。そのような利用はあなたが所有する物理的なモノの取り扱いや処分を超えて、あなたの所有権が及ばない領域、つまり本の中身自体に対する行為となります。物理的なモノとしての一冊の本と、知的作品としての本の区別は、著作権法の核心を成す本質的な部分です。

残念ながら、この本質部分というのはオンライン情報の世界では奇妙なほど曖昧になってしまいます。オンラインの世界でドキュメントの所有権に言及する場合は、「所有権」とか「ドキュメント」といった用語はカッコ書きされるべきものだからです。結局のところ、あなたが電子ブックを購入した時、その「コピー」を「所有している」というのは一体どういう意味でしょうか？　それは本のコピーがテキストファイルとしてあなたのコンピュータや電子ブックリーダーにダウンロードされた、ということかもしれません。このシナリオでは、電子ブックの所有と物理的な本の所有はよく似ています。あなたは本当にその著作の「コピー」を所有していて、そのコピーを完全に自分の管理下においているからです。

でももし電子ブックがあなたのパソコンや電子ブックリーダーのメモリ上ではなく、インターネット上にあったとしたらどうでしょうか？　この場合、あなたがその本のコピーを購入した、というのはあまり理にかなっていませんし、アクセス権を購入した、という方がよりふさわしいでしょう。購入価格と引き換えに、本の所有者とそのホストはどこかにおいてある本のコピーを読んでもいいというほぼ永久的な権利をあなたに与えた、ということになります。それはあたかも、あなたが書店に行って本の代金を支払ったのに、その本を自宅に持ち帰る代わりに書店のショーケース越しに読むための永久的な権利を与えられたような感じです（電子ブックの場合はインターネットに接続している限り、何百、何千もの本をどこにでも持ち歩くことができるのですが、そうでなければこれはあまり良い取引ではないかもしれません）。

趣味の読書の世界では、電子ブックリーダーはどんどん入手しやすくなって人気もありますから、オンラインアクセスだけでも十分かもしれません。しかしながら学術の世界では、ダウンロードができない限り、オンラインアクセスだけでは不十分と考えるのが普通です。研究者はしばしば、後で参照するために論文を保存しておく必要がありますし、インターネットに接続していない時やそれができない場所でも、そうしたドキュメントにアクセスできるようにしておかなければなりません。このため大学図書館は読むためのオンラインアクセスだけではなく、ダウンロードして保存できるように出版社と交渉するのが普通です。こうした交渉を機関レベルで行って、組織に所属していれば誰でも資料にアクセスできるようにするのです。

しかし、何千人（時には何万人）もが所属している組織で、著作権のあるコンテンツを実質無制限にダウンロード、複製、再配布ができるようにするというのは、著作権者の側からすればいろいろな懸念が持ち上がります。このため、オンラインコンテンツへの機関アクセスを管理する諸条件がライセンスとして規定され、著作権者と購入機関のあいだで交渉が行われるのです。

ライセンスというのは契約ですから、どんな契約もそうであるように、両者の権利と義務について細かく規定します。例えば典型的なライセンスでは、出版社の義務として購入されたコンテンツを提供し、アクセス障害（サーバーの故障とか認証の失敗とか）を速やかに回復することが求められています。また、出版社が万一倒産した時に永続的なアクセスをどのように提供するか(例えば別のプロバイダにコンテンツを保存しておいたりして)についても規定されています。同様に、図書館の側にはライセンスされたコンテンツに不正にアクセスする者がいないように具体的な対策を講じたり、毎年の請求書に対して速やかに支払う義務が課せられます。

ライセンス条件はフェアユースのような法律で保障された権利を無効にできるのか？

短い答えは「イエス」ですが、より正確な回答はもう少し複雑になります。法律で制限されている以上に契約当事者双方の権利を制限しようとするというのが、まさに契約書というものです。言い換えれば、契約書というのは両者が法律で義務化されていないことを取り決めるとか、逆に法律では許されていることをしないように合意するための仕組みなのです。ですから例えば、あなたがどこに住んでいるとしても、何色のシャツを着ても法律で咎められることはないでしょう。でももしあなたが就業時間中は紫のシャツを着なければならないという雇用契約に縛られているとしたら、それは法的な拘束力を持ちます。同様に、言論の自由が法律で保障されていたとしても、あなたは秘密保持契約（契約した内容について他人に話すことを禁じるというもの）を結ぶことはできます。どちらの場合も法的拘束力があり、それは法律で「紫のシャツを着なければならない」とか「自由に発言してはならない」とか規定されているからではなくて、「有効な契約は順守しなければならない」と法律に規定されているからです（もちろん、もし契約自体が無効ならば、拘束力はありません。署名する前に契約が有効であるか確認する、というのが弁護士が多額の報酬を得ている一つの理由です）。

この原則はアクセス契約とフェアユースについても当てはまります。著作権のある著作物をフェアユースの範囲内で複製利用することが法律で許されていても、それを禁止する契約が締結されることはあります。法的な基準に照らして契約書が有効であれば、あなたはその条件に拘束されますし、それらの条件は間違いなく法律よりも厳しいものでしょう。それが契約書というものですから。

そういうわけで、ライセンス契約とそれより広範囲な法的権利というのは図書館員が常に気にしていることで、大学のコミュニティを代表してアクセスライセンス契約について交渉する時には、フェアユースを明示的に許すような文言を入れて利用者のライセンス上の権利を保障するように努めるのが普通です。

著作権侵害をどうして「海賊版」と呼ぶのか？

著作権を侵害する行為について、特に甚だしいものや大規模な場合に「海賊版」と呼んだり、その行為者を「海賊」と呼んだりするのには長い歴史があります。それは近代の著作権法の成立よりもずっと前からあるもので、最初の事例は1603年に遡ります[15]。当時人々から財産を盗むことで知られていた海賊が、著作権者の排他的権利を侵害する輩を言い表す言葉として定着したようです。

20 世紀の終わりにインターネットが確立し、同時に著作権の侵害が簡単に、しかも頻発するようになったために、この用語は以前よりも頻繁に使われるようになりました。特に音楽の分野では、1999 年にナップスターと呼ばれるオンライン音楽サービスが開始され、「ピア・ツー・ピアのファイル共有」、すなわちインターネットへのファイルのアップロードとその大量複製、さらにダウンロードを可能にしました。ナップスターは音源のデジタル複製を容易にしただけでなく、それをオンライン上に置けるようにして、他の人たちが同様に複製した音源もダウンロードできるようにしたのです。多くの場合、使用された音源は著作権のある楽曲で、ナップスターの利用拡大は非常に大きなスケールでの著作権侵害につながりました。その後数年間にわたって、ファイルの「共有」とミュージシャンやレコード会社の資産への影響について、議論が巻き起こりました。ナップスターは後にアメリカレコード協会により訴えられて敗訴し、2001 年に事業を停止しました[16]。ナップスターという名前自体は後に売却されて、商業的なオンライン音楽サービスの商標として使われています。

学術コミュニケーションの文脈では、海賊版の概念についてはもっと厄介な歴史があります。そのうち最近のもの、特に Sci-Hub のケースについて解説して本章を締めくくることにしましょう。

Sci-Hub とは何か、なぜ問題となっているのか？

Sci-Hub はアレクサンドラ・エルバキアンという（本書執筆時点での本人の LinkedIn のプロフィール[17]によれば）ロシアの国立大学の大学院生によって設立されました。彼女はジョージア工科大学とアルベルト・ルートヴィヒ大学でも学んだことがあるそうです。

学生である彼女は、学術コンテンツへの合法的なアクセスが制限されていることに憤慨し、数多くのジャーナルをハッキングして必要としていた論文をダウンロードしました。オンライン上には彼女のプロフィールについていろいろ書かれていますが、そのうちの一つによると、論文にアクセスしたがっている学生が他にもたくさんいることを知った彼女は、無料でそのような論文を提供するウェブサイトを立ち上げたのだそうです[18]。後にSci-Hubは同じようなサービスを提供していたLibGenというサービスとも提携し、匿名で寄付された（一部は盗まれたとも言われていますが）大学のネットワークパスワードを利用して、コンテンツを増やしていきました。現在Sci-Hubには5,000万件もの論文が収録されていて、そのほとんどは有料ジャーナルのものですが、全て無料で提供されているということです。

Sci-Hubにまつわる論争は、当然ながら大規模で多面的です。最も明らかな論点は著作権に関するものです。Sci-Hubが歴史上最も大規模でシステマティックな著作権侵害の事例であることについては、誰も否定しないでしょう。Sci-Hubで行われていることの違法性には疑いの余地はありません（エルバキアン自身はある大きな科学出版社によって訴えられて敗訴し、一時的にサイトは閉鎖されました。現在でも起訴された身である彼女はロシアのどこかに潜伏していると言われています[19]）。しかし彼女の行動が不道徳な著作権侵害なのか、それとも見過ごすわけにはいかない学術知識の搾取に対する果敢な抵抗なのか（あるいはそのどこか中間にあるのか）、学術コミュニティの中では激しい議論の的となっています。

もう一つの論点はアクセス権の入手と共有に関するものです。Sci-Hubはアクセス制限をハッキングして出版物を複製するだけでなく、それらの出版物にアクセスできるライセンスを持っている大学の研究者から、ユーザーネームとパスワードを集めています。偽の「フィッシング」メールを送信して、研究者からそうした情報を引き出しているとSci-Hubを非難する人もいますが、エルバキアン自身は非常に慎重にそれを否定せずにいます[20]。Sci-Hubが詐欺を働いてネットワーク認証情報を集めているかどうかはともかく、そうした行為は倫理的にもセキュリティ的にも深刻な問題を引き起こします。認証情報を外部の人間や組織に共有することによって（目的や動機は何であれ）、学生や教員は組織的な制裁を受けることになりますし、なりすまし行為の被害にあうかもしれません。多くの大学で、ライセンスされた資料にアクセスするために使われる認証情報は、電子メールのアカウントや人事記録、納税申告書類、患者データ、その他高度な機密情報へのアクセスにも使われるからです。

しかしここではもっと大きな問題があります。これがおそらく最も大きな論点なのですが、対価を進んで支払うことのできる人たちや図書館のような仲介者に援助を受けている人々だけに学術出版物が提供されるというのは、果たして道徳的に許されるのでしょうか？これは学術コミュニケーションがどのように機能するかというよりは、学術コミュニケーションにおける社会的公正さの問題です。これについては、第12章で解説することにします。

誰がSci-Hubを使っているのか？

本章の最後で著者は、学術出版物へのアクセスが一部の人々に限定されていることについて、「学術コミュニケーションにおける社会的公正さの問題」だと述べています。創始者であるエルバキアンもこれが動機となってSci-Hubを開発したようですが、それではSci-Hubのユーザーは具体的にどのような人々なのでしょうか？

2016年の報告によると、Sci-Hubへのアクセスが多い国のトップ3はイラン、インド、中国でした。しかし興味深いことに、これに続いてロシアと米国がトップ5に入っています。アクセス全体の4分の1は経済協力開発機構（OECD）加盟国からで、北米やヨーロッパの主要大学があるような都市からのアクセスが集中していたとのことです。

同年に行われたアンケート調査では、Sci-Hubを利用する理由として半数以上が「正規の手段でジャーナルにアクセスできないから」と回答しましたが、その一方、単に便利だからとか、商業出版社への反感からSci-Hubを利用しているというユーザーもいました。実際、37%の回答者は正規の手段が他にあるにも関わらず、Sci-Hubを利用していたのです。さらに、Sci-Hubの利用経験の有無や年齢層に関わらず、約8割のアンケート回答者が「Sci-Hubを利用するのは間違ったことだとは思わない」と回答しています。

2017年のSci-Hubの利用履歴をもとに日本のユーザーについて調査した結果では、ダウンロード数は年間120万件にも上り、大都市圏を中心に日本全国から利用されていることがわかりました。それでも世界全体の利用に占める日本の割合は1%以下と少なく、大半のユーザーは一回だけの利用にとどまっていて、論文が入手できない時に止むを得ずSci-Hubを利用した人が多いようです。ただし、ダウンロードされた論文の2割程度がオープンアクセス論文であることを考えると、アクセスが制限されていて入手できないからというよりもむしろ、出版社を問わずワンストップで論文を入手できる利便性を感じているユーザーもいるようです。これは前述の2016

年の世界的な調査結果とも符合します。

オンラインジャーナルにアクセスできない人々のために、ハッキングと認証情報の不正な流用によって多くの論文を提供するSci-Hubが、正規の手段でアクセスできる人々からもその利便性を認められ、道徳的にも支持されているというのは何とも皮肉なことです。それらの論文が、出版社の最終版ではなくSci-Hub上の不正コピーへのリンクとともに引用され、厳正なはずの出版社のチェックをすり抜けて掲載されてしまうこともあります。Sci-Hubの不正行為はもちろん許されるべきではありませんが、欲しい論文に簡便にアクセスできる環境が行きわたらない限り、この問題はまだしばらく続きそうです。

参考：

Bohannon, John. “Who’ s Downloading Pirated Papers? Everyone.” Science, April 28, 2016. https://doi.org/10.1126/science.aaf5664

Travis, John. “In Survey, Most Give Thumbs-up to Pirated Papers.” Science, May 6, 2016. https://doi.org/10.1126/science.aaf5704

大谷 周平 , 坂東 慶太 . 2018. “論文海賊サイト Sci-Hub を巡る動向と日本における利用実態 .” 情報の科学と技術 68 (10): 513–19. https://doi.org/10.18919/jkg.68.10_513

“Elsevier の電子ジャーナルからも Sci-Hub へのリンクが存在することが指摘される .” 2019. カレントアウェアネス・ポータル . https://current.ndl.go.jp/node/38739

第6章

図書館の役割

「図書館」とは一体何を指すのか？

当然ながら、目的によってさまざまな種類の図書館があります。公共図書館、企業図書館、病院図書館、会員制図書館、学校図書館、大学図書館などですが、それぞれの機能は微妙ながらもかなり異なります。本書では学術コミュニケーションを特に取り扱っていますので、「図書館」という時には高等教育機関のもの、つまり大学図書館を指すことにします。

大学図書館と研究図書館の違いは何か？

大学図書館に限定して話を進めるとした上で、まだ重要な違いを述べなければいけません。それは、コミュニティカレッジや一般教養大学、総合大学などの図書館（これらは全て教育と学習の支援に重点を置いています）と、研究に重点を置く大学や機関の図書館（これらは教室での授業や学部生の学習に加えて非常に高度な研究プログラムを支援しなければなりません）との違いです。「大学図書館」(academic library) や「研究図書館」(research library) といった用語がほぼ同義であるように使われているのを聞いて、違いがあるのかどうか疑問に思ったことがある読者もいるかもしれません。答えはイエスです。全ての研究図書館はほぼ大学図書館であると言えますが、大学図書館の多くは研究図書館ではありません。しかし、この区別については本書の目的に照らして深入りすることはせず、「図書館」という用語は教育に特化した大学から研究に重点を置いている機関まで広く大学図書館を指すのだ、ということにしておきます。そうした違いが重要なところでは、きちんと区別することにします。

なぜ図書館があって、何をしているのか？

図書館はその上位組織によって設立され支援を受けながら、さまざまな機能を提供していますが、そのうち重要な機能としては*仲介*、*アクセス*、*キュレーション*の三つがあります。

「*仲介*」は図書館が属するコミュニティ（教職員、学生）の代理として資金をプールしておいて、その資金を使って各々が個人で購入できるよりもたくさんの質の高い情報リソースを購入する仕組みです。当然ながらこれらのリソースには、書籍などの物理的な資料、電子ブックやジャーナル、オンラインデータベース、その他の情報製品が含まれますが、これに加えて図書館は、仕事をする場所やさまざまな研究サービス、機器やソフトウェアなども提供します。仲介業務はこれまで常に図書館が果たす重要な役割の中核でした。学生や教員は研究をするために必要とする情報リソースへのアクセスを全て自費で支払うことはできませんから、図書館が仲介しているのです。歴史的に見れば、大学コミュニティが非常に多くの学術コンテンツにアクセスできるようになるというのがこの取り決めの利点でした。欠点としては、全てのコミュニティメンバーがアクセスを共有しているために生じる多少の不都合があります。特に物理的な資料は集約的に保存されているため、一度に一人しか利用することができません（オンライン資料であれば大抵は複数の人が一度に使うことができますし、もちろん遠隔利用も可能です）。

コミュニティ全体に対するコンテンツの「***アクセス***」を提供することが、仲介業務の目的です。大学コミュニティの代理として購入を負担する図書館は、購入またはライセンスされたコンテンツへのアクセスを全員に提供します。しかし図書館がアクセスを保障する役割は、ライセンス条件の交渉やアクセス費用を負担するだけにとどまりません。図書館は物理的な資料が見つけられるように整理し、ライセンスされたオンライン資料へのアクセス状況を管理しなければなりません。いずれの場合も図書館にとっては継続的な（時に手間のかかる）仕事で、これについては本章の後半で解説することにします。

「***キュレーション***」は、図書館が奉仕するコミュニティに将来にわたって提供できるようにしておくために、継続的に資料を管理し保全することです。図書館は図書やその他の物理的な資料の状況を把握しながら、必要に応じて差し替えたり修理したりして管理します。また、物理的なコレクションの全体を見ながら資料を追加したり、スペースが足りない場合や新版が出た場合には間引いたりもします。図書館はデジタル化された蔵書（これについては後で説明します）へのオンラインアクセスを維持するため、ファイル規格を管理し、サーバーのスペースを確保して、厳重に保管します。ライセンスされたオンライン資料へのアクセスを管理するために継続的に状態を確認し、契約を交渉して購読料をきちんと支払い、何らかの理由でアクセスができなくなった時には迅速に対処します。

図書館は利用者に対して無料でサービスを提供するのか？

この考え方は、実を言うと図書館サービスに関する質の悪い神話の一つです。この神話は時に、より多くの人々が図書館のサービスを使って欲しいという真摯だけれど見当違いの試みとして、図書館員自身によって提唱されたりします。また図書館の後援者やサポーターが、やはり真摯だけれど見当違いな試みとして図書館を支援するために提唱することもあります。

もちろん現実的に考えたら、図書館はタダでは何もできません。図書館の利用者は間違いなく、彼らが受けるサービスの対価を支払っているはずです。ただし支払いは間接的に（固定資産税や学費、学生納付金など）、図書館のサービスを受けるタイミングや場所とは違うところで支払っているために、そうしたサービスが無料であるという勘違いを簡単に引き起こしてしまうのです。言い換えれば、図書館を訪れて５冊の本を選び、金銭のやりとりをせずに借り出すことができる、というのはあたかもその手続きが無料で行われたかのように感じるかもしれません。しかし実際はすでに金銭の授受は行われていて、あなたの懐から図書館の予算へと間接的に繰り込まれているのです。

なぜこれが注目に値するのでしょうか？　それは図書館が「無料のサービス」を提供するという考え方は、鏡写しとなる二つのリスクを生じさせるからです。まず第一に、図書館の存続に不可欠な費用を負担する人々が、図書館サービスを軽視するようになるというリスクです。一般的に経済上の経験則として、私たちはお金を支払う必要のないものを軽んじるという傾向があります。この点だけとっても、図書館やそのサービスに対して利用者が何の金銭的投資もしていないようなふりをするのは賢いこととは思えません。

もう少し控えめに言っても、図書館が「無料サービス」を提供するという主張にリスクがあるのは、単純な嗅覚テストにすらパスしないからです。誰でもそんな物言いを聞いて一瞬でも考えれば、すぐにそれが嘘偽りであるとわかりますし、そうしたら図書館員（や図書館の支援者）の言うことが信頼できるのか疑い始めるでしょう。

図書館のより良い利用と拡大を望むのであれば、図書館とその後援者はもっと正確で効果的なメッセージを発信するべきです。「あなたが提供してくれた資金をどれほど賢く効果的に使っているのか、見に来てください」というように。

図書館はどうやって蔵書を構築・管理するのか？

古くから、本やジャーナルの選定作業とその後の蔵書管理というのは、図書館員が果たす最も重要な職務の一つです。これは大学のカリキュラムや研究ニーズの変化や、利用可能な予算とスペースに応じて行う、資料の選定と除籍のプロセスのことです。大学図書館ができた当初から、図書館学の一部である蔵書構築 (collection development) は専門職能の重要な要素の一つでした。

もちろん、図書館員は好き勝手にどの本やジャーナルを蔵書に加えるか決めているのではありません。教員や学生から意見を求めますし、実際、図書館から割り当てられた予算に従って、教員が図書館の蔵書に加えるべき本を選定するという大学もあります（このモデルは大きな総合大学や研究大学よりは、小さな一般教養大学で採用されるのが一般的です）。

伝統的に、図書館の蔵書構築は三つの基本的な手法に重点を置いています。***発注*** (firm order)、***見計らい*** (approval plan)、そして***購読*** (subscription) です。それぞれについて順番に見ていきましょう。

発注は図書館の蔵書構築において最も基本的な作業です。それを選定したのが図書館員であれ、利用者からのリクエストであれ、この用語はシンプルに本を発注することを意味します。特定の本が必要だということになれば、図書館は出版社や書店にそれを発注します。「発注」(firm order) と呼ばれるのは、図書館がそれを購入して蔵書に加えることを決定した、ということを意味します。

見計らいというのは発注とはかなり異なるもので、書店や卸商に依頼して、図書館の資料収集の優先度について詳細なプロファイルを作成する取り決めです。このプロファイルは図書館が特に優先している出版社や分野、あるいは優先しないもの、また時には「分野以外の要素」と呼ばれる限定条件を特定します。例えば、図書館は改訂版や、エッセイ集、会議録などをプロファイルから除外したりするかもしれません（しかしこれは図書館がそのような資料を受け入れない、ということではなく、自動的にそのような資料を送って欲しくない、ということにすぎません）。ある程度の新刊本が出揃うと、業者は図書館が設定したプロファイルに従って取捨選択を行い、図書館が特定した条件に合致する本は自動的に発送し、その条件に少しだけ関連しているようなものについてはそれを知らせるだけにとどめ、プロファイルに合致しない資料については発送も通知もしないのです。このような取り決めが「見計らい」(approval plans) と呼ばれるのは、もともと取り決められたとおり、返品可能という条件で (on approval) 自動的に資料を発送するからです。図書館は資料を受け取るとそれをチェックし、購入したいものは手元に残し、そうでないものについては業者に返送します（しかし時間が経つにつれて、ほとんどの図書館の見計らいは洗練されてくるので、自動的に送られてくる資料の多くがそのまま受け入れられることになりま

す)。

購読はジャーナルとして出版される学術コンテンツの受け入れに通常当てはまる方法です。購読する図書館は購読年の開始時点で料金を支払い、その年に発行されるジャーナルの号を全て受け取ります。購読と似ている方法に「***スタンディングオーダー***(standing order)」というのもあって、これは出版社や卸商に特定のシリーズの中で出版された本は全て自動的に送るように依頼するものです(もう少し一般的でない方法として「***ブランケットオーダー***(blanket order)」というのがありますが、これは特定の出版社が発行する図書は全て図書館に送るように指示するものです)。

伝統的な図書館のアイデンティティや価値提案において蔵書構築が占める重要性は決して軽視できないものです。実際、蔵書という概念は本質的に図書館という概念とは不可分で、この二つの用語は実質的に同義語といってもよいくらいです。図書館に価値がある主な理由は、利用者が他の方法では入手できない学術的資料にアクセスできるから、そして図書館がそれらの資料を整理、保存、管理して、利用者が蔵書の中から資料を見つけてどれを利用するべきか助言してくれるからです。注意深さと専門性をもって構築し、十分に吟味され、一貫性を持って整理され、厳しく管理された蔵書。古い世代の人にとっては、これを持たない図書館など、医療機器のない病院か、食料のないレストランのように馬鹿げたものだったでしょう。

しかし、インターネットの出現によってもたらされた重要で破壊的な変化の一つは、どんな種類の資料も発見が容易になったということです。メタデータ（資料を説明する図書館目録はその一つです）に加えてフルテキストが検索可能となったことにより、ほんの一世代前だったら考えられないくらいオンライン資料が見つけやすくなったのです。1980年代より前に学校に通った世代なら当時のことを覚えているかもしれませんが、図書館で本を探す唯一の方法は、目録カードを物理的にめくることでした。蔵書の中にある本の一冊ごとに、図書館目録は複数のカードを用意していました。本のタイトルが最上段に書かれている（続いて書誌事項全体が記述されている）もの、著者名が最上段にあるもの、それ以外に分野名が最上段に書かれている複数のカード、などです。書誌事項の一要素を最上段に示したこれらのカードはアルファベット順に並べられていました。ですから、もしあなたがピート・シーガー[訳注25]が書いた *How to Play the Five-string Banjo* という本を探しているとしたら、著者名目録で「Seeger, Pete」か、書名目録で「How to Play the Five-string Banjo」か、あるいは件名標目で「Banjo–Method–Self-instruction」とか「Folk Music–United States」とかいうところを探せばよいのです。それぞれのカードには本の請求記号が示されているので、あとはそれを頼りに図書館の書架をあたることになります。私たちの多くが（特に図書館員は）目録カードの時代を思い出して切ないほどの懐かしさを感じますが、騙されてはいけません。それは必要悪であって、学術資料へのアクセスを可能にするものであると同時に複雑で、時間のかかる、厄介な代物でした（図書館目録は現在ではほとんどオンライン化されて、目録カードを使って探すことの難しさは全てではないにしてもほとんど解消されています）。

さらに、インターネット以前は、あるとわかっている本にアクセスすることだけでなく、存在するかどうかを調べることも難しかっ

訳注25　ピート・シーガー（Pete Seeger, 1919-2014）はアメリカのフォーク歌手。

たのです。新刊本について情報を得るのは、主に新聞や雑誌の広告（電子メールによる宣伝もなければ、Amazonも、Pinterestもなかったのです）か、口コミが頼りでした。つまり、***発見***と***アクセス***は緊密に結びついたもので、どちらも図書館で起こっていたことなのです。言い換えれば、もし「バンジョーの弾き方についての本はあるだろうか？」と思ったら、手近な図書館の目録を探すか、図書館員に相談するのが常でした。もしそのような本が存在するとわかっていてその本にアクセスしたい場合でも、取るべき行動はほとんど同じでした。

インターネットはこのどちらも大きく変えてしまいました。現在では、「バンジョーの弾き方についての本はあるだろうか？」という質問には、GoogleかAmazonでキーワード検索したらすぐに簡単に、しかも効果的に答えが得られます。本の存在が確認できたら、「この本はすぐに入手できるだろうか？」という問いには、手近な図書館の目録に頼るのがよいでしょう。そしてこのことが、おそらく図書館員の職業的歴史の中で最も革命的な変化を図書館の蔵書構築にもたらしたのです。それがDDA（需要駆動型購入方式、demand-driven acquisition）です。

DDAとは何か？

インターネットの登場によって、大学図書館の収集方針には二つの点において根本的な変化が訪れました。学術コンテンツの検索と利用がいずれもオンラインで済むようになったこと、そして図書館がまだ購入してもいない本を用意しておいて、いざ利用者がそれを使う時点で特別な仲介なしに即時受け入れができるようになったということです。このシステムはDDA（需要駆動型購入方式、

demand-driven acquisition、あるいは patron-driven acquisitionとも）と呼ばれています。

DDAは次のように機能します。出版社や書店が電子目録に情報を提供して、まだ図書館が購入していないけれども入手可能な電子ブックの一覧を示します。図書館が購入できるよりもずっとたくさんの電子ブックがありますし、また入手できるとしても図書館の収集方針にそぐわないものも数多くありますから、何らかの絞込みをした結果が目録に表示されることになります。にもかかわらず、実際に図書館が全てを購入することはできないくらいたくさんの、何千、何万ものタイトルが目録に追加されてきます。これらの電子ブックは図書館目録の中で検索可能となるので、利用者から見るとすでに図書館によって購入済みのものとなんら変わりありません。図書館が実際に選書・購入して蔵書に追加したものだけでなく、それよりもずっとたくさんの資料を利用者は目にすることになります。

このようにアクセスできるようになった電子ブックを利用者が見つけた時点で、実際の受け入れ方法は納入業者によって異なります。ある場合には、一定数以上のアクセスがあった場合に図書館は購入しなければならないと決まっています。最初の一、二回利用者が電子ブックにアクセスしただけでは請求されませんが、三回目で図書館に料金が請求され、それ以降はその本は図書館の電子ブックコレクションの一部となります。利用の仕方によって差別化するモデルもあって、数ページを閲覧するだけであれば何度でもできますが、利用者が何度もページを行ったり来たりしたり、一部を印刷したりすると課金されるというモデルもあります。もっと細かく課金を設定して最終的に購入に至るようなモデルもあって、この場合は最初あるいは二回目の電子ブックの利用には（どのような利用か、あるいはその時間に関わらず）定価の 10% が課金され、三回目の利用で残額を支払うとその電子ブックは図書館の蔵書として正式に追加されて、それ以上課金されることはなくなります。

注意深い読者ならお気づきでしょうが、DDA のモデルは伝統的な図書館の蔵書構築のやり方を完全にひっくり返してしまいました。図書館員が選書してコミュニティの研究と教育のニーズに見合った蔵書管理を行う代わりに、DDA ではより多くの、ほとんど取捨選択されていない図書のリストを図書館の利用者に提供して、実際に利用されたものだけを最終的に追加していくのです（ほとんどの DDA プログラムでは、電子ブックは図書館の目録にある程度定期的に追加されたり削除されたりしていて、最終的に利用されないものは新しいものと入れ替わっていきます）。

重要な点は、DDA では図書館の利用者が選書する必要はありませんし、図書館がどの本を購入すべきか、すべきでないかという選択を意図して計画的に行わなくてよいのです。つまり利用者が図書館員になるわけではありません。DDA のモデルは、実際の利用者の学術的な行動に単純に連動するだけです。理想的には、利用者が DDA のモデルに全く気付く必要もありません。彼らは単に自分の研究をすればいいだけで、もし DDA を導入したことによって彼らの図書館での経験に違いが生じたとすれば、以前よりもずっとたくさんの電子ブックにアクセスできるようになった、ということだけです。

DDA の利点と欠点は何か？

読者にとっては驚くべきことではないかもしれませんが、図書館員のあいだでも DDA には賛否両論があって、それにはさまざまな理由があります。

まず、DDAでは厳密には利用者が図書館員になるわけではありませんし、彼らに図書館の蔵書構築に積極的にわざわざ参加して欲しいと依頼しているわけでもないのですが、どれだけ無意識で意図的でないとしても、利用者が蔵書構築に及ぼす影響をかつてないほど大きくしているのは事実です。DDAは実際、図書館員から蔵書をコントロールする権限をかなり奪っていますし、図書館員が注意深くシステマティックに、首尾一貫して整備するコレクションとは結果的に異なるものになってしまうことは避けられません。蔵書構築について専門的にトレーニングと経験を積み、情熱を持って取り組んできた図書館員はこれに反対するでしょう。そこには利己的な観点（「もし利用者が選書をするのであれば、自分の仕事はどうなるのか？」）だけでなく、首尾一貫性をもって慎重に計画された蔵書は、利用者の気まぐれな行動に左右されたものよりはずっと良いはずだ、という信念もあるのです。

一方、それではなぜ大学図書館が存在するのかと尋ねる人もいるかもしれません。その主な目的は素晴らしい蔵書を構築することなのか、それとも大学の教育と研究を支援することなのか？　もし後者であるならば、コレクションを結果としてではなく手段として考えることは大切なはずです。あまり首尾一貫していなく注意深く計画されてもいない蔵書がもし所属研究者の実際の研究を反映しているのであれば、実は機能としてはより優れているのかもしれません。そうした研究者の実際のニーズを反映していない蔵書は、伝統的な図書館員の価値観から考えてどんなに素晴らしいものだったとしても、本当のところそれは失敗なのだという議論は十分成り立ちます。

DDAについてもう一つ危険なのは、予算の管理が行き届かず制限なく使われてしまうという可能性です。もし総額50万ドル分の電子ブックを予算年度の始まりに提供したのに、利用が進んで最初の月に20万ドルが使われてしまったとしたらどうでしょう？　次はこれについて考えてみましょう。

図書館はDDAの予算をどのように管理しているのか？

DDAに関連して最もよく聞かれる懸念の一つは、電子ブックの予算についての主導権を図書館の利用者が握っているということです。彼らがどんどん本を利用すれば図書館の予算が使われてしまい、逆に利用が少なければ図書館の予算が使われることもありません。特に予算が厳しい（むしろ減っていくような）昨今、どうしてこれが持続的だと言えるでしょうか？

「どのように予算を管理しているか？」に対する答えは、プロファイルの構築によって、ということになります。どんな図書館のDDAプランも、全ての利用可能な電子ブックへのアクセスを提供するわけではありません。電子ブックのタイトルは、その形式（大抵は学術書なのか一般書なのか）によって、あるいは出版社やトピックなどによってある程度絞り込まれているのが普通です。この絞込みによって、DDAで検索可能となって購入できる本の数は制限され、利用者の研究行動を反映して購入される金額に上限を設けることができます。

もちろん、伝統的な図書館の購入方法よりもずっと多くのコンテンツを提供できるのがDDAの主要な特徴なのですから、絞り込まれた電子ブックのリストでさえも図書館が実際に購入できる以上の本が含まれているはずです。そういう意味ではプロファイルを設定するのはDDAの予算管理のプロセスの始まりであって終わりではありません。図書館は継続的に、***リスク・プール管理***をしていて、これはつまり利用可能な本の数を単純に制限するということです。DDA による購入予算の消費状況をモニターすることによって、図書館員は持続可能性を判断します。年度末までに予算執行できるのか、年度予算の全てを次の四半期で使い切ってしまわないか、といった感じです。もし予算の消費が早すぎるようであれば、提供する本の数を減らして予算の減り方を遅くしますし、もし予算があまり減っていないようであれば、本の数を増やして予算の支出を急ぐように調整するのです。

リスク・プール管理は、分野レベルでも可能です。もしある分野だけに何らかの理由で突出したパターンが認められて、それが何らかの（その分野だけ特別に需要が高いという事実がなく）異常なパターンであると信じる理由があれば、それについて調査するあいだ一時的にその分野の本を削除するということもできます。

すでに説明しましたが、こうしたアプローチは、図書館の蔵書の首尾一貫性や安定性を損なうことになります。本が現れては消え、それがある特定の分野に限って起こったりもするのですから。さらに、DDA のシステムでは、図書館の利用者の現時点での興味やニーズ以外に、何らかの包括的な戦略や理由に基づいて図書が蔵書に追加されていくという保障はどこにもありません。より多くの本を提供できるとか、利用されないかもしれない本にお金をかけなくて済むとか、図書館利用者のニーズや関心を正確かつ迅速に蔵書に反映できるとか、利点はいろいろありますが、DDA の欠点についても図書館は検討・評価する必要があるのです。

出版社は DDA についてどう思っているのか？

お察しのとおり、特に比較的少数の専門家集団を相手に学術的な著作を主に取り扱う出版社にとって、DDA は利点と欠点の両方があります。

図書館が事前購入するよりもずっと多くの図書を利用者に提供できれば、これはニッチな出版社には潜在的な読者（DDA モデルでは本の利用がすなわち売り上げにつながるので）のもとに商品を届ける絶好の機会です。DDA は図書館にとっては利用者に提供する資料の範囲をものすごく拡大してくれるメカニズムですが、これはまさにニッチで専門的な出版社に明らかな利点をもたらしてくれます。

その一方、図書館はそれらの本が利用されるまでは実際にお金を支払う必要がないのですから、これはニッチな出版社にとっては不都合でもあります。比較的目立たないトピックの本でも、以前ならその品質とか大学との主題関連性などの理由で図書館が購入してくれた（そして実際に利用されることはほとんどなかった）かもしれません。DDA では目録に表示されている期間に利用する人がいなかったとしたら、出版社は以前ならあったはずの売り上げを失うことになるでしょう。

このような複雑な事情は、DDA に関する重要で哲学的な葛藤を浮き彫りにしてくれます。関連性と利便性は、どの程度図書館の購入の指針となるべきなのでしょうか？　学問的な質はどうでしょうか？すぐに役に立つような本を製作する学術出版社ばかりが恩恵を受けるような受け入れを推進する図書館がもっと増えた場合、関連性や有用性が見えにくい分野や領域の研究者はどうなるのでしょうか？これらの難問は後でもう一度、大学出版局が直面する課題について解説する際に検討します。

DDA は冊子体にも有効なのか？

明らかに DDA は電子ブック購入の文脈で、オンライン環境で最も有効だという理由から生まれたものです。電子ブックのメタデータさえあれば、事前に資料が購入されていなくても図書館の目録の中で検索できるようにしておくことはできますし、いざ見つかればオンライン環境ではクリック一つで資料にアクセスできて、購入手続きも利用者の目に触れることなく完了させることができます。

しかし、図書館が電子ブックの DDA 導入に踏み切るのと同じ考え方、つまりより多くの資料を提供し、ほとんど利用されない資料の購入を減らし、利用者のニーズや興味関心に則した蔵書を構築するというのは、冊子体の図書にもあてはまります。明白な課題としては、電子ブックと違って冊子体の資料は物理的なモノなので、利用者がアクセスしたいと思っても直ちに提供することができません。そのようなわけで、もともと DDA のモデルというのは冊子体には向かないものなのです。

だからと言って、冊子体の DDA が存在しないわけでも不可能なわけでもありません。少なくとも三通りの DDA に相当する仕組みが、大学図書館では実施されています。

まず最も一般的で広く実践されているのは、従来からある「購入希望」や「利用者によるリクエスト」や、図書館相互貸出 (ILL: interlibrary loan) として知られているサービスです。多くの図書館では、図書館が所蔵していない図書を購入してほしいと利用者がリクエストできる仕組みがあります。こうした要望に対して図書館はすでに長年にわたって、図書館どうしの相互貸出業務を実施してきました。つまり、もしユタ大学の図書館に所蔵されていない冊子体の図書を利用者が必要としている場合、図書館員はオンライン総合目録（OCLCのWorldCatなど[訳注26]）を検索して、どこか他の大学図書館がその資料を所蔵していないかどうか確認します。もし見つかればILLのリクエストが送られて、所蔵館が資料を郵送してくれるので、利用者はユタ大学の図書館でそれを借りることができます。ILLは非常に効果的なプログラムで、一つの図書館だけでは提供することができないような膨大な数の資料の提供を可能にします。一方、とても非効率な面もあって、利用者は希望した資料を手に取るまで数日から時には数週間も待たされることもあります。資料を入手できたとしても、ごく短期間しか利用できないのが普通で、自分の大学の図書館で通常借りられる期間よりはずっと短く、延長できないことも多いのです。

これと似ているのが「購入希望」で、やはり利用者が図書館に所蔵されていない資料を購入してほしいとリクエストします。そのようなリクエストに応じて資料が購入されると、通常はそれを希望した人が最初に借りられるように予約扱いとなります。この仕組みはILLよりは待つ時間が短かく（なぜなら普通は書店の方が図書館よりも早く本を発送するので）、また通常の貸出期間で借りることもできてその延長も可能でしょう。

注目したいのは、ILLの処理に必要なスタッフの労働力や送料などのコストは、単に購入希望が出された図書を購入するコストと同

訳注26　OCLC, Inc.は17,000を超える世界中の図書館が参加する非営利組織です。もともとはOhio College Library Center（米国オハイオ州の大学図書館間ネットワーク）として1967年に設立されましたが、1981年にOnline Computer Library Centerと名称変更し、2017年には略称であったOCLCが正式名称となりました。世界最大のオンライン目録であるWorldCatを管理しています。

じくらい（時にはそれ以上）ですし、またILLは購入手続きよりは時間のかかるプロセスなので、多くの大学図書館は「借りるよりは買ってしまえ」という方向に向かっているのです。ですからILLのリクエストについてもAmazonなどのオンライン書店をまずチェックして、「購入希望」として処理した方が安価で効果的かどうかをチェックすることになります。

冊子体についてのDDAを実現する二番目の方法はオンデマンド印刷で、これを採用する出版社や取次書店は増えています。図書館の側から見ると、これはほとんど図書の購入と同じようなものですが、出版社や代理店にとっては大違いです。オンデマンド印刷は、業者が在庫管理（およびそれにともなう無駄や経済的な損失も含めて）を全くせずに受注できることを意味します。Ingramのような書籍販売業者は倉庫に自前の印刷機を持っていて、あらかじめ契約した出版社の本に発注があれば、その日のうちに印刷して発送することができます[1]。オックスフォード大学出版局のような出版社はこの技術[2]を採用して、既刊書や、おそらくもっと重要な絶版となっている本を復活させています。実際、オンデマンド印刷技術があることで、本が「絶版」になるという概念はこの世界からなくなるのですから、これは学問に携わる全ての人々にとって朗報です。

もちろん、図書館から遠く離れた場所で実現するオンデマンド印刷が解決できるのは、アクセスに関する問題のほんの一部にすぎません。伝統的なILLや「購入希望」のように、オンデマンド印刷は図書館利用者が使える資料の幅を大きく広げてくれますが、欲しい時にすぐに入手できるというわけではありません。利用者はリクエストをしてから本が到着するまで待たなければならないのです。最も早くて効率的なサービスでも24時間は必要でしょうし、普通は最低でも何日かはかかります。

しかし、さらに別のタイプのオンデマンド印刷技術が近年開発され、これが冊子体のDDAを実現する三番目の（そしていろいろな意味で最もエキサイティングな）方法になります。それはオンデマンドの自家印刷です。このサービスを実現するには今のところEspresso Book Machine (EBM)という製品を使うしかありませんが、将来は他の製品も出てくることを願っています。EBMは先述したような業者が倉庫に備えているオンデマンド印刷機のようなものですが、ずっと小型です。基本的に2台のプリンタが小型の組み立て装置に連結されていて、全ての手順はコンピュータから指示するのですが、さらにこのコンピュータはオンデマンド印刷用にフォーマットされた電子ブックのデータベースに接続されています。データベースから本が選択されると、一台のプリンタはテキスト部分（本の中身）を印刷し、もう一台はそれよりも厚い紙に表紙を印刷します。テキスト部分の印刷が終わると、組み立て装置が背表紙部分を糊付けして表紙を取り付け、サイズに合わせて裁断します。糊が乾くまでしばらく待つと、印刷された本がシュートから出てくるというわけです。

当然ながら、EBMは図書館にとっても出版社にとっても状況を一変させるような可能性を秘めています。図書館は本をいくらでも、しかも現在は入手不可能なものまで、利用者に提供できるようになるかもしれません。EBMのネットワークから提供されるのは、北米や英国の研究大学が所蔵する本のデジタル画像（これについては第8章のGoogle Booksプロジェクトとハーティ・トラストに関する記述を参照してください）で、そこには何百年も前に出版されてすでにパブリックドメインに属している資料も含まれていて、その一部はごく少数の現物しか残っていないからです。このような革新的なアクセスの拡大は途方もない影響を学問にもたらすでしょう。出版社にとっては、本が絶版になることはもうありませんし、流通業者や代理店を全く通さずに、図書館や書店、個人の読者への販売を効率化できるという魅力的な可能性をもたらします。

もちろん、完全なものなどありません。本書の執筆時点では、EBM が図書館のコレクションや図書の流通を変革するために克服しなければならない大きな課題はいくつもあります。その一つは、出版社が書籍を EBM のネットワークにのせたがらないことで、「新刊案内」に含まれるようなものは特にそうです。EBM が売り上げ全体に対して与える影響についてまだ確信が持てないだけでなく、EBM で印刷される本がハードカバーの本と比較して（あるいはペーパーバックにすら）見劣りするし頑丈でもないので、出版社は躊躇しているのでしょう。丈夫であったとしても見かけが悪ければ、少なくとも物理的な読書体験の一部がブランド力を構成すると考える出版社にとっては、EBM はあまり好ましい販路ではありません。上装本にさらにカバーをつけて上質紙に印刷されるような新刊書の場合は特にそうでしょう。

しかしもっと根本的な問題は、メタデータです。目録やデータベースに詳細なメタデータが掲載されていない限り、本を簡単に見つけることはできませんし、そのようなメタデータを作成するにはお金がかかるのです。本書の執筆時点では、EBM の製造とそれに接続するデータベース管理をしている会社は、そのデータベースを効果的に検索する費用対効果の高い方法にまだたどりついていません。ほとんどのメタデータは良くても基本事項だけですし、悪ければ情報が不正確で、実質的に利用者が本を探すことができません。これでは、

EBMの電子ブックを検索し、印刷して販売するというシステムの効用は大きく損なわれてしまいます。この問題が解決されれば、リアルタイムのオンデマンド書籍の実現に向けて、大きな壁を乗り越えることができるでしょう。

過去40年で図書館の役割はどのように変わったのか？

現在の図書館がすでに述べたような三つの重要な役割を果たし続けている一方、学術コミュニケーションのエコシステムの革新はその仕組みを大きく変化させました。この革新は、以前は図書館の要だと思われていた機能や価値を脅かしているにも関わらず、新しい機会も提供しています。

何世紀ものあいだ、図書館によるコンテンツへのアクセス仲介の方法はほとんど変わりませんでした。アクセスを仲介するというのは、インクと紙を使って情報が印刷された物理的なモノ（本とかジャーナルとか）を購入するということでした。そうした資料は物理的なモノでしたから、物理的な売買が可能でした。図書館が購入した本は図書館の所有物となり、それを管理するのは図書館だけの責任でした。その本の知的な中身をどのように利用できるかは著作権法に縛られますが、物理的なモノ自体をどのように管理し手入れするかというのは図書館次第でした。そして重要なのは、支払いが済んで配達されれば、その供給者と図書館との関係はそこで終わりでした（少なくともその特定の資料については、ということですが）。

購読契約を通じて購入されるジャーナルなどの定期刊行物の場合は、購入時点から始まる出版社や業者と図書館との関係は継続的なものとして管理されなければなりませんでした。購読料の支払いは通常は年一回の前払いでしたが、図書館は出版社や業者がきちんと責任を果たしているかどうか購読状況を監視しなければなりませんでした。ジャーナルの最新号は予定通り届いているか、未着の号はないか、ということです。

しかしこの何十年かのあいだに、本やジャーナル論文などの学術資料は物理的な世界からオンラインへと大きく移行しました。前述のとおり、本を「一冊」「買う」というのは実際には物理的なモノを入手するということではなく、その資料の中身にオンラインでアクセスする権利を購入する、つまり購読契約を結ぶ、ということです。これはすなわち、購入した時点で図書館と供給者の関係は終わるどころかむしろ始まるわけで、図書館がアクセスに対して支払いをした時点で、供給者にはライセンスが続く限りアクセスを提供する責任が生じるのです。

物理的なモノからオンラインへの学術コミュニケーションの飛躍的な変化は、図書館にもう一つ重要な変化をもたらしました。どこかで誰かが製作したコンテンツを購入するだけでなく、図書館自身がその製作者や出版者となることが増えてきたのです。これは次の質問で取り上げます。

「図書館出版」とは何か？

インターネットの出現は、図書館に出版社との新しい関係をもたらしただけでなく、図書館自体が出版社になるという可能性をもたらしました。近年、これは少なくとも二通りの方法で実現されています。

まず、大学出版局を図書館組織の下部組織として改組して、出版局長を図書館の誰か（通常は図書館長や部長）の直属にする大学が増えてきています。この場合、図書館自体がある程度出版活動に関わることになりますが、ほとんどの場合は深く関与することはありません。指揮系統が図書館の中にあるというだけで、出版局は独立した運営を続けるのが普通です。しかし、時には図書館と出版局が機能的に融合されて、新たな共同出版プログラムを立ち上げることもあります。

その一例がLever Pressで、これはミシガン大学出版局とミシガン大学図書館、そして一般教養大学の図書館コンソーシアムが共同で設立した出版社です[3]。Lever Pressは参加組織が財政支援するオープンアクセスの電子ブックを出版しており、特に一般教養大学のミッションに則した分野に重点を置いていて、資金の大半は参加している図書館から拠出されています。

図書館が出版社になるもう一つの方法は、そのものズバリ、出版社になってしまうことです。「出版」をどう定義するかはともかく、インターネットのおかげで出版を始めるのは本当に簡単になりました。もしあなたが本を書いて無料でみんなに読んで欲しいと思ったら、オンラインで無料のブログを開設して、1章ずつブログとしてポストすればいいのです。そしてもちろん、あなたができるということは他の誰でもそれができるのです。第12章では機関リポジトリ(IR: institutional repository)について解説しますが、そこでは機関リポジトリがどのようにプラチナOAジャーナル（著者から徴収する論文掲載料ではなく大学からの助成金によって維持されるオープンアクセスのジャーナル）の出版プラットフォームとして機能しているか述べたいと思います。そのような図書館出版のモデルで実験的な試みを始めている図書館は増えています。ある意味これは、機関リポジトリのデラックス版とも言うべきもので、投稿されたコンテンツが保存されて誰でもアクセスできるオンライン上で管理されるだけでなく、図書館によって編集上の吟味が行われ、きちんとした体裁にブランディングも施した正式な出版物となるのです。このアプローチは特に、学部学生の研究成果を掲載するジャーナルに有効であるとされています。自分の大学の機関リポジトリをベースとするジャーナルは、初めて学術出版の厳しさを体験するにはもってこいです。しかし機関リポジトリを使ってもっと専門的なジャーナルで成功を収めた図書館もあります。例えば、本書の執筆時点でテキサス・デジタル・ライブラリーはOpen Journal Systemsというプラットフォーム上で50誌ものジャーナルをホストしていて、そのいくつかは査読付きの学術ジャーナルですし、また学生の研究成果を発表するジャーナルや、専門学会のジャーナルなどもあります[4]。

図書館が直接出版に関与する方法がもう一つあります。既存の出版社と協力して既存の出版モデルを変えていくというやり方で、大抵は学術コンテンツへの無料でオープンなアクセスの提供を目的としています。SCOAP3 (Sponsoring Consortium for Open Access Publishing in Particle Physics) はそのようなイニシアチブの一例で、主に高エネルギー物理学分野を対象とするジャーナル10誌の出版コストを、大学図書館や助成機関、研究機関などが共同で費用負担するという国際連携プロジェクトです[5]。ジャーナル自体はその出版元から継続して出版されるのですが、SCOAP3の資金によって出版社はコンテンツを無料で公開します。この取り決めで図書館は出版社そのものとして機能しているわけではありませんが、出版のコストを直接提供するという新たな役割を果たしているのです。

図書館界では（そして偏ってはいるものの学術界全体にも）学術出版改革への強い熱意が感じられますから、今後もこうした図書館出版の試みは順調に発展することが期待されますが、衰退するものもあれば、また新しい形態が生まれることもあるでしょう。

学術コミュニケーションのエコシステムを改善するために図書館は何をしているのか？

21 世紀になって、学術コミュニケーションのエコシステムの改善のために図書館が最も顕著に取り組もうとしているのは、オープンアクセスへの関与とその推進です。図書館はこれまで(そして今後も)いろいろ活発に取り組んでおり、それには次のようなものがあります。

出版社の諮問委員会に参加する

多くの図書館員が出版社の図書館諮問委員会に参加していますが、このようなサービスは図書館員どうしでは論議を呼んでいます（というのも敵に塩を送るようなものだと考える人もいるので)。そうするべきかどうかという論点は極めて明快です。まず、出版社（特に商業出版社）がどうしたらもっと私たちからお金を多く引き出せるか考える手助けを、なぜ図書館員がする必要があるのか、ということです。一方、彼らの製品を購入するのを完全にストップするのでなければ(それは素晴らしい考えだという図書館員もいるのですが)、それらがより良くなるように、そして図書館が抱える課題や問題点をもっと理解してもらえるように出版社に協力してもいいのではないでしょうか？　結局のところ、諮問委員会に参加するかどうかという決断は戦略的なものでもあると同時に道義的なものでもありますし、ポリシーにもよります。利益相反を最小限にとどめるために、企業の諮問委員会への参加を厳しく制限している図書館や大学もあります。参加するのはいいけれども、謝金の受け取りを禁止したり、会議に参加するための旅費や食費ですら受け取ってはいけない、というところもあります。

学術コミュニケーションに関連する事柄について研究、発表する

図書館員は（個人としてもグループとしても）学術コミュニケーションのエコシステムに関する研究に常に貢献しています。図書館の仕事や学術出版について取り扱う専門の学術ジャーナルやマガジン、ニュースレターなどは数百もあって、図書館員は調査研究やエッセイ、解説記事などをそういうところに発表しています。図書館関連組織（特に米国研究図書館協会がそうですが、その他も含めて）はエコシステムについてさまざまな分析を行ったり、図書館の資金状況や蔵書規模、出版物の種類別の支出や、出版界での出来事などについて考察し、そうした分析結果をエコシステムの他のメンバーに対して配布しています（必ずではありませんが、しばしば無料で）。

出版規格の開発や普及に寄与する

これは学術コミュニケーションの少しオタク的な部分になるのですが、規格というのは多くのコミュニティの一員にとっては目に見えないことも多く、それが理想的とはいえ、研究者の営みには大きな変化をもたらすことがあります。例えば、2003年のCOUNTER (Counting Online Usage of Networked Electronic Resources) 規格の確立には図書館員が大きく貢献しています。この規格はジャーナルやデータベース、電子ブックなどのオンライン資料の利用統計システムを体系化するものです[6]。図書館がこうした資料の購読を継続するのかキャンセルするのか決定する際には、利用統計が重要な判断基準となるので、COUNTERのような規格は現役の研究者に直接

的な影響を及ぼすのです。数百もの図書館や図書館団体が米国情報標準化機構 (NISO: National Information Standards Organization) の図書館標準連盟に参加していて、図書館や出版社など、学術コミュニケーションのコミュニティで情報の生産や提供に関わる組織が利用する規格の開発に尽力しています[7]。そしてもちろん、身近な図書館の書架で本を見つける時にそれがどこにあるか教えてくれる請求記号の標準化についても、図書館員に感謝（あるいは呪う ?）すべきでしょう。

学術情報のアクセスの拡大と無料化に努める

いろいろな点でオープンアクセス運動は論争を呼んでいますが (この重要なトピックを取り巻く複雑な状況については、第12章でより包括的に論じます)、さまざまな組織の中でもとりわけ図書館が、学術コミュニケーションのエコシステムの改善に向けてこれを推進しているというのは重要で、疑う余地はありません。オープンアクセス運動の基本的な考え方は、学術出版物への自由で束縛されないアクセスを全ての人々に保障する、というものです。科学分野のジャーナルやデータベースの購読契約には、何千ドル、時には何万ドルものコストがかかります。研究図書館にアクセスできない人々は、そうした出版物へのアクセスを自分で購入することは普通はできませんし、またそういう図書館にアクセスできる人々でさえも、高騰し続けるジャーナルの価格とそれに対して伸び悩む図書館予算のせいで、欲しいもの全てにアクセスできるわけではありません。学術情報の自由な利用と再利用を可能にするようなプログラムやポリシーを後押しすることによって、図書館は利用者、ひいては市民一般に代わってそれらの課題を克服しようとしているのです。

「デジタルライブラリー」とは何か、伝統的な図書館とはどう関連しているのか？

「デジタルライブラリー」という用語には、文脈によってさまざまな意味があります。

広義には、デジタル形式で保存されている資料のコレクションであれば、ほぼどんなものでもデジタルライブラリーだと言えます。これらの資料は「デジタル・ネイティブ」(つまりもともとコンピュータを使って製作された）か、あるいはもとはアナログ資料だったものが後になってデジタル化されたものです。例えば本書は、デジタル・ネイティブ資料の一例です。あなたは冊子体の本書を読んでいるかもしれませんし、あるいはKindleやその他の形式の電子版を読んでいるかもしれません。しかしもともとはコンピュータ上で書かれたものですから、「デジタル・ネイティブ」の一例だと言えます。

近年では、以下のようにさまざまな種類のデジタルライブラリーが増えています。

- ハーティ・トラスト (HathiTrust) [8] はさまざまな研究図書館の蔵書をデジタル化したライブラリーで、これについては第8章で詳述します。

- 米国デジタル公共図書館 DPLA (Digital Public Library of America) [9] は本や地図、写真その他のデジタル化された公開資料の広範囲な分散コレクションで、資料そのものではなく、それに対するリンクを提供する検索システムです。

- プロジェクト・グーテンベルク (Project Gutenberg) [10] は5

万冊以上のデジタル化された、あるいはデジタル・ネイティブな書籍のコレクションです。

- アメリカン・メモリー・プロジェクト (The American Memory Project) [11] はアメリカ議会図書館やその他の公的機関が所蔵するデジタル化されたテキスト、音源、映像資料のコレクションで、同じようなコレクションのうち最も早期にインターネットで公開されたものの一つです。

- 大学が所有するデジタルコレクションで、図書館の特別コレクションがベースになっているもの（これについては次の項目を参照）。特筆すべき事例としては、カリフォルニア大学 (California Digital Library[12]、これは全部ではありませんが大部分が無料で公開されています）や、ノースカロライナ大学 (North Carolina Digital Heritage Center)[13]、テュレーン大学 (Tulane University Digital Library)[14] などが有名です。

図書館の「特別コレクション」は一般の蔵書とどう違うのか？

典型的な大学図書館であれば、大きく性格の異なる二つのコレクションが同じ建物と組織の中に統合されているのが普通です。統合されているために両者の違いは明確でないこともあるのですが、それでもその違いは相当大きくて重要なものです。

図書館の一般蔵書（これは「貸出用蔵書」、「主要蔵書」、時には「日用品 (commodity) 蔵書」とも呼ばれます）は、珍しくも高価（純粋に価格という点で）でもない図書やその他の資料で主に構成されています。これらの図書や録音その他の資料は、誰でも書店やオンライン上で購入できるような類のもので、小説や一般的なノンフィクション作品、学術書、CD、地図、ジャーナルなどがこれに該当します。それらは特別な手入れや管理を必要としているからではなく、大学での教育や研究の目的に適うという理由で購入されています。物理的なモノであれば開架扱い（つまり誰でも手に取ることができるような図書館の公開スペースに配架）とされていることが多く、公開スペースに置いても比較的リスクは低いと思われます。もしこれらの資料が紛失したり盗まれたりしても最低限のコストで差し替えることが可能ですし、破損して差し替えが難しい場合でも、資料の価値や有用性を損なうことなく修理できます。一般蔵書資料に共通する重要な特徴は、その価値が***物理的なモノ***ではなく***容れ物***としての機能だということです。言い換えれば、もし図書館が2005年版のジョン・スタインベック[訳注27]の「エデンの東」を一冊紛失したとしても、それは大したことではありません。同じ版をもう一冊購入して差し替えることは比較的簡単ですし、もしそれが絶版となっていたとしても、別の版で図書館での用途には十分間に合います。言ってみれば図書館とその利用者にとって実用的価値があればいいわけで、これが「日用品」と呼ばれる所以です。一般蔵書は総体としてはとても重要なのですが（実際、図書館という価値提案の大きな部分を占めていることは間違いないので）、その中の一冊一冊については高価なわけでも、それ自体重要なわけでもありません。

訳注27　ジョン・スタインベック (John Ernst Steinbeck Jr., 1902-1968) は、アメリカの小説家・劇作家。

図書館の特別コレクションは、一般蔵書とはあらゆる点において正反対です。一般蔵書に含まれる資料が大量生産されていて普通に小売市場で入手できることが多いのに対して、特別コレクションの資料は珍しいものが多く、時には唯一の存在で、専門的な流通経路でしか売買されないこともあります。日用品としての本の価値は主としてその知的な内容にありますが、特別コレクションの資料価値はモノとしての重要性にあります。つまり代わりを見つけることは不可能で、もし破損したりすれば、修理できたとしてもモノとしての価値は損なわれてしまうかもしれないのです。このような理由で、特別コレクションの資料は鍵のかかった部屋（時には空調設備の整った金庫）に保管されるのが普通で、アクセスは細心の注意をもって監督管理されています。例えば、J.R.R. トールキン[訳注28]がサインした「指輪物語」の初版本があるとします。その本のテキスト（知的な内容）は他の初版本と全く同じかもしれませんが、著者のサイン入りであるということでその本は珍しくまた高価なものとなり、おそらく何千ドルもの値が付くでしょう。そんなことを知りながらこの本を開架スペースに置くような図書館はありません。紛失する可能性が大だからです。その本が失くなったら、代わりを見つけるにはお金もかかりますし、そもそも困難でしょう。

特別コレクションの中に唯一無二といった資料がある図書館も少なくありません。例えば手書きの原稿や、一つしか現存しない磁気テープ音源、原画などですが、これらは知的なコンテンツとしての

訳注28　J.R.R. トールキン（John Ronald Reuel Tolkien, 1892-1973）は英国の作家・詩人で、「ホビットの冒険」や「指輪物語」の著者として知られている。

中身だけでなく、唯一無二で物理的に代用がきかないという点で非常に価値があるもので、然るべく取り扱って厳重にアクセスを管理しなければなりません。

珍しくユニークなものであれば、デジタル化してデジタルライブラリーを構築する意義は大いにあります。例えばユタ大学のマリオット図書館では、19 世紀にオーバーランド・トレイル[訳注 29]を通って西部にやって来たモルモン教徒の開拓者による手書きの日記を所蔵しています。こうした日記はそこに書かれている情報（西部開拓時代の移民団に参加したアメリカ人の逸話や回想など）だけでなく、米国史における重要な時代の物理的な遺産としての特異性も持ち合わせた貴重なものです。これらは脆く希少性も高いので多くの人が***物理的にアクセス***することはできませんが、現代の技術のおかげでインターネットに接続できる人なら誰でも無料で、図書館が提供するこうした資料の***知的な中身***に接することができます[15]。言い換えれば、デジタル技術のおかげで図書館は貴重で替えの効かない資料から、日常的に使える資料、つまり簡単に置き換えることができるデジタルな代替物を作り出すことができるようになったのです。これが広く可能となったのはせいぜい過去数十年ですが、学術の世界には絶大な影響を与えるでしょう。

訳注 29　1860 年代前後の米国の西部開拓時代に、幌馬車などで移動する移民が使った主要路のひとつ。

なぜ図書館はパブリックドメインの蔵書のアクセスや再利用を制限するのか？

研究図書館の特別コレクションをよく利用しなければならないような研究に従事している人であれば知っているかもしれませんが、多くの図書館ではそのような希少性の高い資料の再利用を制限しています。こうした制限は、資料に研究者がアクセスしようとする際に署名を求められる「出版許可」願いといった形で現れます。そこには研究者は資料の再出版にあたって、あるいは引用する場合にすら許可を求めなければいけないといった条件が課せられています。また研究者がそのような引用をどこに出版するか、事前に図書館に知らせなければならないこともあります。

このような事例は、図書館の世界では議論の的となっています[16]。例えば個人的な日記を出版しないという明確な条件付きで図書館に寄贈したというような場合には、これは正当化できます。そのような場合、図書館は正当化するだけではなく、日記の中身を出版してはならないということを研究者に確実に伝えなければなりません。ですが、寄贈者によってそのような条件が全く課されておらず、資料がパブリックドメインに属する場合には、利用者の利用を制限するのは難しいでしょう。しかし、長く続けられてきた慣行を変えるのは難しいかもしれません。再利用にあたって課金をしていて図書館がある程度の収入を得ている場合は特にそうでしょう。

オンラインの時代では、技術的にそのような制約を課すことができます。例えばデジタル写真の中に電子透かしを挿入して、申し込んだ場合だけとか料金を支払った時だけそれを取り除くとか、資料をオンライン公開してもダウンロードはできないようにするとか、サムネイルだけをオンライン公開する、などです。

オンデマンドによる希少資料のデジタル化について費用回収を目的として請求するのと、すでにデジタル化されている資料の再利用や引用に対して「利用料」を課すのとでは、大きな哲学的相違があることには注意が必要です。前者はそうしなければ図書館が提供できないものについて費用を回収しているのに対し、後者は図書館が資料の中身についてある種の特権を行使していることになるからです。

そのような制限をかけるにあたって、図書館は法的な権利を行使しているのだということにも注目すべきです。パブリックドメインに属する写真であっても、その写真を所蔵している図書館がそれを提供するかどうかは別問題です。ここで問われているのは法的な権利ではなく、専門職としての倫理観でしょう。図書館がパブリックドメインに属する資料の再利用を制約することは倫理的でしょうか？図書館員のあいだでもこれについては見解が大きく分かれています。

なぜ大学図書館は学生に教科書を提供しないのか？

これは近年、より複雑で切迫した問題となっています。

まず、気をつけなければいけないのは、教科書についての図書館での取り扱いは、場所によって大きく異なるということです。国によっては、大学図書館が教科書を収集して学生に提供するのが一般的なところもあります。しかし米国では、大学図書館は教科書を蔵書に加えることは通常ありません。中には例外もあって、例えばノースカロライナ州立大学の図書館では、大学の生協と協力して毎学期の「全ての必須教科書について少なくとも一冊は受け入れて予約の棚においておく」ということをしています[17]。しかし、そのような例外は米国ではむしろ珍しい方です。これはなぜでしょう？

これについてはいくつかの理由が考えられます。まず、高等教育の歴史を通じて、教科書というのは（普通の本がそうであるように）冊子体で出版されています。総合大学や研究に特化した大学では、必須教科書を全て揃えたら膨大な数に上り、物理的にそれを管理するのは困難でしょう。そうするためには教科書コレクションのために多くの書架を充てなければなりませんし、（本を盗もうとする不道徳な学生がいるかもしれませんから）そのスペースを監視する必要もあります。そして毎学期、全ての授業の内容と課題図書のリストを、既存の教科書コレクションと突き合わせる必要があります。学期の終わりには、教科書として採用されなくなったものを削除して新しいものを加えなければならず、これには教員との綿密なコミュニケーションが必要になります。しかしこれはよく知られていることですが、大学教員というのは授業での教科書の採用について期日を守って対応するということは稀で、運用的には相当難しくなります。

完全な教科書コレクションを受け入れて管理するための運用上の困難は、多くの大学図書館がそのようなサービスを行ないたがらないという説明にはなりますが、もう一つの理由として、そのようなサービスにかかる費用の問題があります。教科書は通常の学術書よりも高価なもので、分野によっては一冊が数百ドルするようなことも珍しくはありません。大学のキャンパスで何万人もの学生がいて数百もの授業（その多くはいくつかのセクションに分かれていて、それぞれ違う教科書を使ったりします）があるのですから、完全な教科書コレクションを構築しようと思ったら数十万ドル、数百万ドルの金額をつぎ込まなければなりませんし、しかも毎学期それを更新することになります。多くの大学図書館が限られた予算で運営されていて、その予算で過剰な要求に応えていかなければならないのに、完全な教科書コレクションを維持するなど、控えめに言っても財政的な無理があります。

三つ目の理由は文化的なものです。米国では、学生は自分が履修する授業の教科書を自分で用意し、その代わりに大学は補助的な研究資料の購入費用を負担して図書館を通じてそれらを提供する、というのが確立された伝統なのです。図書館が教科書を提供するべきだという要求があれば、図書館員は「それは図書館の仕事ではありません」と答えるだけでした。この回答は単に反射的なものでもあり、熟考の末の戦略的な答えでもありますが、文化としてこうした伝統があるということは無視できません。

教科書はだんだんと電子版で提供されることも多くなってきているということを考えると（財政的あるいは文化的なものは別として、これは図書館が抱える物理的な課題を解消してくれます）、図書館が利用者にとって重要で役に立つための新たな方法を模索するにつれて、教科書を提供する可能性が仲間内の会話に再び上るようになってきました。しかし、多くの図書館員は教科書が高額であるという問題についての解決策を、その高額な教科書へのアクセスの仲介ではなく、オープン教育リソース (OER: open educational resources)[18] の開発と提供を奨励することによって見出そうとしています。OER は（必ずではありませんが）無料で利用できる教科書や授業で使われるその他のリソースです。助成金などを使って開発されることもあって、著者は執筆の対価として（つまり伝統的な教科書の売り上げから得る印税の代わりに）直接財政的な保証を得ることができます。また時には情熱をもって学術情報への無料アクセスの原則に献身的に取り組む人々が開発することもあります。OER にはどうやって制作するかということに加えて、教員がそれを採用するように説得するという課題もあります。大学教員は授業でどの教材を使うか自分で決める権利を守ろうとする傾向があり、そうした教材が学生にとってより求めやすいものだとしても、特定のリソースを活用しなさいという大学からのプレッシャーには抵抗するものです。本書の執筆時点で、OERは学術コミュニケーションのエコシステムにおいてまだ比較的新しいもので、どの程度伝統的な教科書を置き換えることになるのか今のところまだわかりませんが、利用が本格化すれば今後の改革の要となる可能性は大いにあります。

図書館とアーカイブスの違いは何か？

それを言うなら、「アーカイブ(archive)」と「アーカイブス(archives)」の違いは何でしょうか？　その答えは比較的単純ですが、論争は必至です。一般的に言えば、アーキビストや図書館員、その他の情報プロフェッショナルは特定の記録資料のコレクションを「アーカイブ」と呼び、それを収蔵する組織のことを「アーカイブス」と呼びます。とりわけ、この用語の使い方は、伝統的な文書館と、インターネットの発展とともに広まったオンラインアーカイブを区別するのに役立ちます。本書でもこの慣習に従うことにしましょう。

もとの質問に戻って、図書館とアーカイブスの違いですが、これは少し複雑です。図書館とアーカイブスには明らかに似ている点があります。どちらも資料を収集し、整理し、管理して、サービス対象としている人々に提供します。しかしそういった表面的な類似点以外に、根本的に異なることがいくつかあって、そうした違いはまとめて言えば***アクセス***に関することと、***保存***に関することに大別できます。

図書館もアーカイブスもアクセス提供や保存の機能を果たします

が、この二つの機能のバランスは図書館とアーカイブスではまるで正反対です。図書館にとってはアクセスの提供が最優先目標で、そのために図書やジャーナルを購入し、オンラインコンテンツへのライセンスを整備してアクセスを確保し、利用者が資料に必要なだけ、可能な限り自由にアクセスできるようにします。アクセスに制限がかけられている場合、それはコミュニティ全体のニーズを考えてのことなのです。例えば、貸出は一度しか延長できないというルールがあれば、その目的はあなたのアクセスを制限することではなく、他の人のアクセスを保障するためであって、幅広くアクセスを提供するための苦肉の策であると言えます。同様に、多くの図書館では蔵書を開架式にして、本を借りる権利のない人まで含めて誰もが自由に閲覧できるようにしています。この場合は保存よりもアクセスを優先しているのです。仲介なしに物理的アクセスを可能にすれば資料の破損リスクは高まりますが、図書館ではこれは許容できるリスクと考えます。なぜなら図書館の第一目標は資料を保護することではなく、できるだけ利用してもらうようにすることなのですから。

これに対してアーカイブスでは、保存が最も重視されます。アーカイブスはさまざまな会社組織や（地方自治体などの）行政コミュニティ、または（大学などの）学術コミュニティに付属しています。アーカイブスの主要な資料はその母体組織の歴史をまとめた文書などで、例えばある企業の歴史について書いている人などが研究目的で利用することがあります。しかし、アーカイブスの基本機能はその組織が（他社との過去の取引状況や売り上げの記録などを提供して）効果的に仕事を続けられるようにサポートし、法律による規制や業界基準を順守することです。このため、アーカイブスへのアクセスは厳格に管理され制限されているのが普通です。企業のアーカイブスは戦略的にも法的にも多くの機密情報を所有しているため、外部の人間はもちろん社員でも誰彼構わずアクセスすることはできません。企業のアーカイブスは自由に閲覧できることはほとんどなく、アクセスは厳重に管理されていることが多いのです。

先述した研究図書館の「特別コレクション」は、図書館とアーカイブスの機能の中間のようなものだと言えます。

日本の大学図書館の変革

本章では、学術出版物が物理的なモノからオンラインの世界へと移行するにあたって、伝統的な図書館の三機能である「仲介」「アクセス」「キュレーション」と、図書館の中核業務である蔵書構築がどのように変化したのか、米国の事例を中心に取り上げています。ここでは、日本の大学図書館機能がどのように変化してきたかを知るために役立つ資料をいくつか紹介します。

日本では1992年、学術審議会によって「21世紀を展望した学術研究の総合的推進方策について」という答申が発表され、学術研究基盤整備の重要項目の一つとして学術研究情報流通体制の整備の必要性が指摘されました。学術研究情報ネットワークの高度化・国際化、大学図書館の機能強化などが提言され、その一つとして「電子図書館機能」の強化が求められました。1996年には「大学図書館における電子図書館的機能の充実・強化について」が建議され、先導的なプロジェクトとしていくつかの大学に電子図書館化を推進するための予算が措置されました。それらのプロジェクトの成果や、その他の大学図書館機能の発展状況については「学術情報発信に向けた大学図書館機能の改善について」と題された2003年の報告書にまとめられています。

2003年の報告書はいくつかの国立大学の事例を報告するものですが、それらを先駆として日本の大学図書館がこの時期にどのような変化を遂げたかがよくわかる貴重な資料です。従来の図書館機能が資料の収集と蓄積に重点をおいていたのに対し、学術情報の発信機能をより積極的に担うために、資料のデジタル化とともにそれらを一元的に検索・閲覧するためのポータルサイトの構築が盛んに進められました。購読ジャーナルの冊子体からオンラインへの移行だけでなく、大学が発信する研究情報、すなわち、大学紀要や学位論文などの知的成果物、教育情報や電子教材、研究者情報や業績リスト、貴重書コレクションや研究情報のデータベースなどが、図書館が構築するポータルサイトを通じて発信されるようになりました。こうしたプロジェクトは個々の大学図書館だけに止まらず、図書館どうしやその他の機関も参画する協同プロジェクトとなっていったものもあります。

日本の大学図書館は時代の変化を捉えて積極的に、順調にその機能を改革してきましたが、こうした新しい機能の充実は、学術審議会による建議とそれを受けた予算措置によるところが非常に大きかったのです。新機能拡充のための予算ほどには、ジャーナル購読費や図書予算が充実することはなく、むしろそれらは削減される一方でした。

その後、学術情報の収集と提供に加えて「発信」機能が強化された日本の大学図書館の取り組みは、機関リポジトリに結実していくことになります。これについては第12章のコラムで解説します。

参考：

"21世紀を展望した学術研究の総合的推進方策について（答申）(平成

4 年 7 月 23 日学術審議会)(抜粋).” 文部科学省 .https://www.mext.go.jp/b_menu/shingi/gijyutu/gijyutu4/toushin/attach/1337768.htm

学術審議会 . 1996. 大学図書館における電子図書館的機能の充実・強化について (建議).
https://www.janul.jp/j/documents/mext/kengi.html

文部科学省研究振興局情報課 . 2003. “学術情報発信に向けた大学図書館機能の改善について (報告書).”
https://www.janul.jp/sites/default/files/2018-02/kaizen.pdf

国立情報学研究所 . 2008. “学術コミュニケーションの新たな地平 : 学術機関リポジトリ構築連携支援事業 第 1 期報告書 .”
https://www.nii.ac.jp/irp/archive/report/pdf/csi_ir_h17-19_report.pdf

第7章

大学出版局の役割

大学出版局はどのようにしてできたのか？

大学出版局は西欧で最初に設立された二つの大学、オックスフォード大学とケンブリッジ大学にそのルーツがあります。どちらの大学も16世紀半ばくらいまでには、比較的小規模でしたが本やその他の学術資料の印刷を開始していました。大学を拠点とした学術出版の取り組みは徐々に増えて、19世紀初頭までには北米にも拡大しました。1919年に米国で運営されていた大学出版局は13あり、現在では世界中で数百を数えます[1]。

多くの人々にとって大学出版局の出版物は学術書とほぼ同義ですが、大学出版局はジャーナルも出版していて、20世紀後半には相当な数の「一般書」も出版するようになりました。そうした一般書は学術的というよりはもっと一般的な読者を対象とするもので、地域に重点を置いていることが多いです。大学出版局が取り扱うような一般書のトピックとしては、例えば郷土料理や旅行、民俗学、地方行政の歴史などがあります。こうした一般書は、学術書よりもずっと安定した売り上げを見せることもあって、学術書の刊行費用をそれで賄うことも多いのです。

大学出版局とその他の学術出版社は何が違うのか？

最も明らかな違いは、大学出版局はほぼ必ず、大学の一部局であるということです(どの大学とも実際には関係ないのに「大学出版局」という名を冠した出版社もいくつかあります。University Press of America はその一例で、Rowman & Littlefield を親会社とするインプリント[訳注30]ですが、最近は本を出版しておらず、どうやら打ち切られてしまったようです)。大学出版局はその親組織である大学の研究や教育のミッションのもとに設立されるもので、通常は営利目的ではなく、また売り上げが期待されているわけでもありませんから、コストセンター[訳注31]として補助金に頼って運営しつつ、大学のお金を使いすぎないようにしているものです。採算を合わせることを目標とする大学出版局もありますが、実質的に出版で大きな売り上げを収めるようになったものはほんの少数しかありません。この最後のカテゴリに属するもののうち、最もよく知られている事例はオックスフォード大学出版局です。オックスフォード大学の一部局であると同時に数千人の従業員を擁する多国籍企業で、1億5000万ドル以上の年間売り上げがあります[2]。

訳注30　インプリント(imprint)は出版社が用いるブランド名のようなもので、出版物の内容によって使い分けたり、買収した出版社のブランドを維持するために元の社名を残したりします。例えば Puffin Books は Penguin Books という出版社の児童書部門のインプリントです。

訳注31　コストセンター(cost center)とは会計用語で、事業利益を生み出すプロフィットセンター(profit center)に対して、業務を行うための費用がかかるだけの部門を指します。例えば企業の営業部門はプロフィットセンターですが、売り上げを計上しない人事や経理などの部門はコストセンターです。

より重要で際立った特徴としては、大学出版局が出版する本やジャーナルの種類があげられます。前述のとおり、大学出版局の出版物を特徴付けているのは学術書であって、これらは高度に専門的なトピックについて研究者が他の研究者を対象として書いている学術的な書籍です。大学出版局が出す本は公共図書館で見つけられるような一般書ではなく、歴史的に見れば主に大学図書館や研究図書館によって購入されてきました。学術書は一般書よりも高価なことが多く、非常に専門的なので数千部程度しか印刷されないのが普通です。

分野によって、特に歴史学や文学のような人文系の分野では、大学出版局から出版されるのは往々にして研究者の博士論文の改訂版です。これは大学出版局のもう一つの重要な機能を反映しています。そのような分野では、若い教員はテニュアを獲得するためには学術出版社（できれば大学出版局）から少なくとも一冊本を出すことが求められているからです。そのような教員は博士論文をベースとして最初の学術書を書くことが多く、これによって結果的に博士論文自体が保存され頒布されるわけです（これについて詳しくは第12章のオープンアクセスのところで解説します）。

大学出版局は出版する本をどのように選んでいるのか？

一般的な商業出版社とは異なり、多くの大学出版局は特定の分野（またはもっと細かい専門領域）での出版に力を注いでいます。これらの分野はしばしば地方色を反映しています。例えば、ミネソタ大学出版局は（多くの分野の中でも）特に社会文化理論、アーバニズム、フェミニズム評論に関する出版物で有名です。その地理的・文化的な環境を反映してか、アメリカの中西部の北方の自然文化史に関する本も出版しています。アパラチアの弦楽合奏団やハワイの王国の歴史に関する学術書を出版したいという研究者は、ミネソタ大学出版局からは無理でしょう。出版する価値がないからでも執筆が下手だからでもなく、そもそも大学出版局は対象とする分野について極めて限定的だからというのがその理由です。学問的な質よりは関連性がその選択においては重要なのです。

とはいえ、学術的な質は大学出版局のもう一つの重要で中心的な選択要素でもあります。彼らのミッションは商業的というよりは学術的なもので、多くの大学出版局は、それほどたくさん売れなかったとしても、著者が関わる分野の学問知識に対して大きな貢献をするような図書の出版を目指しています。しかしこれは大学出版局が売り上げを全く気にしない、という意味ではありません。むしろ、利益が期待できないような本であっても、多くの人に読まれて広く学術的なインパクトを持つような本を出版したい、ということです。それでも大学出版局は、期待される人気度ではなく、特定の基準に従って出版すべき原稿を選ぶ傾向があります。

大学出版局が本のプロポーザルを吟味して採択する仕組みは、スタッフの人数によってかなり違います。一般的に、大学出版局では受け入れ担当編集者が出版ディレクターと相談しながら、どの本のプロポーザルを採択するのか、どれを拒絶するのか、最終的な判断を行います。多くの場合、編集者は最初の取捨選択の段階で諮問委員会から意見を求めます。委員会は大学の教員やその他の関心の高い研究者で構成されていて、編集者が最初の判断をするにあたって助言します。本のプロポーザルは著者が送ってくることもあれば、出版局が有望な著者に依頼したり委託したりします。

もちろん、本のプロポーザルが受理されて原稿が送られてきても、最終的に本として出版される前にまだ超えなければいけないハードルがあります。多くの大学出版局は本のプロポーザルを受け付ける際にも、その最終原稿を受理する際にも、査読を導入しています。これは（第4章で解説した）学術ジャーナルの論文がたどる査読のプロセスとほぼ同じで、編集上の校正だけでなく、著者と同じ分野の研究者が専門知識にもとづいた吟味をするのです。著者にとってこのプロセスは、厳しい吟味を経て著作がより良いものとなるだけでなく、出版物となった時のブランド価値を高めるという利点があります。厳しい査読を行うことで知られている大学出版局から本を出すことは、研究者として立派な業績となるのです。

大学出版局は助成金に頼って出版しているのか？

この質問に答えるには、まず助成出版という概念について説明しなければなりません。また、「大学出版局」とは何か、という点についてもう一度考えてみる必要があります。

まず初めに、「助成出版 (subsidized publishing)」と「自費出版 (subsidy publishing)」の違いを理解しておくことは重要です。「助成出版」は出版社が他の組織から助成金を受けているという状況を表す用語で、その場合出版活動から必ずしも利益を得ることを期待されていません。大学出版局のいくつかはそのような状況で運営されています。商業市場で独り立ちするのではなく、大学による費用負担のもとで、大学のミッションにそった本やその他の資料を出版することが期待されています。

「自費出版」、時に侮蔑的に「虚栄 (vanity)」出版とも呼ばれますが、これは出版社が著者から受け取る原稿をどんなものでも受け付けるというものです。（常にではありませんが）ある程度の編集上の吟味や校正をした上で、本の出版にかかる費用は著者が負担します。費用の支払いは事前に請求されることが多く、つまり著者が指定する部数を印刷する代わりにある程度の費用を事前に負担したり、出版費用を回収して出版社がある程度の利益を得るのに十分な部数を著者が買い取らなければならない、というわけです。このビジネスモデルに本質的に悪いところがないのは明らかです。そのような取り決めのもとでは、出版社は単なるサービス提供者であって、伝統的な学術出版で重要とされる（市場性や学術性があるなどの）何らかの審査をしているわけでも、そのようなふりをしているわけでもないからです。

自費出版社が問題となるのは伝統的な学術出版社を装って、出版物に学術的な選別や編集上の吟味を加えているようなふりをした場合です。近年、たくさんの学術出版社らしきものがそのようなことをし始めたために、学術界で悪い意味で注目されるようになりました。そうした出版社は訴訟好きで知られているので本書では名指ししませんが、興味のある読者は、インターネットで「虚栄」「学術」「出版」といった検索をすれば、このトピックについてかなりの情報が得られるでしょう。

何が「本当の」大学出版局を構成するのかということについて、それほど議論になっているわけではないのですが、完全に単純明快なわけでもありません。前述のとおり、大学に属しているわけでもないのに「大学出版局」という名称を使っている出版社がいくつかあります。University Press of Americaはすでに紹介しました。Edwin Mellen University Pressは1997年まで学術書を出版していましたが、その名前の由来となったのは、タークス・カイコス諸島[訳注32（次ページ）]を本拠地としていた短命の大学で、人生体験をもとに学位を授与していました。どちらも多くの人が考えるような「大学出版局」とはかけ離れたものだったにもかかわらず、そのような名前を使うことを禁じることはできませんでした。用語の定義上の境界線は、法規制ではなく出版業界の規範によるものです。

大学出版局の専門団体として、アメリカ大学出版協会 (AAUP: American Association of University Presses) があります。加盟している全てのメンバーが大学出版局というわけではありません（例えばアメリカ歴史協会やブルッキングス研究所[訳注33]などもメンバーです）が、もし大学出版局という名称で AAUP のメンバーであれば、ほぼ間違いなく真っ当な大学出版局であると言えます。

実際に学術書を読む人はいるのか？

このような質問は一見、不謹慎で不真面目なものに思われるかもしれませんが、実際のところ著者や出版社、図書館までもが何十年も悪戦苦闘している問題です。経済の低迷によって図書館の予算は削減されていますし、読書傾向も新しいオプションが次々と生まれて移り変わっているので、近年ますます切迫した問題となっているのです。そもそも学術出版は対象読者と市場性の問題を抱えていました。これについては価値とコストという、学術コミュニケーションの文脈では特に難しい問題について考えなければなりません。アイディアや議論の価値は本当にはかれるものでしょうか？ もしア

訳注32 タークス・カイコス諸島 (Turks and Caicos Islands) は、カリブ海域にある西インド諸島に属する英国領の群島。

訳注33 ブルッキングス研究所 (Brookings Institution) は、米国のシンクタンク。

イディアが真にオリジナルで先進的なものだとしたら、独創性と新規性があるとして多くの読者を獲得するかもしれませんし、逆に突飛で馬鹿げていて注目に値しないものとして全く読まれないかもしれません。出版社は質の高い議論だという信念に従って本を出版すべきでしょうか？　あるいはどのくらい読者が獲得できるかという胸算用によるべきでしょうか？　一つ明白なのは、そのような基準は互いに矛盾するものではありませんから、出版社はその両方を考慮すべきです。もちろん言うは易く行うは難しで、実際にそうするのは本当に難しいのですが。

一つ重要な問題は、本の読者というのはその品質のみによって決まるわけではなく（そしてたぶんそれが一番の理由でもなく）、それを買おうとする人にとってどれだけ関連性が高いか、というのがかなり決め手になるという点です。これは個人の読者でもそうですし、図書館でもそうです。ブータンの建築に関する世界で最良の図書が、その素晴らしい内容にもかかわらず、興味を抱く読者は少なくそれに関連する研究をしている研究者もいなければ、多くの図書館にとってはほぼ間違いなく購入対象とはならないでしょう。市場経済の基本に関する平凡な本が、そこそこの品質にもかかわらず、多くの読者の関心を集めて、実際役に立つかもしれません。どちらの本がより多くの読者を獲得するかは一目瞭然ですが、どちらの方がより価値があるのでしょうか？（学術書の価値と関連性の相互作用については、第10章で解説します。）

言い換えれば、本の客観的な価値を見定めるのは難しく、客観的な質的基準以外の要素で決めるしかありませんから、それは主観的にしかならないのです。本の***品質***は文脈によって変わりませんが、***価値***は変わります。厳密に正当化できるような方法で本の価値を見定めることが可能だったとしても、コストの問題が残ります。関連性が高く高品質な本が市場に百冊あって、それらに興味がある人がいたとしても、結局一冊しか買えないかもしれません。個人が使えるお金の何千倍もの予算を図書の購入に充てられるような研究図書館でさえ、学生や教員の役に立つと思われる本の全てを購入することはできません。

これは個人が自分で利用したい本を購入する時にどれを選ぶか決めるのに迷うのと同じですが、図書館はもっとたいへんです。趣向や興味関心、背景の異なる何百、時には何万人もの個人の教育や学習、研究をサポートしなければならないのですから。こうした困難を背景として考えれば、「実際に学術書を読む人はいるのか？」という質問には重要な意義があります。

この質問への簡単な答えはもちろんイエスですが、そのように単純に答えるのは誤解を招くかもしれません。より正確な回答としては、「イエス、ほとんどの学術書には少なくとも一人は読む人がいるでしょう。読む、という意味にもよりますが」となります。さて、ここでもう一つこの質問の難しい側面が現れます。学術書を「読む」というのは一体どういうことでしょうか？　もし質問が「学術書を最初から最後まで読み通す人はどのくらいいるのか？」ということであれば、それはものすごく少人数でしょう。学術書は大抵それを意図して製作されているものですが。もしこれが「研究の一環として関連トピックについて情報を探すために、学術書を開く人はどのくらいいるのか？」という質問であれば、その人数はずっと増えるでしょう。実際、大学図書館が提供する本は、書籍というよりはデータベースのように使われてきました。この場合の本はいわば情報のリポジトリであって、長くて一貫した議論を通読するというよりは、ある一つの疑問に関連して参照されるのです。

データベースとしての本、というシナリオは、著者が想定する（あるいは望んでいる）利用方法ではないかもしれませんが、そのように考えれば学術書の対象読者はずっと多いと思われます。学術書を電子ブックとして提供するのも、製本された文書としてよりは疑問解消のために参照するという使い方に適していますから、はるかに好ましいと考えられます。

大学出版局はオープンアクセス運動にどう対応しているのか？

本に関するオープンアクセス (OA) モデルの開発は、ジャーナル出版の世界と比べるとゆっくりです。なぜかといえば、ジャーナル論文の読者需要（特に科学分野では）は学術書と比べてずっと大きく、購読モデルの需要が作り出したプレッシャーも比較にならないからです。学術書の出版にかかるコストがジャーナル論文のコストよりもずっと高いというのも理由の一つです。最近の報告によると、学術書一冊を出版するのにかかるコストはだいたい 27,000 ドルくらいだそうです[3]。これに対して、ゴールド OA ジャーナルの論文掲載料が比較になるかわかりませんが、応用科学や社会科学分野のジャーナル論文にかかるコストは一般的には 1,000 ドルから 3,000 ドルのあいだだと言われています。つまり、学術書は読者需要が低いだけでなく、それを提供する価格も障壁になっているということです。ジャーナル論文は、需要が高いわりに単位あたりの必要コストが低いので、無料アクセスを提供するのに比較的障壁が低いのです。

ジャーナル論文と比較してサイズが大きく複雑で、執筆に必要な研究量や知的労働の違いを考えると、学術書についてこのようなコストの違いが生じるのは特に驚くべきことではありません。そのような違いと、さらにほとんどの学術書が比較的少数の読者しか得られないということを考えると、学術書の世界がOAという手段に移行するのに時間がかかっていることはある程度説明がつきます。

にもかかわらず、書籍のOAモデルは出てきていますし、近年ではスピードも早くなってきているように思われます。これらのモデルの特筆すべき事例は第12章で解説します。

大学出版局の将来はどうなるのか？

現在の学術コミュニケーションの環境は、大学出版局にとって決して平穏なものではありません。学術出版に関わるたくさんのことがこの数十年間に急激に変化しましたし、今も変わり続けていて、これは大学出版局の存続に直接的な影響を与えています。当面はこの変化のスピードがゆっくりになるとは思えませんし、変動の激しい学術コミュニケーションのエコシステムが現在の大学出版局にとってより好ましいものになるとも思えません。

例えば、研究図書館の閲覧稼働率は少なくとも1990年代の初頭から急激に下がり続けています[4]。大学図書館が大学出版局の重要な顧客であり続ける限り、また図書の購入が利用者行動によって裏付けされている限りは、この傾向は大学出版局にとって良い予兆ではありません。実際、前章で述べたとおり、大学図書館は利用者の読書や研究行動を蔵書構築に直接反映し始めていて、以前ほど（どんなフォーマットであれ）本を購入しなくなっているのです。

組織構造についてもまた、急速な変化が生じています。大学の図書館に吸収される大学出版局は増えていて、2014年のAAUPによる報告では、大学出版局の17.5%が図書館の館長や部長の直属となっているとのことです。これは全体の5分の1にもなっていて、その後もこのような改革は続いているのです[5]。なぜこれが起こっているのかは問われるべきですし、実際、学術コミュニケーションの世界ではこれに反論を唱える声が多数あがっています（特に出版コンサルタントのジョー・エスポジートは、*Scholarly Kitchen* のブログでこのトピックについて思慮に富んだ記事を書いています[6]）。もちろん、場所によって違うかもしれませんが、大きく分けて***自己防衛的なもの***と***前向きなもの***の二つの議論があります。

自己防衛的な視点での議論は、大学出版局を図書館組織の下に組み込むのは、大学出版局がそのミッションを果たし続けるためにそれを脅かすような市場原理からの守護が必要だから、というものです。本の売り上げが減少し続ける中、大学出版局は単体で厳しい市場に取り残されたら崩壊してしまうかもしれませんが、図書館なら避難場所を提供することができます。つまり、安定したインフラや、組織的に分配されたより大きな資金へのアクセス、そして（政治的に言えば）売り上げを生み出すよりはお金を使うところとして理解され期待されている組織の中への統合です。そうした観点から考えれば、図書館は避難港なのです。2016年の *Inside Higher Education* のインタビューで、ミシガン大学出版局長のチャールズ・ワトキンソンは次のように語りました。「図書館に組み込まれて良かったのは、少なくともこれで一息つくことができる、ということです。次のお金のことを考えてびくびくする必要はなくなりました。大学出版局が改革に必要な能力と自由を得ることができましたし、売り上げについてもなんとかなりそうです」[7]。

ワトキンソンのコメントは、「次のお金のことを考えてびくびくする必要はなくなりました」という防衛的な議論から、「改革に必要な能力と自由を得ることができました」という前向きな議論へと滑らかに移行しています。この潮流の只中にあって、図書館と出版局の統合を肯定する刺激的な議論です。出版局の図書館への合併が何を防ぐのかというよりは、何を可能にするのかと考える方が魅力的です。ミシガン大学での図書館と出版局の合併によって創設されたLever Press は、一般教養大学の出版局や図書館のコンソーシアムと提携する新しい学術書の出版イニシアチブとなりました[8]。ユタ大学では大学出版局の図書館への統合によって、長らく絶版だった考古学の論文集の復刻が可能となりました。図書館の EBM を使ったオンデマンド印刷が可能になったからです。その他の大学図書館でも、大学出版局の合併や提携によって、同じような（あるいはもっと違う）プログラムが誕生しつつあります。

日本の大学出版会と学術書出版

学術書の出版は、人文・社会科学系の研究者がテニュアを獲得するためには不可欠な業績であると著者は繰り返し述べています。また、最初の本は博士論文を下敷きとしてその分野で権威のある大学出版局から出版しようとする研究者が多いとのことです。学術書の出版で中心的な役割を担う一方、より広く読者が獲得できる一般書も販売して収支のバランスをとったり、助成金による出版や大学図書館との合併など、大学出版局にはさまざまな経営上の工夫が求められています。

米国の大学出版局にあたるものは日本には 70 ほどあって、そのうち一般社団法人大学出版部協会に加盟しているのは 28 社あります。協会の季刊誌『大学出版』第121号(2020年1月)には、なぜ学術書が評価されるのか、なぜ学術書を書くのか、といったことについて研究者による意見が掲載されています。概ね本書で述べられている研究者を取り巻く状況は日本にも当てはまる一方、学術書の出版については、海外のUniversity Pressほど権威が確立されておらず、むしろ民間の出版社から出版する機会も多く、新聞社や財団が学術書に賞を授与することもあるなど、日本独自の事情が紹介されています。

本書でも助成出版に関する説明がありましたが、日本では日本学術振興会が助成する科学研究費補助金(いわゆる科研費)の中に「研究成果公開促進費」という項目があり、この一部が学術書の助成出版のために公募されています。『大学出版』第79号(2009年8月)ではこれに関連して、それまで6億円超であった助成規模が2007年以降は4億円程度まで削減された状況が報告されています。これに際して協会からは助成制度の維持と発展を訴える要望書が出されましたが、近年の助成状況を見ると、少なくともここ数年間は4億円程度で推移していて、元の規模に戻ることはなかったようです。

人文科学分野の学術図書助成の最近の採択結果を見ると、名古屋大学出版会、慶應義塾大学出版会、東京大学出版会などと並んで、ひつじ書房、勉誠出版、汲古書院、明石書店などの特定の分野を専門とする出版社が多く並んでいます。日本での学術書の出版は、大学出版会だけでなくこうした専門出版社によるものが多く、助成金に頼らずに出版されている学術書を含めても、当然ながらその市場規模は決して大きくはありません。学術書をどう定義するかにもよるのですが、ある調査によれば、日本の「専門書」の市場規模は書店の総売上の3～4%程度を占めているとのことです。ただし日本には、アカデミアと一般のあいだに横たわる「論壇」とも言うべき場があって、そうした読者層に向けて、純粋な学術書よりも一般書に近い著書を発表する研究者も多いので、日本の研究者の活躍の場は学術書の出版市場よりもずっと広いことがうかがわれます。

参考：

"大学出版部協会の現在と未来――開かれた「知」を目指して." 好書好日. 2019. https://book.asahi.com/article/12877659

一般社団法人大学出版部協会. https://www.ajup-net.com/

特集●研究評価と〈本にすること〉. 大学出版 121 (2020). https://www.ajup-net.com/wp/wp-content/uploads/2020/01/ajup121_all_200120.pdf

特集●「学」と社会をつなぐ科研費出版助成. 大学出版 79 (2009). https://www.ajup-net.com/wp/wp-content/uploads/2013/07/daigakushuppan_079.pdf

科学研究費助成事業. 日本学術振興会. https://www.jsps.go.jp/j-grantsinaid/

"科学研究費補助金研究成果公開促進費「学術図書」に関する要望." 大学出版部協会. 2010. https://www.ajup-net.com/20100114_152329662.html

橋元 博樹. 2015. "学術書市場の変化と電子書籍." 情報の科学と技術 65 (6): 244–50. https://doi.org/10.18919/jkg.65.6_244

第8章

Google Books と ハーティ・トラスト

Google Books プロジェクトとは何か？

Google Books は、Google 創設者のセルゲイ・ブリンとラリー・ペイジ[訳注34]の二人が1990年代半ば頃に考えていたアイディアにその起源をさかのぼります。彼らは当時大学院生で、ウェブはまだ誕生したばかりでした。彼らが想像した未来は、膨大な数の冊子体の図書がデジタル化されて、人々が検索エンジンを使って簡単にその内容を参照したり分析したりできる世界でした。世界中の全ての図書をスキャンするというのがもともとのアイディアでしたが、このプロジェクトはもう少し現実的なレベルで始まりました。Google とハーバード大学、ミシガン大学、スタンフォード大学などの研究図書館や、ニューヨーク公共図書館、オックスフォード大学のボドリアン図書館とのあいだでパートナーシップを結んだのです。加えて重要だったのは、このパートナーシップには多くの学術出版社や

訳注34　セルゲイ・ブリン (Sergey Mikhailovich Brin, 1973-) とラリー・ペイジ (Lawrence Edward "Larry" Page, 1973-) は、Google の共同創業者。

商業出版社も参加していました。Blackwell、Penguin、Houghton Mifflin、Springer、Taylor & Francisに加えて、シカゴ大学、オックスフォード大学、プリンストン大学などの大学出版局です[1]。

時間をかけてプロジェクトは拡大し、Googleチームは多くの大学図書館や国公立の図書館の棚に並ぶ図書を1ページずつスキャンして、それぞれのデジタルコピーを作成していきました。そのようにGoogleにアクセスを提供する引き換えとして、それぞれの図書館はスキャンされた自館の蔵書のデジタルコピーを手に入れたのです。こうして各図書館は費用をかけずに既存の蔵書のデジタル版を作り上げ、Googleはデジタル化された膨大なテキストデータベースを手に入れました。

Google Booksのコレクションには何冊くらいの本が含まれているのか？

正式には発表されていませんが、2015年のニューヨーク・タイムズ紙によればGoogleはすでに「100カ国以上の国から400余りの言語で書かれた」「2500万冊以上の」本をスキャンしたとのことです[2]。

どうして営利企業が著作権のある本をシステマティックに大規模にコピーして一般提供するのが法的に可能なのか？

良い質問です。注意深く思慮深い読者であれば驚かないでしょうが、Google Booksプロジェクトは当初から論争の的でした。著作権者は（著者も出版社も）このプロジェクトについて知るや否や憤慨し、すぐに法廷闘争に発展しました。2005年、全米作家協会(Authors Guild)は著者の代理としてGoogleに対する集団訴訟を起こし、Googleが著作権を無視して、著作の利用にあたって著者への公正な支払いをしなかったと訴えました[3]。同時に、五つの商業出版社と米国出版社協会(AAP)はそれぞれGoogleに対して民事訴訟を起こし、著作権侵害を訴えました[4]。

Google Booksプロジェクトには国際的な妨害や反対もありました。フランスでは著作権法は国際標準よりもずっと厳しいのですが、フランスの出版社連合はフランスで出版された著作権の有効な本について、米国の図書館に保存されているものも含めて、Googleのプロジェクトを取り止めることを求めて訴えを起こし、勝訴しています[5]。

しかし、米国でGoogleに対して起こされた訴訟は、フランスでの裁判ほどうまくいきませんでした。というか、最終的には全く成功しなかったのです。当初、Googleと原告側は交渉による和解に持ち込もうとしました。全米作家協会とアメリカ出版協会による訴訟(これらは2005年に集団訴訟となりました)に関する合同調停が2008年に提案され、Googleが1億2500万ドルを原告側に支払った上で、デジタル化された本へのアクセスを個人や組織に対してサブスクリプションとして売るためのライセンス条件を提示しました。ところが裁判所は米国の独占禁止法に触れる可能性があるとして、この調停を無効としました。一年後、被告と原告の両者は修正した和解提案を提出しましたが、これも2011年に棄却されています(Googleは2012年までにアメリカ出版協会との単独和解に至りました)。さらに、2013年には訴訟そのものが棄却されました。原告側は2014年に控訴していますが、2015年の控訴審では当初のGoogle側の申し立てが全面的に認められました。原告はさらに上告しましたが、2016年の最高裁の判決で敗訴しています[6]。

著作権が有効な本を大規模かつシステマティックに複製すること

は著作権法に違反しているのが明らかなのに、なぜ裁判所は最終的にGoogleに有利な判決を下したのでしょうか？

まず、この裁判における根本的な疑問として、これらの冊子体の本のデジタル化が「トランスフォーマティブ」[訳注35]な利用にあたるのかどうか、ということがあります。これは重要なことですが、「単なる模倣」（単純なコピーであって、新しい何かを加えるのではない）としての複製と、オリジナルを何か意義のある新しいものに変容させるという複製は、著作権法で区別されています。裁判では、著者や出版社は一見すると合理的な議論を展開しました。Googleはデジタル化のプロジェクトにおいて何か意味のあることをしているのではなく、本のデジタル複製を作成しているだけだと主張したのです。Googleは何の解釈も加えず、新しいテキストも、新しい内容も加えていません。しかしGoogleの反論は、冊子体の本のデジタルな複製を作ることによって、彼らは全く新しい（テキストマイニングや分析、フルテキスト検索のような）形で利用できる可能性を備えた資料に作り変えているのであって、それは冊子体の本では不可能な、難読症や視覚障害のある人々への提供も可能にするのだ、としたのです。裁判所はこの反論に説得力があるとして、この点についてはっきりとGoogleの肩を持ちました。

次に、Googleがデジタル化した本を***検索できる***ようにはしても、オンラインで全てを***読めるようにはしない***ことに同意した、というのはたいへん重要で、これはフェアユースについて論じるにあたっ

訳注35　トランスフォーマティブ（transformative）の概念については、章末コラムを参照。

て非常に重大な意味を持ちました（「フェアユース」の概念について、詳しくは第5章を参照してください）。Google Booksプロジェクトは、実際に著作権が有効な何百万もの図書をウェブ上で誰もが自由に読めるようにしたというわけではなかったのです。それらの何百万もの図書は大規模なテキストデータベースとして自由に検索できるようになりましたが、検索結果として表示されるのはある程度の文脈を把握するのに十分な断片だけであって、実際に本を手に取った時のような体験をするには不十分なのです。著作権が保護されているテキスト情報にこのようなアクセスを提供しても、市場的には何の影響もなく、むしろ読者が興味のある本を探すのに役立って売り上げを伸ばすだろう、とGoogleは（裁判官への説得力をもって）弁明したのです。そしてGoogleはこのような利用方法は「トランスフォーマティブ」にあたると主張したのです。

また、Googleがデジタル化した本の大部分はノンフィクション作品であった、というのも重要で、実際に裁判所もそのように判断しました。これは著作権侵害に関する論点にも関連する重要な部分で、なぜなら事実に基づいた著作は創作品ほど厳しい保護の対象ではないからです。

これらの分析とその他の論点も加味した結果、裁判所はGoogle Booksプロジェクトがフェアユースの範囲内で著作物を利用していると結論づけるに至りました。著作の全体をシステマティックに大規模に複製して商業的な目的に利用しているにもかかわらず。

しかしフェアユースの認定以外にも、Google Booksプロジェクトには重要な公益性が認められるとして、裁判所はそれを明確にしました。公益性自体は著作権侵害を正当化したり、複製と再配布をフェアユースと認定するには不十分ですが、この場合裁判所は、説得力のあるフェアユースの強力な論拠に裏打ちされた公益性という側面を認めたのです。判決の最終部分で、デニー・チン判事は次のように述べています。

> 私はGoogle Booksには非常に大きな公益性があると考えます。芸術や科学の進歩を促し、著者や作家の権利に敬意を表しつつ、著作権者の権利に逆行することはしていません。学生や教師、図書館員やその他大勢にとって、より効率的に本を探し出すためのかけがえのない研究ツールになっています。初めて数千万もの本のフルテキスト検索ができる能力を研究者に与えたのです。資料の保存にも貢献し、特に絶版本や図書館の奥深くに忘れ去られた古い本には新しい活路を与えたのです。読書困難者や遠隔地などサービスの行き届かない人々の本へのアクセスを可能にし、新しい読者を開拓することで、著者と出版社に新たな収入源を提供することになります。実際、社会の誰もが利益を得るのです。[7]

要するに、何年もの考察と交渉と公開非公開の議論の後、裁判所はGoogle Booksプロジェクトは合法であると認めたのです。それは著作権法の歴史における重大な瞬間であり、個別の裁判の結果はともかくとして、おそらくインターネットの出現が必然的に招いたものでした。

どうしたらGoogle Booksが使えるのか？

すでに述べたとおり、Google Booksがデジタル化した本の大部分はオンラインで読んだりダウンロードしたりできません。その中に含まれる言葉や文章は検索できますし、検索結果はさまざまな本の中に出現するそれらの単語を示してくれますが、大抵の場合、その本の全てが読めるわけではありません。それぞれの本の中身のどの程度が検索結果として表示されるかは、その本の内容や著作権者とGoogleのあいだで結ばれた契約によって異なります。多くの場合、数十ページくらいは読むことができますが、読める部分は本の全体に断片的に散らばっています。しかし研究者にとっては、このようなアクセスができることはものすごく価値があります。本のテキスト全体を検索することができるので、(本の全体を読み通したり、従来の索引を使って大雑把な見当をつけて探したりするという)これまでの研究のやり方よりはずっと時間を節約できるだけでなく、印刷の時代には全く不可能だったような新しい研究が可能になるのです。

Google Booksのように大規模な本のデジタル化プロジェクトが可能にした研究ツールの一例としては、Google Ngram Viewerがあります。計算言語学では、「n-gram」という用語は大きなテキスト集合の中にある文字列を意味しています(例えば本の中に現れる単語や文など)。Google Ngram Viewerは、研究者が(あるいは興味のある人なら誰でも)ある特定の文字列がGoogle Booksのテキスト集合の中に何回現れるか、年ごとの出現頻度を表示させることができます[8]。Google Booksのテキスト集合は1500年代以降に出版された本を含んでいて、このツールを使えば特定の単語やフレーズが出版物に初めて出現したのはいつ頃か、その普及度が時間の経過とともにどのように変わったのか、といった興味深い事実を調べることができます。Google Booksは包括的ではありませんし、本の全体の完全な見本でもありませんが、規模が大きいので少なくとも興味深く意義深い検索結果を提供してくれます。そしてそのような検索結果は他のどこにも提供されていないのです。

確かにGoogleによってデジタル化された本の大部分はオンラインで通読することはできませんが、これには例外もあります。パブリックドメインに属する（そのため著作権の制限がない）ような本です。パブリックドメインの本がGoogle Booksの一部としてデジタル化されていれば、完全に無料で読むことができますし、ダウンロードもできます。

ハーティ・トラストとは何か？

Googleが米国の研究図書館とパートナーシップを結んで本のデジタル化を始めた時、それぞれの図書館には蔵書のデジタル化されたイメージ情報が提供されました。つまりGoogleがスキャンに使った機器を持ち帰った後、それぞれの図書館には完全な蔵書コレクションのデジタルコピー、すなわち何百万もの電子ブックが残されたのです。

その時点で、そうしたデジタルコピーについて合法的に何ができるのか、というのはまだ明らかではありませんでした。Googleを相手に起こされたさまざまな訴訟にはまだ決着がついていませんでしたし、実際その後になって起きた訴訟もありました。そして著作権問題というのは複雑でした（今でもそうです）。一つだけ明白だったのは、デジタルファイルを整理して、分類して、保存する必要があった、ということです。そしてこれはそれぞれの組織が個別に行うよりは、集まって協力した方がずっと良かったのです。

そのようにしてハーティ・トラスト(HathiTrust)は誕生しました。ヒンディー語でゾウ（大きさと重量、そして記憶力の良さのシンボルとして）を表す言葉をブランド名として、ハーティ・トラストは（主に米国中西部にある大きな研究図書館によって構成されている）CIC連合[訳注36]に加盟する大学図書館とカリフォルニア大学システムの共同パートナーシップのもとに設立されました。これらの図書館はそれぞれのデジタルコレクションを、保存のためだけではなく利用に供することを目的として、共同で管理するリポジトリに集めました。ハーティ・トラストが組織として設立されると、他の図書館や研究機関もこの取り組みに加わるよう呼びかけが行われました。本書の執筆時点では、五つの図書館コンソーシアムと、5カ国から集まった118の大学図書館や研究機関が参加しています[9]。同様に本書の執筆時点で、そのコレクションには1500万冊（複数巻から成る本もあるので、ユニークな数としては約730万冊の本）から50億ページ以上のテキストが収録されています。そのうち、約39パーセント（570万冊）はパブリックドメインに属しています。メンバー図書館がそれぞれの蔵書のデジタル化を進めて追加しているので、ハーティ・トラストのコレクションは成長し続けています。

ハーティ・トラストが提供する幅広い資料とその多様性は驚異的です。コレクションには少なくとも460以上の言語が含まれていて、それだけでも大したものです。ハーティ・トラストには英語やセルビア語やハンガリー語やウォロフ語だけではなく、トゥルク語、ディベヒ語、アルタイ語、アディゲ語などの本も含まれています。ハー

訳注36 Committee on Institutional Cooperationは、米国中西部を中心とした大学コンソーシアム。2016年にCIC連合はビッグ10大学連盟(Big Ten Academic Alliance)に改名している。

ティ・トラストの収録年代は、最も古いものでは西暦 1500 年以前に出版されたものから、最新は 2009 年のものまであります。西暦 1500 年以前のものは 2 万件もあって、当然ながらそれらは全てパブリックドメインに属しているので、インターネットに接続できる人なら誰でも自由に全部読むことができます。

現在の、そして将来の学術コミュニケーションの観点からハーティ・トラストの重要性について考えてみましょう。最近数十年でのインターネットの興隆によって、私たちは無限にある情報に自由にアクセスできることになんの感慨も覚えなくなっています。インターネットのおかげで、私たちは単純な質問（「カイロはいま何時か？」「マングースってどんなもの？」）にすぐに楽々と答えることができるようになりましたし、かなり高度な研究も短時間でできるようになりました。しかし、無料で提供されているオンライン情報のほとんどは、学術情報ではなくて、大衆向けで短命なものばかりです。人類の歴史の中で初めてハーティ・トラストが可能にしたのは、世界のトップ大学で働く研究者にさえ手の届かなかった学術研究ツールであって、インターネット接続さえあれば誰でもそれが使えるようになったのです。さらに、誰でも読める何百万もの本の無料のオンライン図書館ができて、かなりの数が無料でダウンロードできるのです。西暦 1500 年以前に出版された 2 万冊の本だけとってみても、その時代の本をそれだけ多く所蔵している図書館など世界のどこにもありません。それが、インターネットにつながってさえいれば誰でも読んだりダウンロードしたりできるのです。この進歩は学問にとって実に意義深く、素晴らしいことです。

ハーティ・トラストはGoogle Booksプロジェクトのように法的な問題にならなかったのか？

もちろん問題はありました。2011年に、全米作家協会（と他のいくつかの組織、それから個人の著作権者など）がハーティ・トラスト（とそのメンバー大学の学長など）に対して訴訟を起こしました。Google Booksプロジェクトから得た膨大なデジタルアーカイブの作成は、「何百万もの著作権で守られている本や著作を、システマティックかつ計画的に、広範囲にわたって無許可で複製、再配布している」として、「何百万もの著作を壊滅的なほど広範囲に提供することになり、法が定める図書館の蔵書に適用される枠組みから逸脱するものである」と訴えたのです。原告団の本質的な言い分は、システマティックなそれらの本のデジタル化と、ハーティ・トラストがそれを利用して検索可能なアーカイブを構築することは、「米国著作権法の第108条に明確に規定された限度をはるかに超えており、第107条のフェアユースにはあたらない」とするものでした[10]。

原告団が特に不快感を示したのは、ハーティ・トラストがオーファンワークスプロジェクトと呼んでいたものについてでした（「オーファンワークス」の概念については第5章の著作権のところで解説しました）。このプロジェクトは訴訟の時点では計画段階でまだ実行に移されていませんでしたが、著作権が有効なのに著作権者が明らかでない本について、それを所蔵する図書館が自館の利用者にオンラインで自由に提供する、というものでした[11]。重要なのはこの計画では、著作権者が名乗り出て削除を請求できるようにする、としたことです。

オーファンワークスプロジェクトはミシガン大学が管理することになっていましたが、訴訟が起こされたために無期限延期となりました[12]。しかし、その後数年間で原告団は何度も敗訴することとなり、2012年に訴えは棄却され[13]、控訴審でもこれが支持されました[14]。訴えは退けられましたが、オーファンワークスプロジェクトは本書の執筆時点でまだ店ざらしとなっています。おそらくプロジェクトを再開したらまた新しい訴訟が巻き起こるというリスクがあるのと、必ずしも前回のように簡単に圧倒的な勝利を得られるとは限らないからでしょう。

巨人の肩の上に立つ

Googleが裁判で主張した「トランスフォーマティブ(transformative)な利用」は、米国の著作権法では「改変(derivertive)」とは厳密に区別されていて、日本語では「変形的利用」「変容」などと訳されます。これは原著作を利用しつつも、それ自体の価値は利用せず、表現に別の意味づけを与えようとするものです。第5章で解説されているフェアユースの概念の一形態と考えられるのですが、これについてもう一度振り返ってみましょう。

米国著作権法107条は、著作物を利用する際に、フェアユースかどうかを認定するために検討すべき四つの要素を規定しています。(1)利用の目的および性質、(2)利用対象となる著作物の性質、(3)その著作物から利用しようとしている量と実質性、そして(4)利用することによって生じるその著作物の価値や潜在的市場に与える影響、です。これらの要素は全部満たさなければならないというわけではなく、またどれか一つが切り札となることもありません。そして、フェアユースの判断は著作物を利用しようとする個人に任されていて、著作権者が反論して係争となった場合にフェアユースであるかどうかを判断するのは裁判所なのです。Google Books の裁判の争点は、デジタル化された資料の提供形態や方法がフェアユースにあたるのかどうか、ということでした。

Google Books に関する裁判の経緯の概略は本章で述べられているとおりですが、最終的には上記の四つの要素のうち、(1) についてトランスフォーマティブな利用であるとした Google による抗弁が説得力をもっていたこと、また (4) についても著作物にデジタル化によって新たな価値を与えて潜在市場を拡大し読者層を拡大したことが評価されたわけです。気の遠くなるような数の著作物をデジタル化しているのですから、要素の (3) に照らせば著作権侵害が認められそうですが、それらの全てをオンラインで読めるようにしたわけではないのですから、「実質的には」侵害にあたらない、ということになります。

また、著作権法のそもそもの目的が「科学と有用な技術の発展」であり、保護の対象となるのがアイディアではなくて「表現形式や記録媒体」であることを考えると、Google Books が最終的に合法であると判断するにあたってその公共性が高く評価されたのはある意味当然でしょう。そもそも学問というものは先行研究を吟味し、批判を加え、新たなアイディアや発見を積み重ねていくものです。「巨人の肩の上に立つ (stand on the shoulders of giants)」という言葉がありますが、これが Google のもう一つのサービス (Google Scholar) でキャッチフレーズとして使われていることは象徴的です。

学術情報へのアクセスは従来、研究者個人よりも図書館や出版社にその方法が委ねられていました。Sci-Hub を立ち上げたエルバキアンや、Google Books のアイディアを思いついたブリンやペイジが、大学院生というエンドユーザーの立場でアクセスを拡大する手段を考えたことも、著者が指摘する「インターネットが招いた必然」だったのかもしれません。彼らが実現するためにとった手段やその合法性は大きく違ったようですが。

参考：

山本隆司 . 2009. 米国 Google ブック検索訴訟の和解が持つ意味 : 図書館関係者への助言 . 情報管理 52(7): 405–416. https://doi.org/10.1241/johokanri.52.405

鳥澤孝之 . 2010. "Google Book Search クラスアクション (集合代表訴訟) 和解の動向とわが国の著作権制度の課題 ." カレントアウェアネス・ポータル 302: CA1702. https://current.ndl.go.jp/ca1702

時実象一 . 2014. 大学図書館アーカイブ HathiTrust. 情報管理 57(8): 548–61. https://doi.org/10.1241/johokanri.57.548

第9章

STMとHSS:
ニーズと実践

STMとHSSは何の略か？

STMは「科学・技術・医学」(Science, Technology and Medicine)の略で、いわゆる「ハードサイエンス」について言及する時に使われます。これらの分野では、管理された研究室での研究や、具体的な実験、そして実験から得たデータなどに基づいた研究結果を求めます。これに対して、HSSは「人文・社会科学」(Humanities and Social Sciences)の略で、芸術や人文学に加えて「ソフトサイエンス」、つまり根拠データに立脚していたとしても、より主観的な解釈や分析を行うものが当てはまります。ソフトサイエンスと呼ばれるものは人間の行動を観察するものが多く、例えば心理学、経済学、社会学、などです。

当然ながら、「ハード」と「ソフト」サイエンスは争点となりがちです。「ソフト」という用語は見下したような印象を与えがちです(実際、いつもではありませんが時にそのような意図で使われたりもします)。経済学者や社会心理学者は、彼らの研究は厳密なモデルと管理下にある実験に基づいていると主張しますが、STMの研究者は反論として、そうしたモデルや実験の結果は主観的な解釈の余地があって、そんなことは物理や化学の実験ではあり得ないと言うでしょう。

この論争は長いあいだ続いているもので、おそらく終わることはないでしょう。大いに哲学的ですから（「この言葉は実際には何を意味しているのか？」といった議論です）絶対的な方法で解決することは難しいですし、利害の衝突もあってどちらも敗北を認めないからです。助成金の世界には激しい競争があって、政府機関や助成団体は税金や寄付金の使途が実際にどのようなインパクトを与えたか示さねばならず、そのプレッシャーは大きくなるばかりです。STM 分野は明快で説明しやすい価値提案（効果的な薬物療法や効率的な自動車のエンジン、落ちない橋など）をともなった具体的成果を出せることが多いので、実用性という点で明確な価値を示すのが難しい（集団行動についての洞察、バレエや交響楽団、詩の分析など）HSS 分野の研究者は不利になるばかりです。米国でも英国でも、最近の政府助成金の傾向を見れば、人文学者や社会科学者が懸念するのは当然でしょう[1]。科学と芸術や人文学の相対的な価値をどのようにはかるべきかという論争は今後も続くでしょうし、そうした議論は重要なのです。

STM と HSS は実際どのように違うのか？

STM と HSS の研究者はそれぞれ異なるツールを使って異なる結果を求めています。例えば、多くの STM 分野では、研究は実験室で行われ、そこには特別な装置や厳密にコントロールされた実験環境があります。「コントロール」という概念はとても重要なもので、実験対象である変数を、実験結果を混乱させたり汚染したりして仮説に影響を与えるような他の「媒介」変数から隔離するという科学者の能力を指しています。ですから例えば、ある細菌がマウスに与える影響について調査する場合、研究者は細心の注意を払って、結果に影響を与えるような他の細菌がいる環境からマウスを隔離しなければなりません。もう一つのコントロールの要素は比較のための「統制群（あるいは対照群、コントロールグループ control group）」の利用です。マウスを使った実験では（例えば細菌に晒された）「実験群」が（晒されていない）統制群と比較されていれば、その結果はより厳密で根拠のあるものと考えられます。そのようなアプローチは、細菌に関する観察結果が細菌との接触以外の何かによるものだという可能性を低減することができます。

HSSの研究者も、実験群と統制群を使ったり、広く受け入れられた研究手法を使っているのですが、彼らは定性データもよく使います。研究対象者が感じ方や考え方を説明できるようにアンケートを実施したり、対象者にインタビューをしたり（その結果はもちろん研究者によって解釈されるのですが）、集団力学について計測したり（これもやはり研究者によって何らかの解釈を与えられて初めて意味があります）といったものです。さらに、HSSの研究には直接観察できないものや、その存在自体が論争の的であるような事象についての調査が含まれていることも少なくありません。例えば、心の特性や、脳とは別のものとして心がどの程度存在するのか、といった疑問は哲学者と科学者の両方を何世紀にもわたって悩ませてきました。全てのHSS分野は、心は存在するもので、それは科学的に調査することが可能であるという前提のもとに成り立っています。経済学はHSS分野の中でもかなり定量的ですが、経済データを意味のあるものにするためには、人間の考え方や行動についてどうしても推論しなければなりませんし、時には大胆な推論の飛躍もあります。

強調しておきたいのは、具体性を有用性や品質に結びつける際には慎重さが必要だということです。経済モデルや心理学研究はどちらも日常生活の中でとても役に立つものだと証明されていますし、私たちの自分自身や他者に対する、さらには世界について重要な理解を深めてくれました。ちょうど実験室での実験や自然現象を計測するように。また、STM でも HSS でも、無用な、訳のわからない、とんでもなく誤解を生むような研究成果だってあるのです。

数世紀にわたって発展してきた学術コミュニケーションシステムの重要な機能の一つは、どんな分野であれ、悪い研究を追いやって良い研究だけを紹介するフィルターを提供するということです。どんなシステムもそうであるように、もちろんこのシステムは完全ではありませんが、このフィルター機能と分類は学術コミュニケーションの大きな存在意義であることを心に留めておかなければなりません。

学術コミュニケーションの実践は STM と HSS の分野で大きく異なるのか？

ある程度は異なりますが、似通っている点もあります。STM と HSS に一つ共通している点としては、査読を受けた出版物が支持されるという文化的な強い規範があることです。伝統的な査読の仕組みについては第 4 章である程度解説しましたが、もう一度繰り返して言えば、査読は著者と編集者のあいだに、評価と学術的な吟味というレイヤーを作るのです。全ての分野に精通している編集者などいませんし、たとえそれが可能だとしても利益背反が生じることもあります（例えば投稿した著者が個人的な友人だったり、編集者がコンサルタントをしている会社の社員だったり）。信頼できる専門家の第三者が客観的な（そして伝統的に匿名の）批評を提供することは、出版社が世に送り出す研究の質を保証するためには不可欠なのです。もちろん、全ての質の高いジャーナルが査読付きというわけではありませんし、全ての学術書の出版社が査読を実施しているわけでもありません。しかし、STMでもHSSでも、テニュアの審査委員会やその他の評価者が若手教員の業績を評価する際には、特に査読付きの出版物を求めるのが一般的です。

STMとHSSのあいだに存在する重要な違いは、出版物の種類と形式についての文化的な前提です。一般的にHSS分野では、テニュアトラックに在職しているあいだに定評のある学術出版社（通常は大学出版局）から学術書を少なくとも一冊は出版しない限り、若い教員がテニュアを獲得することはできません。このルールは世界共通ではありませんが、一般的に当てはまります。若い研究者の最初の著書は、いつもそうとは限りませんが大抵は博士論文をベースにしています（公開される博士論文と正式な出版物の分かれ目については第12章を参照してください）。しかしSTM分野では学術書はそれほど重要ではなく、査読付き論文こそが「法定通貨」で、その論文が掲載されたジャーナルの権威性がとても重要なのです（学術ジャーナルの評判に基づく市場原理については、第4章を参照してください）。

研究分野の類型化

STM（Science, Technology and Medicine 科学・技術・医学）とHSS（Humanities and Social Sciences 人文・社会科学）という大まかな区分は、学術コミュニケーションに関する話題の中にしばしば登場します。Googleによってデジタル化された図書の中身を検索することができるNgram Viewer（第8章で紹介）で調べると、「STM」「HSS」という用語がよく使われるようになったのは1970年代くらいからだということがわかります。STEM (Science, Technology, Engineering and Mathematics 科学・技術・工学・数学) という括り方もあって、これは2010年代頃から米国の教育分野でよく使われるようになりました。

日本ではいわゆる「理系と文系」という区別がありますが、これは1910年代頃までに成立した考え方のようです。江戸時代から少しずつ輸入されていた蘭学や洋学の影響を受けて近代科学の知見が蓄積されていく一方で、明治維新以降には国家の近代化のための人材養成の一環として、法学や工学といったいわゆる実学に重きが置かれるようになり、その過程で学校制度の中でも文・理の区別が進んだというわけです。

著者はSTMよりもHSSが「より主観的」だと述べています。これは「人間の判断が入る余地があるかどうか」ということで、つまりSTMでは研究のプロセスや結果にバイアスを与える人間という存在を極力排除しようとするのに対して、HSSでは研究対象や結果の解釈に人間という存在が不可欠なのです。

注意したいのは、全ての分野がきれいにSTMとHSSに分類されるわけではないということです。複数の分野が関わって行われる研究もあり、これは「学際的 (interdisciplinary)」研究と呼ばれます。

環境学はその代表的な例で、環境の変化を観測したり特定の物質による影響を理解するには STM 的なアプローチが必要ですが、人間が環境に与える影響 (あるいはその逆) を考えるには HSS 的な要素も含まれます。

また、「基礎研究 (basic research)」と「応用研究 (applied research)」という切り口もあります。仮説や理論の形成を通して新たな知識の獲得を目指す基礎研究に対して、応用研究は特定の目的に向けた実用化を目指しています。日本の大学では基礎研究が研究費の半分以上を占めている一方、企業では一般に応用研究の比重が高くなります。

このように研究の目的や対象、手法や評価基準といった観点から研究分野の類型化が行われていて、これは学術コミュニケーションの中でさまざまな形をとって現れます。例えば学術出版社は、全分野を取り扱う一部の大規模なところを除いて、STM と HSS のいずれか、あるいはもっと専門分化した領域を対象としていることが多いです。ジャーナルの評価基準であるインパクトファクター（次章を参照）が付与されるのは自然科学と社会科学のジャーナルだけで、人文学のジャーナルに対しては計算されません。これはもちろん、HSS の主な研究成果物が学術書であって、ジャーナルも重要ですが、STM ジャーナルと同じような考え方を当てはめることが難しいからです。

参考：

Google Books Ngram Viewer. https://books.google.com/ngrams

デジタル大辞泉 . 2010. “STEM 教育 (ステムキョウイク) とは .” コトバンク . https://kotobank.jp/word/STEM 教育

隠岐さや香 . 文系と理系はなぜ分かれたのか . 星海社新書 137. 講談社 . 2018.

科学技術・学術政策研究所 科学技術・学術基盤調査研究室 . 2019. “科学技術指標 2019.” 科学技術・学術政策研究所 . (調査資料 283). http://doi.org/10.15108/rm283

第 10 章

メトリクスとオルトメトリクス

学術出版の世界では、どのように品質が定義され評価されるのか？

学術的品質の概念は厄介なもので、その理由は出版物の種類や、それが評価される文脈によって変化するいくつもの側面があるからです。また*品質*と*関連性*は、読者や図書館が購入したり利用したりする際の意思決定ではどちらも重要な基準となりますが、同じことを示しているわけではないので面倒なのです。

例えば、19 世紀のドイツ建築に関する学術書について考えてみましょう。この本が実際にそのトピックについて書かれた最良の本だったとします。社会学や植物学や物理学の研究者はその非常に優れた品質にもかかわらず、この本を欲しいとは思わないでしょう。

それでは同じ 19 世紀のドイツ建築に関する学術書で、内容が全く平凡なものがあったとしましょう。建築に関する資料を網羅的に集めようとしている収集家や、世界的なレベルの建築学のプログラムを支援している図書館がこのトピックに関する包括的な資料を（そのうちいくつかはそれほど大した本ではなくても）研究者に提供しようとするならば、凡庸な出来にも関わらず、この本を必要とするかもしれません。

これらのシナリオは、学術的な利用目的によっては、関連性が品質をしのぐことがあって、結果的に資料の必要性を左右するということを示しています。

興味深いのは、個人の読者や図書館にとって、品質が関連性に勝ることはあまりないということです。建築に全く興味のない個人の読者であれば、世界で最も優れた建築の本を買うということはないでしょう。図書館でも、受け入れ担当スタッフが少なくともある程度の需要があると考える理由でもない限り、やはり世界的に優れた建築の本を購入するということはありません(図書館での本やジャーナル購入の意思決定については、第6章を参照してください)。

ジャーナルやデータベースの購読についても同様です。個人でも図書館でも、購読するかどうかを決定する時にはその品質を考慮しますが、切り札となるのはやはり品質そのものではなく関連性なのです。もちろん、ジャーナルやデータベースの購読は図書の購入と違って、一回限りの購入ではなくて継続してお金を支払い続ける必要があります。つまり、図書の購入の判断は普通一度きりですが(そのため後になって後悔しても取り消すことはできません)、ジャーナルやデータベースの年間購読は毎年のことで、更新のたびに判断ができるということです。購読決定が適切でなかったということになれば、個人でも図書館でもそれをキャンセルして支払いを停止すればいいのです。

品質と関連性は別物だとしても、学術コミュニケーションのエコシステムでは、どうやって品質をはかるのか？

一般的な答えとして、ここでも学術出版を大きく本とジャーナル論文という二つのタイプに分けて考えてみましょう。それぞれに適応される品質基準は少し違うからです。本章の後半では、著者が考える品質（どこに原稿を投稿するかを決定する時）と、購入者や読者が考える品質（何を買うかという決断）の違いについても考察することにします。

学術書の品質に関する二つの重要な指標は、出版社の評判と書評です。出版社の評判は、本を出版しようとしている著者にとっても、購入しようとする側（特に図書館）にとっても、たいへん重要なものです。特に人文・社会科学の分野では、研究者は定評のある大学出版局から本を出版しようとするのが普通です。初めて本を出版しようとしている若い研究者には特に当てはまりますが、これは多くの大学が大学出版局から学術書を出版することを昇進やテニュア獲得の基本的な要件としているからです。図書館も出版社の評判については注視していて、業者からの見計らいのためにプロファイルを作成している時には特にそうです（大学図書館で見計らいのシステムがどのように機能しているかというのは第６章で解説しています）。図書館が出版社の評判を気にするのは、一般的に言って、それが荒削りでもかなり信頼できる品質の指標となるからです。ハーバード大学出版局から本を出版することは、例えばUniversity Press of Americaから出版するよりも、おそらくキャリアにとって有利だと著者が考えるのは妥当でしょう。図書館もまた、ハーバード大学出版局の本を購入する方が、University Press of Americaの本を受け入れるよりも、蔵書の価値が高まると考えるのです。ハーバード大学出版局がありきたりな本を出版しないというわけではありませんし、University Press of America が素晴らしい本を出版していないというわけでもありません。ただ、片方の出版社がもう片方と比べて影響力のある受賞作品をより多く出していたら、出版元を探している著者にとっても、図書を購入しようとする読者や図書館にとっても、そういう実績は判断に影響を与えるものだ、ということです。

そうした出版社の品質に関わる実績はどのように培われるのでしょうか？ 主に書評と、おそらくもう少し控えめですが、受賞歴です。出版された本が *Times Literary Supplement* や *New York Review of Books*、*Kirkus Reviews* といった一流の書評誌でいつも肯定的にレビューされていれば、良質な学術書を世に送り出す出版社としての名声は高まります。また出版された本が関連分野で重要な賞を受賞すれば、著者が出版したいと思う、あるいは読者や図書館が本を買い求めるべき出版社だと評判になるでしょう。これらの二つの要因のうち、書評の方がおそらくより重要で、それは多くの人が理解できる*共通語*だからです。つまり *Times Literary Supplement* に肯定的なレビューが掲載されることの意義は多くの人が知っていますが、カンディル賞[訳注 37]の重要性についてすぐにわかる人はそれほどいないからです。

繰り返しになりますが、本の購入は毎回独立していますから、言っ

訳注 37　カンディル賞 (Cundill History Prize) はカナダの投資家ピーター・カンディル (Peter Cundill, 1938-2011) によって 2008 年に設立された学術賞で、歴史学の分野で顕著な功績と認められるノンフィクション作品の著者が選ばれます。

てみれば小さなギャンブルのようなものです。図書館が本を購入するのは、それが図書館利用者にとって有用だと信じるに足るだけの品質と関連性を期待するからです。いったん購入したら、（本を受け入れて維持するのにかかる費用を除いて）もうお金を支払う必要はありませんし、もし10年後にその本が良い買い物ではなかったということがわかっても、返却して払い戻しを受けるわけにはいきません。多くの場合、個人でも図書館でも図書は（ジャーナルやデータベースの購読費用と比べたら）比較的安いものですから、それが購入行動にも影響を及ぼします。特に図書館では、どの本を買うかという決断よりは、新たにジャーナルの購読契約を開始する場合の方がずっと慎重です。

ジャーナルの品質をはかる基準は図書とは違うのか？

はい、ものすごく違います。そしてジャーナルの品質をどうやってはかるかというのは大きな論争を呼んでいます。ジャーナルの世界では、本の世界と比べて出版社の評判が果たす役割は小さいのです。これは著者がどこから出版するかを考える時でも、個人や図書館がどのジャーナルを購読しようか考える時でも同じです。ジャーナル出版社は大抵複数の（時には数百の、またごく稀には数千の）ジャーナルを出版しているのが普通で、その評判は一般的に出版社ではなく個々のジャーナルのレベルで決まっています。言い換えれば、Elsevierから出版されていようが、Wileyから、あるいはアメリカ化学会から出版されていようが、ジャーナル自体の評判にはあまり関係ないのです。これらの出版社は全て、高品質な学術情報を発信しているという定評はあるのですが、もっとずっと大事なのは、それぞれのジャーナルの*インパクトファクター*[訳注38（次ページ）]が高いか低いか、ということです。

インパクトファクターは、ある分野で特定のジャーナルがどれだけの影響力を持っているかをはかる指標として考案されたもので、掲載論文数と被引用数の比から計算したスコアを各ジャーナルについて算出します[1]。このスコアは毎年、直前の2年間にそのジャーナルに掲載された論文が引用された回数をもとに計算されます。もしあるジャーナルの論文が2015年に1000回引用されたとして、そのジャーナルが直近の2年間に（2013年から2014年にかけて）合計150論文を掲載していたとします。2013年と2014年の掲載論文に対して発生した2015年の引用回数を、2013年と2014年の掲載論文数の合計で除した数値がインパクトファクターです。仮に、2015年の1000回の引用のうち、700が2013年と2014年の掲載論文に対する引用だったとしたら、このジャーナルの2015年のインパクトファクターは4.667となります。

1975年に登場して以来、学術の世界で、特にハードサイエンス分野でインパクトファクターが得た重要性については、どんなに強調してもしすぎることはありません。良きにつけ悪しきにつけ、インパクトファクターはジャーナルの品質を示す簡易指標として広く使われていて、図書館での購入判断だけでなく、（よく議論されているのですが）大学でのテニュアや昇進・昇給の審査などでも高インパクトファクターのジャーナルに出版することがその条件となって

訳注38　インパクトファクター（本来はJournal Impact Factor）をIF、JIFなどと略す人もあり、本書の原著でもIFと表記しています。日本では「イフ」「アイエフ」などといった読み方をする人もいて混乱しやすいため、本書（翻訳版）では表記を「インパクトファクター」に統一しています。

いたりして、さまざまな影響を与えています。このためインパクトファクターは、どこに論文を載せようかと考える著者にとっての判断基準にもなっています。文化的にも分野的にも違いはあって、例えば中国では、高インパクトファクターのジャーナルに論文が掲載された教員に対して大学が現金で報奨金を出すことがかなり一般的になっています。ヨーロッパや北米の大学ではこれは一般的ではありませんが、中国から発表される学術論文の爆発的な増加（そして欧米のジャーナルに出版しなければならないという中国の研究者に課せられたプレッシャー）は、このような慣習が学術出版の全体像に影響を与えているということを意味します[2]。

もしインパクトファクターがそれほど論争を呼ぶものでなかったとしたら、事態はそれほど厄介ではなかったかもしれません。しかし、近年ではインパクトファクターを廃止するべきだとか、少なくとも重要視すべきではない、という声が高まっています。

なぜインパクトファクターは それほど物議を醸しているのか？

インパクトファクターはさまざまな理由で問題があると言われています。

まず、インパクトファクターは営利企業が提供する製品の一部であるということです。インパクトファクターの計算はトムソン・ロイター[訳注39（次ページ）]という会社が行なっていて、*Journal Citation Reports* という製品の中で毎年発表しています。それ以外の組織が計算するインパクトファクターは偽物で無意味だとされていますが、実際に全く疑わしいインパクトファクターを詐欺目的で発表している会社もあります[3]。さらに、ハゲタカと呼ばれる詐欺出版社（これについては第13章を参照）が、実際には引用などされていないのに単なるでっち上げとして出版するジャーナルにインパクトファクターがついているとうそぶいていることもよくあります（まだ出版されてから１～２年しか経っていないのにインパクトファクターが付いているというジャーナルは、そのようなでっちあげの決定的証拠となります。少なくとも創刊から３年は経過していなければ、正式なインパクトファクターがジャーナルに付与されることはほとんどあり得ないからです）。しかし多くの人々にとって、インパクトファクター自体が営利企業の製品の一部であるという事実は、学術的品質をはかる公正な指標として、その妥当性にある程度の疑問を投げかけることになります。

次に、たくさん引用されているという事実は、必ずしも学術的な品質や科学的な妥当性についての指標とはならない、という点です。インパクトファクターに関する最も重大な批判の一つは、引用という行為は論文自体の品質の良し悪しとは関係ない、という点で、そのため論文が掲載されているジャーナルの実際の学術的な影響力を本当に被引用数で計れるのかどうかは疑わしいのです。例えば、ある論文が100回引用されたということは、画期的な学術的洞察の素晴らしい一例かもしれませんし、とんでもない詐欺論文の一例かもしれません。いずれの場合でも、100回の引用はその論文が掲載さ

訳注39　インパクトファクターはトムソン・ロイターの知的財産・サイエンス事業部門が提供していましたが、同事業部門は2016年に未公開株式ファンドによって買収され、その後クラリベイト（Clarivate）へと社名変更しています。現在*Journal Citation Reports*を提供しているのはこの会社で、トムソン・ロイターではありません。

れているジャーナルのインパクトファクターの計算に同じ効果を及ぼします。肯定的な用語ではなく、「インパクト」という比較的中立的な用語が使われているのはそのためです。インパクトファクターは必ずしもジャーナルが一貫して高品質だということを示すためではなく、品質が高かろうが低かろうが、専門的な議論の形成に貢献しているのだということを示唆しているのです。しかし必然的に、インパクトファクターは一般的にそのように受け止められることはなく、実際に質的指標として広く使われています（次の項目を参照してください）。誰かが金槌を使って粗悪な住宅を建てた時に、それがその金槌の製造業者のせいではないのと同様に、厳密に言えばトムソン・ロイター社にはなんの落ち度もありません。しかしこれがインパクトファクターの限界であるというのは筋が通った議論でしょう。

三つ目の問題点は、インパクトファクターが簡単に操作可能であるという点です。ジャーナルのインパクトファクターは被引用数によって決定されますし、引用を増やすのは容易いことなので、人為的にジャーナルのインパクトファクターをつり上げるというのは比較的単純です。ここで「単純」というのは「簡単」という意味ではありません。ジャーナルのインパクトファクターを操作しようとするなら、本当にインパクトがあるくらいたくさんの引用を増やさなければなりません（駄洒落ではありません）。でも、実際にそれは可能なのです。一つの方法としては、たくさんのレビュー論文（新しい研究の発表ではなくて、あるトピックに関する研究の現況を概観するような論文）をジャーナルに掲載することです。レビュー論文はたくさん引用される傾向があるからです[4]。

もう一つの方法は、以前そのジャーナルに掲載された論文をできるだけ引用するように、そうしなければ論文を掲載しないと著者に働きかけることです。これは「強制引用」と言われていて、研究者のあいだでは特に不快な慣習だと見なされています[5]。強制引用は、一般的に行われているジャーナルの自誌引用の一形態です。ジャーナルの自誌引用は正当で適切だったとしても(著者が論文を書くにあたって同じジャーナルに以前掲載された論文を引用すること自体は別に悪くないので)、評判というシステムを操作するために意図的に濫用されることもあります。2013年には、トムソン・ロイターは66誌ものジャーナルについて、過剰な自誌引用を理由にインパクトファクターの計算の対象外としました[6]。

インパクトファクターのシステムを操作する方法は他にもあって、よりリスクが高く骨が折れるのですが、引用カルテルを結成するというものです。これは複数のジャーナルやその編集者が結託してお互いのジャーナルをたくさん引用させるという目的で、掲載論文の著者に特定のジャーナルの論文を引用するように促したり、そうしない著者の論文を拒絶したりするのです[7]。

その他にもインパクトファクターを操作する方法はあります。

最後の問題は、インパクトファクターはジャーナルの*インパクト*をはかるものなのに、しばしば*論文の質*をはかる指標だと誤解されているという事実です。言い換えれば、高インパクトファクターのジャーナルは、そこに掲載される論文にちょっとした評判の輝きを与えるということです。まさにこれが、著者が高インパクトファクターのジャーナルに論文を載せた時に報奨金をもらえる理由です。報奨金を支払う管理者側は、教員が毎年ある一定以上のインパクトファクターの付いたジャーナルに何本論文を発表したという事実を宣伝に使えるのなら、それは喜ばしいことだと思っています。前述のとおり、ジャーナルのインパクトファクターは実際そこに掲載されている論文の質とはなんら関係なく、さらに問題なのはインパクトファクターはそのジャーナルに掲載された個々の論文のインパクトについても関係がないのです。ジャーナルのインパクトファクターがどんなに高くても、そこに掲載された論文の多くはほとんど、あるいは全く引用されないのです。念のためもう一度言っておきますが、厳密に言えばこれはインパクトファクター自体の問題ではありません。この問題はインパクトファクターについて誤解している人々や、積極的に誤った使い方をしている人々の責任です。それでもなお、こうした問題があるために、インパクトファクターは現在のように重要なものとして扱われるべきではないと言われているのです。

インパクトファクターは広く使われている唯一の引用指標なのか？

いいえ、近年ではその他の指標も出てきています。

例えば、*h-index* は引用のパターンを見ることによって特定の著者のインパクトをはかるためにデザインされた引用指標です[8]。この指標は生産性とインパクト（結局のところ被引用数なのですが）の両方をチェックするものです。個人の研究者のインパクト指標として提案されましたが、ジャーナルのインパクトをはかるのに使われたりもします。

引用をベースにしたもう一つの重要な指標は *Eigenfactor* です。ワシントン大学のカール・ベルグストロームとジェヴィン・ウェストによって開発されたこの指標は、「科学コミュニティにおけるジャーナルの総合的な重要性」[9]をはかろうとするもので、引用を単純に数えるだけではなく、ランキングの高いジャーナルからの引用に特別な重み付けをします。このツールでは、Article Influence Score と呼ばれる論文レベルのランキングや、著者の影響度のランキングも提供されていて、ウェブページの重要性をはかる Google の PageRank[訳注40] と呼ばれる仕組みと似ています。

インパクトファクターにとって代わるような評価ツールはあるのか？

ありますす。実際、ここ数年進行中の運動があって、これに参加している人々は、質とインパクトの両面をインパクトファクターよりもっと有効だと思われる指標に置き換える（あるいは少なくとも補完する）ことを主な目的としています。インターネットが発展して学術出版の大部分がオンラインの世界に移行したことで、新しいインパクト指標の開発が可能となりました。こうした動きは「オルトメトリクス」と総称される新しい指標に明らかに反映されています。

キャメロン・バーンズの説明[10]によれば、「オルトメトリクスは、研究のインパクトを従来とは異なる手法で捉えようとする一連の統計データ」で、以下のような情報源からインパクトに関するデータを捕捉しています。

訳注40 PageRank は Google の創設者であるラリー・ペイジとセルゲイ・ブリンによって 1998 年に開発されたアルゴリズムで、Google が検索結果を表示する際に用いられる中心的な技術。重要なウェブページはたくさんの他のページからリンクされると仮定し、さらにそうした重要なページがリンクする先も重要だと仮定することにより、単なるリンク集や仲間内でリンクし合っているだけのサイトの重要度は相対的に低くすることができる。

- マイクロブログやショートメッセージのサービス (Twitter)
- ソーシャルネットワーキングサイト (Facebook、Instagram)
- ブログ (WordPress、Blogger)
- ソーシャルブックマーク (Delicious)
- アカデミックブックマーク (CiteULike、Mendeley)
- 査読サービス (F1000Prime)
- アカデミックネットワーク (Academia.edu、ResearchGate)
- 共同で編集されるオンライン百科事典 (Wikipedia)

重要なのは、オルトメトリクスは引用の数やパターンではなく、他の手段でインパクトや品質、重要性をはかろうとしている点です。その手段として、多くはソーシャルな行動をたどってそれを定量化しようとしています。

ImpactStory（旧称は ***total-impact***）はこうしたオルトメトリクスの一つで、「オーディエンスや影響の及ぶ範囲について研究者が理解する一助として、インパクトのより広い視座を提供する」ことを目的としています[11]。自分の著作を ImpactStory に登録すると、複数の API (application programming interface) がウェブ上を検索します。その結果、「オーディエンス（学術的なのか一般的なのか）と研究へのエンゲージメントの種類（閲覧、ディスカッション、保存、引用、推薦）という2つの観点から」著作のインパクトを検知し、それぞれの観点から百分位のスコアを計算します。

Plum Analytics はもう一つのオルトメトリクスのサービスで、「最先端のオルトメトリクスを用いて疑問を解消し、研究についてストーリーを語る」[12] というものです。Plum Analytics は一連の分析サービスを提供していて、機関リポジトリ（機関リポジトリについての

ディスカッションと、それがどのように機能するかについては第12章を参照）から得たデータや、個々の出版物のインパクト、個人のインパクトの比較、研究助成金のインパクトなどをはかるツールが含まれています。

そして*DataCite*は「研究データの永続的識別子を提供する」[13]ものです[訳注41]。これは何かをはかっているようには聞こえないかもしれませんが、この組織の基本的な目標が「助成団体が成果の到達度と影響度を理解するのを助ける」ことであるというのは重要です。これと関連して、オルトメトリクスは研究者のためだけに著作がどのようなインパクトを与えたかとか、ジャーナルのインパクトをはかろうとしているのではない、ということは注目に値します。助成団体や研究機関、その他の科学と学問を支援する人々は、彼らが研究者に提供した資金が効果を上げているのかどうかということを知りたがっています。そのような需要が企業に新たな機会を提供し、助成金の成果である出版物が現実世界にどう影響を与えたか見定めるのに役立つツールが開発されているのです。

オルトメトリクスの世界は著しく流動的で、さまざまな製品やサービスが毎月のように生まれては消えていきます。学術的なインパクトをはかることはできるのか、またどのようにはかれるのか（あるいははかるべきなのか）、論争はまだ続いていますから、当面は変化の激しい状況が続くでしょう。

訳注41 DataCiteと、永続的識別子が何であるかについては、次章のコラムを参照。

著者や読者は「品質」を同じように見ているのか？

この質問の答えは複雑で、結局のところは「イエスでもありノーでもある」となってしまいますが、回答を試みるにあたっては、本章の冒頭で解説したような評判の力学について再び言及しなければなりません。

学術コミュニケーションのエコシステムにいる人なら誰でも、オックスフォード大学出版局 (OUP) は定評のある出版社で、良質な本やジャーナルを手がけていることに異論を唱えることはないでしょう。そのため、著者は喜んで OUP から本を出版したがるでしょうし、読者も OUP が出版するものなら一定以上の期待を抱くでしょう。

ジャーナルの場合、著者や読者は品質を*出版社*よりは*個々のジャーナル*に求める傾向があります。例えば、*Nucleic Acids Research* は化学のトップジャーナルの一つとして広く知られていて、そのため化学の研究者ならそこに論文を載せたいとか、関連研究をしている研究者ならそれを読みたいとか思うでしょう。このジャーナルはオックスフォード大学出版局から出版されていますが、もし他の出版社、例えば Elsevier や Wiley やアメリカ化学会などに *Nucleic Acids Research* が売却されたとしても、それ自体はジャーナル自体の評判には特に大きな影響を与えないでしょう（もちろん、出版元の変更が編集スタッフの辞任につながったとすると、ジャーナルの評判に影響するかもしれません。でもその場合はスタッフの変更が原因であって、必ずしも出版元の変更が原因ではないのです）。前述のとおり、その他の評判に関わる要素も少しは影響しますが、著者はジャーナルの品質をそのインパクトファクターに求めます。多くの分野では、トップジャーナルの名前は広く知られていて、著者がどこに論文を投稿したいかというのは、定量指標とともに社会的な評判に関係しているのです。

しかし、本の場合もジャーナルの場合も重要なのは、著者が出版社に求めているのは*品質保証*であるということです。特定の分野で広く認められ尊重されたという学術的な功績について太鼓判を押してくれるようなところに、研究成果を発表する必要があるのです。これは一般的に著者にとって、その出版物がどれくらい多くの人に読まれるかということよりもっと重要です。広く読まれてはいるけれど比較的ステータスが低いところに出版するよりも、読者数は少なくても学術的な品質が高いという定評があるジャーナルの方が、特にテニュアを獲得する前の研究者にとっては重要です。つまり品質とインパクト、そして評判というのは複雑に絡み合っていて、その基準を単純化することは難しいのです。

評価指標を巡る新たな動き

学術コミュニケーションについて語る時、評価指標として必ず言及されるのがインパクトファクターです。誰がどのように計算しているのか、どうやって調べるのか、どのように使うべきなのか、どのように使うべきではないのか、提供元の企業はもとより多くの人々がさまざまなところで繰り返し解説していますが、誤用と誤解は後を絶ちません。提供され始めてからすでに40年以上経っているというのに、これが続いているのはなぜでしょうか？

著者が本書の中で繰り返し言及する「査読」は、内容が特定のジャーナルに掲載する、あるいは学術書として出版するにふさわしいかという観点から品質を保証するプロセスです。複数の専門家によって一定以上の品質が保証されたものだけが正式な出版物として流通していると考えれば、出版後にわざわざそれを再度吟味する必要はないはずです。実際、出版後の評価は別の観点から、すなわち出版物（の内容）が分野の進展にどのように貢献したかとか、他のどういった研究に影響を与えたかといった「インパクト」を知るために行われることが多いのですが、問題はこのインパクトをはかるにも専門性が必要で、誰でも簡単にできるわけではないのです。

そこで登場するのが本章で紹介されたような数値化された指標です。インパクトファクターにしても、代替指標として提案されているものにしても、「専門知識を持たなくてもある程度の評価ができる」と期待され、広く使われています。もちろん、大学におけるテニュアや昇進のための審査や、助成金申請書類の選考などには専門家があたるのですが、査読と同様、全ての出版物のインパクトを判断できる専門知識を備えた人ばかりではありません。そのような場合、定量指標は補助的にある程度の目安として有用です。ただし、インパクトファクターが高いジャーナルに掲載されたら報奨金が出るとか、インパクトファクターがいくつ以上のジャーナルに掲載されないと評価対象にならないとか、そういった一面的な運用をすると、結果が目的化してしまうために歪みが生まれるのです。

著者も述べているとおり、こうした風潮は学術コミュニティで問題視されていて、これを改めようという動きも見られます。2012年に発表された「研究評価に関するサンフランシスコ宣言」では、インパクトファクターをはじめとする雑誌ベースの数値指標を研究評価の文脈で使わないように勧告しています。評価の目的に応じた適切な基準を設けるよう助成団体や研究機関に呼びかけるとともに、評価に使われるデータを提供する機関にも計算根拠を明らかにするよう求め、さらに、出版社にも不正なデータ操作や広報などで不適切に数値指標を利用しないように注意を喚起しています。

また、本文で著者が触れている中国の状況にも変化が起こっています。すでに2019年からインパクトファクターの高低を基準とした報奨金制度は廃止され、個別の論文やその被引用数ではなく、研究者や研究グループの「代表的出版物」を総合的に評価するというポリシーが策定されています。また、インパクトファクターの有無に関わらず、あらかじめ選定された「国内ジャーナル」への出版も奨励されるとのことです。制度が変わればまたそれに合わせて研究者の行動は変化するかもしれませんが、学術コミュニティが主体的に研究成果をどのように評価するべきか真剣に検討することは有意義なことでしょう。

参考：

“インパクトファクターについて.” クラリベイト・アナリティクス. 2014. https://clarivate.jp/products/journal-citation-reports/impact-factor/

宮入 暢子. 2005. “インパクトファクター雑感.” 情報の科学と技術 55 (7): 318. https://doi.org/10.18919/jkg.55.7_318

San Francisco Declaration on Research Assessment (DORA).
https://sfdora.org/
(宣言の日本語訳：https://sfdora.org/read/jp/)

Jie Xu. 2020. “How China’s New Policy May Change Researchers’ Publishing Behavior.” The Scholarly Kitchen.
https://scholarlykitchen.sspnet.org/2020/03/03/guest-post-how-chinas-new-policy-may-change-researchers-publishing-behavior/

第11章 メタデータとその重要性

メタデータとは何か？

文字通り「メタデータ」という用語は「データに関するデータ」であって、実にさまざまな種類の情報を指しています。写真の下に付けられるキャプションはメタデータの一例です。図書館の本に関する目録情報や、ジャーナル論文の書誌情報、またコンピュータのソフトウェアで「このプログラムについて」というメニューをクリックした時に表示されるテキストなどもメタデータです。基本的に、何か他のテキストや文書について記述することを目的として書かれたテキストは、メタデータとしての機能を果たしていることになります。

これはとても単純な定義のようですが、実はものすごく複雑なことを表しています。例えば、*記述*メタデータ（descriptive metadata、ドキュメントの内容に関する情報）、*構造*メタデータ（structural metadata、ドキュメントの構造に関する情報）、*管理*メタデータ（administrative metadata、いつドキュメントが作成されて、誰がそれにアクセスできるのか、ファイルの種類は何か、など）といった厳密な区別があります[1]。

もちろん、こうした異なる種類のメタデータが一つのファイルやドキュメントに対して複数存在することもあります。例えば、図書館の本の目録情報には、本の題名（記述）、関連する件名標目（記述）、出版年月日（管理）、本文と前書きの各ページ数（構造）、物理的な大きさや装丁に関する情報（考え方によって、記述でもあり構造でもあります）などが記載されています。もしこの本が冊子体ではなく電子ブックで、オンラインでアクセスするものだとしたら、図書館の目録情報には誰がこの本にアクセスすることができるか（例えば「大学所属の者のみ」）といった注記も含んでいて、これは管理メタデータの一例です。

メタデータ情報は、個々のドキュメントにもドキュメント集合にも付与することができますし、あらゆる種類のテキスト情報や、テキスト形式ではない情報オブジェクト（写真や録音、データセット、ソフトウェアなど）にも付与することができます。さらに言えば、メタデータには「データについてのデータに関するデータ」としてのメタデータもあって、これは（当然ながら）メタメタデータと呼ばれ、メタデータが書かれている言語とかそれがいつ作成されたとかいう情報が示されます[2]。

ここまでくると平均的な読者の頭は混乱し始めているかもしれませんので、次の質問に移ることにしましょう。

なぜメタデータが必要なのか？

メタデータという用語が常に使われたわけではありませんが、情報を整理しようとする限り、つまりとても長いあいだ、私たちはいつもメタデータを使ってきました。図書館の目録カードは身近なメタデータの例です（直接それを使った経験のある人はどんどん少なくなってきていますが)。文書の集合を構造化する仕組みやその中身をたどる手段は他にも昔からいろいろあって、例えば目次や、本の後ろにある索引、アーカイブス検索手段 (finding aids)、学術論文の冒頭に掲げられた抄録、などがそれにあたります。こうしたツールは全てメタデータの例で、共通する目的があります。それは必要としている資料の所在を確認したり、入手した資料の中で探している箇所にたどり着くための助けになる、ということです。

考えてみれば、なぜそのような情報が重要なのかは明らかでしょう。部屋いっぱいの本が全く整理されていなかったらどうでしょうか。あるいは整理されていても、(例えば多くの大学図書館の蔵書みたいに) 直感的にわからなかったとしたら？　メタデータがなかったら、一見無秩序な大量の情報の中から特定の本を探すためには、端から順番に見ていくしかありません。一冊の本の中から特定の情報を探し出すには、それを全部読む以外に方法はないのです。一冊の本を、あるいは本のコレクションをそのように眺めていくのは価値のある、時には楽しい経験だとわかってはいても、適当にあたりをつけるというのは目的をもって真剣に研究をする時のやり方ではありません。メタデータは資料の文脈を提供してくれるだけではなく、その内容についての道しるべなのです。

メタデータには、ドキュメントどうしを結びつけるという重要な機能もあります。例えば図書館の目録の件名標目がこれにあたります。もし「Great Britain—Politics and government—1945-1964」という件名標目が付与された本があれば、同じ件名を目録で探したら同じトピックの他の本を見つけられるでしょう。ブログにもよく、関連するキーワードのリストが付いていることがあって、そのどれかをクリックすれば、同じキーワードが付与された他の記事のリストが出てきます。書店のウェブサイトや図書館のオンライン蔵書目録でも、著者名は大抵メタデータの一部としてハイパーリンクされていて、クリックすれば同じ著者が書いた本のリストが表示されます。

学術コミュニケーションの世界では、メタデータにはどんな機能があるのか？

学術コミュニケーションの場合、メタデータは単に関連資料の所在をつきとめるのに役立つだけではありません。特に科学技術の分野では、同じ論文の複数のバージョンがオンラインで入手できるようになってきているので（プレプリントや「最終版」については第2章で解説しました）、手元にあるドキュメントが正式な最終版なのかどうか素早く認識できなければなりません。同じドキュメントのバージョン違いかもしれない二つのテキストを一言一句比較しなくても、メタデータを見ればはっきりわかります。これに関連して、近年よく使われるようになった新しい重要なメタデータがDOI (Digital Object Identifier) です。DOIは多くの異なる種類の情報オブジェクトに付与することができるのですが（情報そのものがデジタルである必要はありません）、そのうち私たちのここでの関心はデジタルな学術情報、特にオンラインジャーナル論文の永続的識別子としての使われ方です[3]。*永続的*という概念はDOIの価値提案の中核で、オンライン論文がもともと保存されていたサーバーから削除されて別のオンライン上のアドレスに移った（そのため元のURLが無効になってリンクが死んでしまった）時や、ジャーナルの出版社が変わった（そのためメタデータが古くなってしまった）時でもDOIは変更されず、それが指し示すドキュメントへの永続的なリンクを提供することが保証されています。このようにDOIは時間が経っても無効にならないように設計されているのです。

同じ名前をもった異なる著者どうしを区別したり、いろいろな名前を使って出版している一人の著者の著作を関連付けたりするのにも、メタデータは使われます。例えば、Susan Smithという名前でたくさん出版している生物学者がいたとしましょう。生物学は幅が広く、多くの研究者がいる分野ですし、世界にはたくさんのSusan Smithという名の女性がいます。Susan Smithが著者である二つの生物学の論文があった時、どうしたら同一著者のものだと断言できるでしょうか？ また、Susan Smithが出版する際、時折Susie Smithという名前を使ったりしていたら？ このような状況を解決するために、2012年にORCID (Open Researcher and Contributor ID)が開発されました。ORCIDは人に対して付与されるDOIのようなもので、ドキュメントやオブジェクトを識別する代わりに、それらの著者である個人に対してユニークなIDを付与して、その人が書いた著作の全てをリンクできるようにするものです[4]。

どのシステムも絶対確実というわけではありません（そんなシステムがあるでしょうか?）。DOIがきちんと意図したとおりに機能するためには、厳格な基準に従って付与されなければなりませんし、ORCIDは本人が登録しなければ作成されません。もし15年のキャリアがある多作な研究者がORCIDに登録した場合、それ以前の15年間に出版した論文をORCIDにリンクすることを怠ったら、この著者のORCIDから出版物へのリンクは不完全なものにしかならないでしょう。しかし、DOIもORCIDもきちんと目的どおりに活用されていれば、学術コミュニケーションのエコシステムの中でますます重要なサービスとなるでしょう。

PID がつなぐ学術情報の未来

本章の最後で解説されている DOI や ORCID は、永続的識別子 (PID: persistent identifier) と呼ばれるものの中で最も普及している事例です。DOI はオンライン上の論文などのデジタルオブジェクトを、ORCID は研究者などの人物を特定するために使われていて、いずれも特定の機関が責任を持ってその永続性を保証しています。

DOI 登録機関の中でも世界最大規模を誇るのが Crossref です。学術ジャーナルのオンライン化が進んだ 1990 年代後半、ウェブサイトの構成が変わって論文のインターネット上の所在が変更されたりしても常に正しいファイルにたどり着けるようにするため、デジタル識別子の必要性が指摘されるようになりました。学術出版業界からの資金提供を受けて、1999 年に非営利機関として Crossref が設立されました。

DOI は本書の参考文献にも多く示されていますが、“https://doi.org/” の後に続く “10.” で始まる文字列のことで、論文だけでなく、研究データや画像ファイルなど、あらゆるデジタルオブジェクトに付与されます。DOI は勝手に付与することはできず、例えば Crossref では出版社など論文の発行機関がメンバーとなって会費を支払うと、DOI の発行やその論文に関するメタデータ管理などが Crossref によるサービスとして提供されます。

DOI を発行する機関は Crossref 以外にもあります。例えば前章で触れられていた DataCite は主に研究データの DOI を提供していますし、EIDR は映画やテレビ番組などの DOI を管理しています。また、日本では 2012 年にジャパンリンクセンターが設立され、国内の機関が保有する学術コンテンツに DOI を付与し、そのメタデータを管理しています。これらはいずれも国際 DOI 財団に加盟している DOI 登録機関です。

ORCID は研究者だけでなく学術コミュニケーションに関わる全ての貢献者に対して一意の識別子を付与するもので、例えば私の ORCID は "0000-0002-3229-5662" です。これを "https://orcid.org/" に続けてブラウザに入力すれば、私のプロフィールや学歴・職歴、これまでに書いた論文などが表示されます。Crossref と同様、ORCID も学術コミュニケーションに関わる個人を識別するため、これに特化したサービスを行う非営利機関として 2010 年に設立されました。

ORCID は申請すれば無料で取得できるため、ResearchGate などのいわゆるアカデミック SNS と同じものだと考えている人もいますが、それは全くの誤解です。アカデミック SNS は自分で情報を入力して常にアップデートしなければならず、また入力した内容は「自分でそう主張している」に過ぎませんが、ORCID を正しく使えば、新しい情報が自動的にアップデートされるだけでなく、出版社や大学、助成団体などが活動実績を証明するデータを追加してくれるのです。例えばジャーナルへの投稿時に著者が ORCID を入力すると、論文がオンラインで出版された時に自動的に著者の ORCID レコードに書誌事項を追加してもらえます。また、大学が ORCID レコード上で教員の所属や大学院生の在学を証明することもでき、日本では京都大学や総合研究大学院大学などがこれを行なっています。国レベルで ORCID の普及に取り組む事例も増えていて、例えばポルトガルでは研究者がシステム入力に費やす 10 万時間が節約され、オーストラリアでは助成金の申請にかかる時間が平均 15 ～ 30 分短縮されたとの報告もあります。

モノを表す DOI と、ヒトを表す ORCID が普及するに従って、「組織を表す」識別子についても実現可能性が高まってきました。2019

年からパイロット運用が開始されたROR (Research Organization Registry) は研究組織に付与されるデジタル識別子で、まだ運営母体は定まっていませんが、学術コミュニティの有志により実装が進められています。

これらのPIDはどれも、それが指し示す中身についての情報を伝えるだけでなく、「機械可読 (machine-readable)」であるという特性を備えています。メタデータは人間が情報を整理して取り出しやすくするという重要な役割を果たしますが、一定のルールに従って付与されているPIDはシステムやデータベースにダイナミックに組み込まれて、機械が人間に代わってその対象（モノ・ヒト・組織）を正しく一意に同定し、自動処理が可能になるのです。PIDがつなぐ学術情報の未来では、これまで以上にメタデータが重要になると思われます。

参考：

Crossref. https://www.crossref.org/

Entertainment ID Registry Association. https://eidr.org/

ジャパンリンクセンター (JaLC). https://japanlinkcenter.org/

International DOI Foundation. https://www.doi.org/

ORCID, Inc. https://orcid.org/

ROR, Research Organization Registry. https://ror.org/

第12章

オープンアクセスの機会と課題

「オープンアクセス」とは何か？

オープンアクセス（OA=open access）とは、学術的なコンテンツに誰でも自由にアクセスできるようにすることです。この用語はしばしば「トールアクセス（toll access）[訳注42]」の反対語として用いられます。現在の学術コミュニケーションの主流はトールアクセスで、これはジャーナルやデータベースの購読や書籍の購入のように、お金を支払って学術出版物にアクセスすることです。学術出版が印刷媒体からオンラインのデジタル形式へと劇的に移行するにしたがって、オープンアクセスはこの15年あまり幅広い議論を呼んでいます。学術情報の多くがデジタル形式で製作・配布されるようになって、どこからでもアクセスできるように、というか少なくともインターネットに接続さえしていれば誰でも自由にアクセスできる

訳注42　他にサブスクリプション (subscription) やペイウォール (paywall) などの用語もありますが、特に学術出版におけるオープンアクセスの対語としては「トールアクセス」がよく用いられます。英語で toll は高速道路や橋などの「通行料金」を意味します。

ようになりました。印刷媒体には物理的にも金銭的にも限界があって、何十億という人々が同時に無料で冊子体の図書にアクセスすることは不可能でした。しかしネットワーク上のデジタル資料は明らかにそうではありません。複製してあっというまに簡単に世界中に配布することができ、しかもどれだけ複製しても追加コストはかからないのです（しかしここで気をつけなければならないのですが、インターネットは既存のドキュメントの複製と再配布についてはコストをほぼゼロにしましたが、元々のドキュメントを*作成*するためのコスト自体は依然としてそこにあるのです。これについては後述します）。

オープンアクセス運動は「コピーレフト」の運動にも関連していて、オープンアクセスを支持する人々はクリエイティブ・コモンズのライセンス（第５章を参照）の利用を勧めています。実際、オープンアクセスはいくつかの段階に分けて考えるとわかりやすくなります。例えばコンテンツを自由に*読む*ことができる、また*利用*することもできる、といった感じです。しかし、オープンアクセスを支持して実践している大勢の人々のあいだでも、再利用の権利については大きな意見の相違があります（これについては本章で後述します）。

これは極めて重要なポイントなのですが、オープンアクセスについてはまだ多くの点で論争が続いているということは肝に命じておくべきでしょう。その定義についても、また定義はどうあれ、どの程度のオープンアクセスが究極的な解決となるのか、どのように実現されるべきか、といった点で、全ての人が納得するような答えは出ていません。オープンアクセスを推進している人たちのあいだでも、またオープンアクセスについて懐疑的な人やそれに反対する人たちとのあいだでも、そうした疑問についてはさまざまな見解の相違があるのです。

「トールアクセス」の何がいけないのか？

しばしば侮蔑的な意味が込められる「トールアクセス」は、コンテンツにアクセスできるのはその料金を支払った人だけ、というものです。良くも悪くも、近現代の歴史の中ではこれが圧倒的に優勢な情報アクセスの仕組みでした。著者や出版社は、著作物を誰もが自由に読むことも、複製したり再配布したりすることも許可しないのがこれまでの慣習で、これはそうした著作が公的資金でサポートされている場合でも同じでした。本やジャーナル論文にアクセスしたかったら、その料金を自分で支払うか、代理でアクセスを提供してくれる図書館を利用するしかない、というのは数世紀にわたって受け入れられてきた常識でした。お金がなかったり図書館を利用することができない人々は、学術コンテンツにはアクセスすることができなかったのです。

このシステムの欠点は簡単にわかるでしょう。何かに値段がついている時、それが欲しくても手に入らない人たちは、それナシで過ごすしかありません。値段が高ければ高いほど、それにアクセスできる人の数は少なくなっていきます。スキー休暇に行くとか犯罪小説を読むとかいった贅沢品や生活必需品でないものであれば、実質的にそれは止むを得ないでしょう。しかし食料や清浄な空気、そして娯楽のためではない必要不可欠な情報などの場合は、これを正当化するのは難しくなります。

最初に言葉が記述された時からインターネットが出現したつい最近まで数千年も続いた印刷の時代には、学術情報への無料でユニバーサルなアクセスについて道徳的に訴えても説得力はありませんでした。理由は単純で、どれだけ理論上は望ましいとしても、そのようなアクセスは現実的には不可能だったからです。情報は常に物理的なモノとして記述され、その物理的なモノを作ったり運んだり、保存したり管理したりするにはお金がかかりました。ですから、分別がある人なら学術出版物を誰にでも無料で提供するなどということは考えなかったはずです。

しかし、印刷の時代が終わった今、学術資料の複製と再配布はほとんどお金をかけずに実現可能となりました。エッセイや論文を（無料の）ブログとして発信する場合、そこにドラッグ＆ドロップする手間以外には何の費用もかからないのです。インターネットに接続してさえいれば、何十億もの人々が費用を支払わずにそれを読んだりダウンロードしたりすることができ、再配信も可能です（もちろん、インターネット接続自体にはお金がかかりますし、オンラインコミュニケーションのシステムには他にも隠れたコストがいろいろとあるのは事実です。ただ、印刷の時代の情報発信のための費用と比べたら、オンラインの時代のそれは多くの人々にとってはほとんど無に等しいということです）。

情報発信のコストがほとんどかからない現在、学術情報を読んで利用したい人々にアクセスへの対価を強要することがどうして正当化できるのでしょうか？

注意深い読者ならお気付きかもしれませんが、上にあげた無料配布のシナリオは、エッセイや論文などの学術成果物が作成された後に発生するプロセスだけについて述べています。当然ながら、それらを作成する過程で生じるコストは厳然としてそこにあって、それは時に高額で、支払うのは常に製作者の側なのです。ですから「トールアクセスの何がいけないのか？」という質問には、「支払われる料金は著者の仕事に対する報酬であって、配布にかかる費用を賄うだけではないから、何も悪くない」という回答もあり得ます。著者による創作や科学研究が自費で賄われているなら、この回答は広く受け入れられるでしょう。しかし、もし一般市民がその全体なり一部なりを負担していたとしたらどうでしょうか？ 例えば、研究者が政府から助成金を得て行なっている研究や、公立大学に勤務する文学部の教授が仕事の一環で学術的なエッセイを書いているというような場合はこれにあたるでしょう。そうした場合、一般市民が成果物にアクセスしようとしたら課金するというのは筋が通っているでしょうか？

この点が、問題がややこしくなって意見が分かれるところなのです。「国民には公的資金の援助を受けている研究の成果を読む権利がある」というのは当然のことで、それを否定する人はほとんどいないでしょう。しかしこの単純で明快なステートメントの裏には、複雑な矛盾があるのです。国民は対価を支払ったもの自体（つまり、単に公的な資金援助を受けた学術成果の報告）には大抵興味がなくて、より洗練され吟味されたバージョン、つまり著者でも一般大衆でもない誰かが付加価値を与えたバージョンにこそアクセスしたいのです。この付加価値は一般的に出版社が与えるもので、査読や品質の保証、編集上の吟味、整った体裁、正確で信頼性の高いメタデータ、信頼できる保存環境、参考文献やデータへのリンクの作成とそのメンテナンス、想定読者への最終版のマーケティング、などが含まれます。トールアクセスのモデルを擁護する人たちは、もし読者がそのような付加価値のあるサービスを望むのであれば、出版社がそこにかけているコストを回収するのは理にかなっている、と主張するのです。

さらにこの問題を複雑にしているのは、一般大衆だけではなく、著者自身もまたそうした付加価値を望んでいるという事実です。著者にとって定評のあるところから正式に出版することは、職業上の安定と昇進のための必要条件だからです。

しかし、この問題はさらに複雑になります。出版社が提供する付加価値サービスの多くは、実際には出版社ではなく、研究者や科学者の中から選ばれた無給のボランティアによって提供されているのです。つまり、査読付きの学術ジャーナルを制作する費用の全部を出版社が負担しているわけではありません。掲載されている論文の著者は出版社からお金をもらいませんし、出版前に投稿原稿の査読をしている研究者に対して出版社から報酬が支払われることもほとんどありません。ジャーナルの編集者ですら、いつもそうとは限りませんが、無報酬で仕事をしていることが多いのです。

なぜ著者や編集者、査読者たちはそのようにお金ももらわずに仕事をするのでしょうか？　理由の一つには、そのような仕事が学者としての職務の要だと考えられているからです。言い換えれば、無報酬で仕事をしているというよりは、それをしていることで他から給料を得ているのです。また著者にとっては、権威あるジャーナルへの論文発表はキャリアにおいて具体的にプラスとなります。大学では、定評あるところから出版することは職の安定に欠かせないのです。編集者や査読者の仕事もまた、キャリア上の利点がありますし（テニュア職に就いたら大学の中だけでなく、自分が関わる分野に対する貢献を示す必要があります）、専門家としての威信にもつながります。

コンテンツや査読、そして編集サービスでさえも出版社が費用を負担していないということは、トールアクセスというシステムを擁護する上で致命的な弱点となるのでしょうか？ その答えは立場によって違うでしょう。出版社は全てのプロセスを管理するために必要な膨大なコストについて指摘するでしょう。ジャーナル出版には目に見えないコストがたくさんありますが、その一つが論文をリジェクトするコストで、これはどこか他のところから補填するしかありません。トールアクセスに断固として反対する人たちは、プロセスはもっと効率化できるはずで、従来のような出版社は必要ないと主張するでしょう。必要なのは正式な出版に関わる全ての業務を学術界の内側で集約する新しいシステムであって、研究者としてすでに給与を得ている人たちはそこから仕事を引き受ければ、その結果出版されたものは課金せずに提供することができるようになる、というわけです。

学術情報へのアクセスに関する全ての問題や論争、解決策についてこの章で論じることは、いや、本書全体を費やしても不可能でしょう。ただ、多岐にわたる問題点とその複雑さについて、少しでも理解していただけるよう願っています。

オープンアクセスの正式な定義はあるのか？

端的に言えば答えはノーですが、正確に応えようとするとかなり複雑になります。最も広く受け入れられているオープンアクセスの定義は、2002年にブダペスト・オープンアクセス運動で制定されたものです[1]。

> [査読済みの研究文献への]「オープンアクセス」とは、それらの文献がインターネット上で公開されて無料で利用可能で、閲覧、ダウンロード、複製、配布、印刷、検索、論文フルテキストへの

リンク、インデキシングのためのクローリング、データとしてソフトウェアへの取り込み、その他合法的な目的で利用することが誰にでも許されていて、インターネット自体へのアクセス以外の金銭的、法的あるいは技術的な障壁がないことを意味する。複製や配布の際の唯一の制約、そして著作権が果たすべき唯一の役割は、著作の同一性保持についてのコントロールと、適切な謝辞や引用を受ける権利を著者に保証することである。

この定義が広く受け入れられているといっても、全く議論の余地がないわけではありません。注意深い読者はお気付きでしょうが、この定義には査読済みの研究文献のみに適用されるという前提があります。あらゆる分野の全ての学術成果が対象ではありませんが、人文学でもここ数年オープンアクセスは拡大しています[2]。オープンアクセスの擁護者であっても、無制限に再利用できる権利が必須要素だと主張する人ばかりではありませんし、また「著作権が果たすべき唯一の役割は、著作の同一性保持についてのコントロールと、適切に謝辞や引用を受ける権利を著者に保証することである」という点についても反対する人はいます[3]。これらの点については、この章の後半でもう少し詳しく考察します。

「オープンアクセス」と「パブリックアクセス」の違いは何か？

オープンアクセスは無制限に再利用できる権利を与える、ということに誰もが同意するわけではありませんが、この定義を支持する人は大抵、オープンアクセス（著作権者が排他的に有する権利を全て一般に開放すること）と、無料だが著作権を放棄しないアクセス、つまり「パブリックアクセス」を明確に区別します。

この区別を特に顕著に示しているのは、「公的助成研究成果へのパブリックアクセスの拡大」[4]と題して発表された米国の科学技術政策局による覚書です。この覚書は、少なくとも年間1億ドルの研究助成を行う全ての米国政府機関に対して、「合衆国政府によって助成された研究の成果について、パブリックアクセスの拡大に向けた計画を策定する」ように指示しています。覚書はオープンアクセスではなくパブリックアクセスという用語を用いて慎重に書かれていて、義務付けられているのは著作権者の特権を一般に開放することではなく、研究成果へのアクセスと再配布を可能にすることだけです。

この政策上の指針と関連して、政府機関や政府職員が職務として製作したドキュメントには著作権が発生せずに直ちにパブリックドメインに属するのですが、政府が助成する研究に従事する研究者や、公立大学で働く研究者が書いたドキュメントにはこれが当てはまらないことには注意が必要です。著作権上の目的では、政府が助成する学術研究から生じた出版物は「政府刊行物」とはなりません。もしそうだとしたら、政府が助成する研究の成果は全て自動的にパブリックドメインに属することになってしまいますから、そもそもこの覚書を出す必要もないのです。

グリーン、ゴールド、プラチナ、ハイブリッドOAとは何を意味するのか？

これらの用語は、オープンアクセスで出版物を無料提供するためにどうやってそのコストを回収するか（場合によっては利益を確保するのか）というビジネスモデルに関連しています。

「グリーン」モデルは既存の出版形態に上乗せして機能することを目的としています。このモデルでは、著者は論文を書いてこれまでどおり従来型のジャーナルに投稿するのですが、同時にその論文のコピーを機関リポジトリ（これについては後述）にも保存して、誰でも無料で利用できるようにします。いつもそうとは限りませんが、保存されるバージョンは出版される最終版ではなくて、著者最終稿であることが多いです。また、このような形で提供される論文にはエンバーゴが設けられ（つまりアクセスが制限されて）、一定の期間が過ぎてから自由にアクセスできるようになる場合が多いのですが、これは通常、無料アクセスが提供される前に出版社に売り上げがあるようにとの配慮です（エンバーゴがなぜ適用されるのか、その仕組みなどについては後述します）。

「ゴールド」モデルではエンバーゴ期間を設けることなく、出版された論文の最終版が無料で公開されます。この場合、出版社のコストは何らかの組織からの交付金だったり、著者に対して論文掲載料（APC = article processing charge）を請求したりして賄われます。これによって、出版社はコンテンツへのアクセスに対して課金せずに無料で公開しても、コストを回収することができるようになるわけです。一般的に、ゴールドOAは著者による費用負担であると理解されていて、論文を投稿する著者に課される論文掲載料が出版社の売り上げとなります。（常にそうとは限りませんが）大抵これは助成金によって賄われます。これは多くのゴールドOA論文に当てはまりますが、多くのゴールドOAジャーナルが採用している方法ではありません（ご心配なく、後でちゃんと説明します）。

「プラチナ」OAは最近使われるようになった用語で、著者に論文掲載料を課すことなく、組織による交付金や何らかの外部提供資金によって実現されるゴールドOAを区別するために使われるのが普通です。本書執筆時点ではこの用語はまだ定着しておらず、一貫性をもって使われているとは言えません[5]。

「ハイブリッド」モデルは、出版社が著者に対して、トールアクセスのジャーナル上にオープンアクセス論文を掲載するオプションを提供するものを指します。論文が受理された後、通常どおり購読者のみに提供されるのか、あるいは論文掲載料を支払って無料で読めるようにするのか、著者はいずれかを選択することができます。このアプローチによって、購読者でない人々から見ると無料と有料のコンテンツの寄せ集めとなっているジャーナルを指して「ハイブリッド」という用語が使われているのです。大抵そのようなジャーナルの目次ページでは、オープンアクセスの論文にはそれとわかる印が付いています。

ハイブリッドのモデルは論争を呼んでいて、それは主に「二重取り（double dipping）」の懸念があるからです。出版社はジャーナルの購読料を従来どおり受け取っているので、学術界では（そして特にオープンアクセス擁護者からは）ハイブリッドのジャーナル出版によって二重に課金、つまり著者には出版サービスに対して課金しつつ、購読者にもアクセスの対価を要求しているのではないかという疑念が生じています。オンライン出版の環境では、すでに述べたように組織の特性によって購読料が異なることもあって、ジャーナルには定価というものがなくなりつつあるため、さらに輪をかけて懸念が高まります。結果的に、ハイブリッドのジャーナルの価格が「二重取り」にあたるかどうかを判断するのはとても難しく、料金を支払う側にとっては疑いが深まる一方です。その疑いを晴らそうと努力する出版社もありますが、会社の経理を徹底的に透明化しない限り、完全にそれを払拭するのは不可能です。

オープンアクセスはSTMやHSSの分野によって違うのか？

STMとHSSでは出版事情や規範の違いがありますから（詳しくは第9章）驚くべきことでもありませんが、学術コミュニケーション一般の改革やオープンアクセスにまつわる問題についても多少の違いが見られます。

この違いはある程度、STMとHSSの分野を分け隔てる特性から生じるものです。つまり、STMの厳正な事実や実験に立脚するという志向性と、より解釈や推論に重きを置くHSSの違いです。STM分野の出版物は臨床所見や実験結果や理論的実証に基づいた事実報告をする傾向があります。アイディアがどのように表現されるかよりも、アイディアの事実としての妥当性の方が重要なのです。インフルエンザワクチンの効果を実証する実験報告や、長く解明されていない数学的命題を証明するようなジャーナル論文のインパクトや有効性は、文章の華麗さや著者の創造的な解釈によって決まるのではありません。極端に言えば、科学者は「いつ、これを発見した」と主張するためだけに出版するのです。

しかしHSS分野では、著者の解釈や、それがどのように表現されているかこそが、論文の根幹の部分であることが多いのです。ウォルト・ホイットマン[訳注43]の詩の新たな解釈について論じたり、社会科学的データに従来と異なる含意を見出したりする著者は、新たな発見について報告しているのではなく、ある程度反論の余地があるような議論を提示しているのです。そのような場合、その議論がど

訳注43　ウォルト・ホイットマン（Walter Whitman, 1819-1892）はアメリカの詩人、随筆家。

のように表現されているかというのは学問的に根幹となる重要な部分です。ですから人文学者が出版するのは主に、「このように信じる、あるいはこれについてこのような立場をとるに足る説得力のある理由はこうである」と提唱するためなのです。

これらの理由により（さらに他の理由、例えばSTM分野が公的研究資金の獲得で優位に立っていることなど）、オープンアクセス運動は人文系よりも科学分野においてはるかに進展しています。科学者は報告の先駆性を確保することに注力していて、その報告をど*のように表現する*かという点についてはそれほど厳密ではないのです。これに対して人文系の著者は、自分の著作がどのように配布され再利用されるかということについてある程度コントロールしたいと思っているようです。

もちろんどの分野の著者も、自分の考えをできるだけ多くの人々に伝えたいと思っています（というか少なくとも思っているようです）。ある発見をしたと主張する科学者はそれについて広く知ってもらいたいと思っているでしょうし（理由の一つとしては他の人からの反論に対する保険として）、文学作品の特定の解釈について論じる人文系の研究者はその論考を広めて他の人たちに影響を与えたいと思うでしょう。思春期前の非行に関するデータについて誤解があると考える社会科学者は、それについて論じて社会政策に影響を与えたいと考えるでしょう。このような理由で、オープンアクセスの擁護者はOAの価値提案、つまりできるだけ多くの読者を獲得して広く再利用され、その結果として影響力を高めるということが、全ての分野の研究者にとって魅力的なはずだと信じています。しかし研究者が出版する目的は単に配布することではないので、費用と利益のバランスはもっと複雑になります。結局のところ、*広く配布する*

というだけなら、現在の情報環境では誰でもほぼ無料で実現できるのですから。もし成果を一般に公開するのが目的ならば、無料のブログを開設して、そこに臨床所見や学術的な論考を掲載すればよいのです。しかし第2章で考察したとおり、研究者は単なる配布サービスより多くのものを求めますし、職務上その必要があるのです。研究成果を同僚たちに真剣に受け止めてもらうためには、見識のある公平な第三者によって妥当なものだと認定してもらわなければなりません。全ての分野の研究者はそのような認定を重要視していて、圧倒的な数の著者が、購読料を支払っている人々にだけアクセスを限定するような出版物に彼らが投稿し続けているという事実は、できるだけ広く配布したいということよりもその認定の方がはるかに重要だという証しなのです。この原理はSTMでもHSSでも、多かれ少なかれ同じです。

グリーン、ゴールド、プラチナOAの相対的な利点と欠点は何か？

トールアクセスを含めどんな出版形態もそうですが、各種のオープンアクセスにも利点と欠点があります。

グリーンOAの利点は、学術コンテンツを無料で提供できること、また（エンバーゴが適用された場合には）限定的とはいえ出版社がアクセスを販売する期間が与えられることです（後者については必ずしもグリーンOAの利点だと思う人ばかりではないかもしれませんが、少なくともそう思う人はいます）。欠点は、しばしばコンテンツへのアクセスが遅れて提供されること、また無料で提供されるバージョンは最終版ではない場合が多いこと、また即時公開されたり最終版に近かったりすれば、購読モデルへの脅威となり得るということです（これも最後の点については必ずしも欠点だと思う人ばかりではありませんが、一部の人々はそう思っています）。

ゴールドOAの利点は、学術コンテンツの最終版が無料で遅滞なく提供されることでしょう。論文掲載料が支払われる場合、いちばん大きな欠点は著者が負担しなければならない費用です。そしてこの費用は高額で、時に数千ドルにもなります。助成金制度が充実している分野で研究している著者は、ゴールドOAジャーナルに成果を出版することを考えて、あらかじめ助成金申請の際に論文掲載料を計上することがよくあります。この場合、研究助成金が新しい研究自体ではなくてその成果の公開に流用されてしまうという点が、このモデルの最大の欠点となります。その結果、米国の国立衛生研究所や英国のウェルカム・トラストのように多額の予算を取り扱う助成機関では、数億ドルもの金額が新しい研究をするための費用から流用されてしまうことになります。

プラチナOAでは、ゴールドOAの利点を全て残した上で、新たな負担を著者に強いることがなく、また他の誰かが負担する必要もありません。プラチナOAの主な欠点といえば、機会費用[訳注44]です。もしある組織がOAジャーナルを助成している場合、その費用を使ってできたかもしれない他のことを諦めているはずです（しかし、組織が取り組むどんな活動にも同じことが言えるはずですから、これを単なる費用ではなくプラチナOAの「欠点」と位置付けるのはフェ

訳注44 機会費用 (opportunity cost) は経済学上の概念で、ある行為を選択した時に、それ以外の行為を選択していれば得られたはずの収益や価値のこと。潜在的に損失が発生していると見なして、それを「費用」と表現している。

アではないかもしれません。組織の活動には何でもお金がかかるもので、それはオープンアクセス出版についても当てはまります)。

「スポンサー付きジャーナル」とは何か？ハゲタカジャーナルのようなものか？

スポンサー付きジャーナル（sponsored journal）が詐欺であるかどうかは、そのスポンサーシップについてどの程度公明正大かにもよりますが、いずれにしても深刻な利益相反の疑いは免れません。例えば、もし薬学系のジャーナルが製薬会社による援助を受けていたら、スポンサーとしては自社の薬品が安全で効果的だとする研究を出版したいでしょう。逆に自社の薬品を危険で効果がないとする研究は隠蔽するかもしれません。これは明らかに、公平無私な科学の成果を出版するというジャーナルの利益と相反します。

公平無私な科学成果を発表していると称するジャーナルの刊行を企業が助成しつつ、実際にはその企業の製品を宣伝する、というのは突拍子もないアイディアで、許されないことだと思われるかもしれません。そのような行為は実際、学術出版の世界では受け入れ難いのですが、残念ながらそれほど珍しいことでもないのです。このような行為に手を染める企業は、その事実を普通は隠そうとしますし、長いあいだそれが発覚しないことも時にはあります。ただしそれが明るみに出た時には、科学コミュニティは大抵すぐに否定的な反応を見せます。例えば2009年には、製薬会社のメルクがElsevier社（非常に大きな科学ジャーナル出版社です）に対していくつもの「ジャーナル」を出版するよう資金提供していたことが明らかになりました。これらのジャーナルには、メルクの製品に肯定的な既出論文やそのまとめが掲載されていました[6]。Elsevierとメルクはブログや専門誌などで槍玉にあげられることになりましたが、それは当然でしょう。

公明正大で、学術コミュニティが受け入れられるような形で、企業がジャーナル出版を支援することは可能でしょうか？ 答えはおそらくノーか、あるいは少なくとも十分に吟味された上でのイエスでしょう。広告はスポンサーシップの方法として広く受け入れられているのですが、学術出版の文脈では論争の的となっています。また、出版すべき研究成果の吟味と製品の宣伝はそれぞれ、行き来のできない高い壁で隔てておくべきである、というのが学術コミュニティでの一般的な受け止め方です。営利企業が（あるいはそれが非営利だったとしても）公平無私な研究を発表するジャーナルと称するものを支援するのは、倫理的な観点からも危険なことでしょう。

「ハゲタカ」ジャーナル出版については、第13章で詳しく解説します。

OAメガジャーナルとは何か？

メガジャーナルは、オープンアクセスのコミュニティから生まれた巧妙な発明で、インターネットが可能にした規模の経済性を最大限に活用するためにデザインされています。敷居の高いジャーナルには掲載されないような論文の出版を奨励し、良質な学術成果を無料で最大限に提供しようとするものです。

従来型のジャーナル（トールアクセスにしろオープンアクセスにしろ）とは異なり、メガジャーナルは独創性がないとか、インパクトが弱いとか、新規性に欠けるとかいう理由では投稿論文をリジェクトしません。メガジャーナルの編集者や査読者は、方法論が堅実であるかどうかだけに注目します。つまり、研究デザインは綿密できちんとした実験方法に従っていると著者が明示しているか、そして報告されている結果は実験計画に見合うものかどうか、などです。もしそうであれば論文は受理されて、わざわざ時間をかけて読む価値があるかどうか、将来計画している研究に役立つかどうか、といった判断は読者に任せてしまうのです。

このモデルはあらゆる点でたいへん巧妙です。一つには、このモデルがなければなかなか出版されないような研究成果を出版するための道筋をつけたという点です。例えば、すでに報告された研究成果の妥当性について（追試を行って）調査しているような研究や、有効性が実証できなかった研究などです。どちらもたいへん重要なのですが、取捨選択をするジャーナルでそれらを発表しようとすれば、新しくてインパクトがあるような、あるいは論議を呼ぶような研究と同じだけの貴重な誌面や編集のためのリソースが必要です。メガジャーナルならスペースに限界はありませんし、論文掲載料を請求して掲載するのですから、そのようなことは問題になりません。このため、メガジャーナルは有用な研究にこれまでよりもずっと広く門戸を開くことになったのです。

メガジャーナルは、非常に大きな規模の経済性を利用した出版モデルで、毎年何千もの、時には何万もの論文を出版することからその名が付けられています。本章の前半で、ゴールド OA ジャーナルの多くは論文掲載料を要求しないけれど、毎年発表されるゴールド OA 論文の大部分は論文掲載料によって支えられている、と指摘しました。メガジャーナルの台頭が、このパラドクスを生んだのです。論文掲載料によって支えられているほんの少数のメガジャーナルが毎年何万もの論文を出版する一方で、それよりもはるかに多くのゴールド OA ジャーナルが論文掲載料を課すことなく少数の論文を掲載しているのです。そのようなわけで、大部分のゴールドOAジャーナルは論文掲載料に依存していませんが、論文レベルで見るとゴールドOA論文の大部分は論文掲載料によって支えられているのです。

OAメガジャーナルはほぼ必ず論文掲載料によって支えられているので、ビジネスの観点から考えるとこのモデルはたいへん魅力的です。第13章で解説しますが、論文掲載料による出版モデルは、論文のリジェクトよりも受理することに重きを置いていて、その仕組みは（タチの悪い輩の手にかかれば）学問という名を借りたゴミを出版することになりかねませんが、きちんとした学術成果を大量生産することもできるのです。

学位論文のオープンアクセスはどうなっているのか？

大学は一般的に、卒業論文や博士論文を図書館の蔵書の一部として保存しています。20世紀の研究図書館では、場所の確保に特にお金がかかるようになった（そして学位論文は比較的利用されなかった）ため、図書館はそれらをマイクロフィルムにするため業者に委託するようになりました。

インターネットの登場によって、学位論文をオンラインで保存する方がマイクロフィルム化するよりも費用対効果が高く好まれるようになり、また一般公開するのも簡単になりました。現在では、多くの研究機関が学位論文を電子媒体のみで管理しています。論文は電子媒体で提出され、処理され、オンラインで保存されるようになり、冊子体のコピーは保存の目的のためだけに、非公開の場所にしまいこまれるようになりました。

学位論文のオンライン化によって、アクセスが簡単になったり物理的な保存スペースの心配もなくなるなど、多くの問題が解決されましたが、新たに別の問題も生まれてきました。特に、一般に無料公開して検索と閲覧が容易になったということは明らかな利点である一方、それによる不都合も生じています。初めて出版する学術書が研究者としての重要な足がかりとなるような分野に従事する博士課程の学生たちにとっては、博士論文を無料で公開してしまったら、将来それを下敷きとして出版するつもりの学術書が売れなくなってしまうのではないかという懸念があるのです。

人文・社会科学系における初めての学術書の出版には、ある程度予測不能な部分があります。確かに学術書の出版は多くの人文系の分野で研究者として昇進の必須条件で、また多くの若い研究者が発表する最初の本は博士論文をベースにしていますが、その一方、定評ある出版社であれば博士論文を大幅に改訂せずに本として出版するなどあり得ません。本のプロポーザルが一般公開されている博士論文に基づいていることをどれだけ出版社が気にするのかは定かではなく、この曖昧さが熾烈な（しかもますます熾烈になりつつある）競争で有名な人文系研究者の世界に踏み入ろうとしている博士課程の学生に不安をもたらしているのです。この懸念に応えて、多くの大学が学位論文に2、3年のエンバーゴを設けて、学生が出版社に原稿を持ち込むまでのあいだ、オンライン版を非公開にすることを許しています。

もちろん、学術成果のオープンアクセス拡大を提唱する人々にとっては、こうした懸念は馬鹿げた被害妄想にすぎません。説得力のあるデータもないのに、本のプロポーザルがすでに公開された博士論文をベースにしているかどうか本当に出版社が問題にすると心配する必要などない、と彼らは思っているのです。このように対立する立場は時に表面化し、それもかなり劇的な様相を帯びることさえあります。例えば2013年に、アメリカ歴史学協会は公式声明を発表し、冊子体を図書館で一般公開してさえいれば、オンラインの博士論文に最長6年（普通は3年程度）のエンバーゴを設けることを許可するように各大学の歴史学科に呼びかけました[7]。この声明はオープンアクセスのコミュニティから大きな反発を受け、論争はいまだに続いています[8]。

機関リポジトリとは何か？

機関リポジトリ（IR=institutional repository）は通常、大学図書館によって管理されていて、主に二つの目的をもっています。

まず第一に、組織内で製作された学術資料を保存し管理するというアーカイブとしての機能があります。前述のとおり、大学図書館では学位論文を冊子体として図書館の棚に置いておくよりも（あるいはそれに加えて）、その電子版をリポジトリに保存することが一般的になりました。さらに、教員には学術ジャーナルに発表した論文のコピーを機関リポジトリに保存することが求められるようになり、図書館はそうした論文の保存と提供を長期にわたって保証しています。多くの機関リポジトリでは論文以外にも（演奏や芸術作品などの）ビデオや、学会でのポスター発表、研究データなどの研究成果物にもスペースが提供され、管理されています。

第二に、機関リポジトリは保存した資料の一般公開機能を担っていて、（必ずではありませんが）通常は制限を設けずにオープンアクセスとしています。機関リポジトリのプラットフォームには利用統計を提供するものもあって、機関リポジトリに収録されている資料がダウンロードされた回数だとか、世界のどこから利用されているかなどの情報を、図書館から著者に対して提供できるようになっています。図書館自体がプラチナOAジャーナルの出版母体として機能（これは第6章で解説しています）することも一般的になり、論文の保存および提供場所として機関リポジトリを利用しています。

ジャーナル論文の場合、機関リポジトリに登載されているものは最終版でないことが多いというのは重要な点です。リポジトリ上での最終版の公開を許可している出版社もありますが、多くは著者最終稿のみを対象としています。一方、助成対象となった研究の成果論文の最終版を直ちに、あるいは一定のエンバーゴ期間の後に公開することを義務化している助成団体もありますし、著者最終稿の保存のみでよい場合もあります（バージョンの問題と「最終版」の概念については、第2章で解説しています）。

本にもオープンアクセスがあるのか？

すでに述べたとおり、最も広く受け入れられているオープンアクセスの定義は査読付きジャーナルに適用されるものです。しかし、ジャーナル論文よりはむしろ書籍の方が学術業績の中核をなす人文系やその他の分野でも、著者や出版社が同様の原理でオープンアクセスの図書を出版してはいけないという理由はありません。実際、これはすでに数年前から起こっていて、本書の執筆中にも加速しているように思われます。

近年ではこれに関連して、注目すべきイニシアチブがいくつか見受けられます。その一つがKnowledge Unlatched（KU）で、出版社と助成団体、そして図書館の協調的なパートナーシップを推進するものです[9]。出版社が今後出版を予定する本について「掛け金を外す（unlatch）」と、参加している図書館が出版費用を支援するために一定の金額を保証し、十分な支援が集まれば本が出版されて、無料で（PDF形式で）その後ずっとアクセスできるようになります。より多くの図書館が参加すれば、一機関あたりのコスト負担は下がっていきます。つまり、ある図書館がある本の出版支援として40ドルを保証しても、もし他に十分な数の図書館が支援に加わったなら、最終的に支払う金額はそれより低くなるかもしれません（保証する金額は上限であって、図書館は最初に提示した金額以上の支払いを求められることはありません）。これはいわば無料で公開される電子ブックのためのクラウドファンディングのようなものです。冊子体や拡張版などについては有料で販売されることもありますが、基本的にはPDF版がオンライン上でオープンアクセスとして提供されることになります。

もう一つの重要なオープンアクセス書籍のプロジェクトとして、カリフォルニア大学出版局が運用しているLuminosと呼ばれるプログラムがあります[10]。このモデルでは、著者が本の出版費用の半分（出版局が試算する平均費用15,000ドルの半分、つまり7,500ドル）を負担し、残りの費用は出版局と、メンバーとして会費を支払っている図書館による負担に加えて、冊子体の売り上げから賄われます。このプログラムで出版される本の選定は、従来の出版モデルと全て同じ条件が適用されるというのは重要な点です。また、カリフォルニア大学出版局から図書を出版するために著者がLuminosプログラムに参加しなければならない、というわけではありません。

全く違うモデルを採用しているのがLever Pressで、これはミシガン大学とアマースト大学に加えて一般教養大学の図書館コンソーシアムであるOberlin Groupによる共同パートナシップから始まったイニシアチブです[11]。著者に課金したり外部から寄付を募ったりするのではなく、Lever Pressは全てのメンバー機関（主に図書館で、図書の購入予算の一部を拠出）から資金をプールして、オープンアクセスの学術書の出版を支援しています。結果的に出版される本はオープンアクセスとして提供されるのですが、これによって参加機関は高品質な学術コンテンツを無料で世界に提供でき、大学出版局を持たないような小さなカレッジも積極的に学術書を出版できるようになります。しかしLever Pressの場合、学術書の出版が究極の目的ではありません。プロジェクトの当初の段階では図書を念頭に置いていましたが、それ以外の新しいフォーマットや学術表現にも拡大することを目指しているようです。

図書の出版は、ジャーナル出版とはまた異なる課題に直面していますから、今後もこれらのようなプロジェクトが増えていくでしょうし、その形態や内容も多岐にわたるものとなるでしょう。

オープンアクセスは論文や図書以外の研究成果にも適用されるのか？

適用されます。特に近年注目を集めているのが研究データです。現在「オープンデータ」というトピックは活発な議論の中心となっていて、学術出版のオープンアクセスとは少し違った様相を見せています。これには多くの理由があります。

まず、これがとても重要なのですが、データには著作権が発生しないのが普通です。事実やアイディアには著作権を主張することはできず、それができるのは事実やアイディアを*表現した記録媒体*だけです。例えば、クマが哺乳類であるという事実については著作権が発生しませんが、クマがなぜ哺乳類にあたるのかを説明した記述については、著作権が認められます。この著者の著作権を侵害することなく、一般的な事実について誰かがあらためて説明を書くことは可能ですが、一言一句同じ説明を別の著作の中で繰り返した場合は著作権侵害となります（これは剽窃にもあたるでしょう。著作権と剽窃がどう関係するかについては、第5章を参照してください）。

しかしある特定の目的のために事実を寄せ集めた場合には（つまりデータセットやデータベースですが）、著作権の問題はもう少し複雑になってきます。個々について著作権が発生しないような事実やデータを集積したものであっても、作成にあたって相当の努力と経費を要する場合には、著作権法である程度の保護が認められています。ただしそのような規定は管轄裁判所によって異なります。1991年のFeist判決[訳注45]以来、創造性のない事実が編集されただけのもの（住人の名前でアルファベット順に並べられた電話番号など）について、米国では著作権による保護がほとんど認められていません[12]。他の国々では、事実を編纂したものについて多かれ少なかれ著作権法で保護することを認めていて、これは「sweat of the brow」法理として一般に知られている原則、つまり作成にあたって注がれた努力の度合いに応じてある程度の著作権を認めるというものです[13]。

データセットについて著作権法が曖昧だということもあって、オープンアクセスの支流では特に研究データを何らかのポリシーによっ

訳注45 広域を対象とした電話帳の制作を手がける出版社であったFeist Publicationsは、米国カンザス州北西部で公共事業として電話サービスを提供するRural Telephone Serviceが制作した電話帳の一部を無断で転載した。それ以前は「sweat of the brow」法理（本文参照）により電話帳には著作権があるとされており、初審と控訴審もそれを支持して原告のRuralが勝訴したが、1991年の最高裁判決ではこれが覆され、それ以降の米国著作権法の適用に大きな影響を与えた。

てオープンにするよう推奨することについて関心が高まっています。研究助成団体が助成対象となった研究の成果である出版物の無料公開を求めているように、その根拠となるデータについても無料公開することを求めるようになってきているのです。

研究データを無料で公開することは、単なる検証のみならず再利用を促すという点で、一般社会や学術界全体にとって少なくとも二つの大きな利点があります。まず、出版された研究報告の根拠データを検証できるようになって、著者がどのように結論にたどり着いたのかを他の研究者が理解する一助となります。これは有意義であるだけでなく、(おそらくもっと重要なのは) いい加減な、あるいは不正なデータの解釈を摘発するのに役立ちます。また、他の研究者によるデータの再利用にもつながって、追試をしたり、全く新しい研究に役立てることができるようになります。このように、潜在的な有用性は非常に大きいのです。

しかし、オープンデータの取り組みには、メリットだけでなく膨大なコストが生じます。分野にもよりますが、作成されるデータが非常に大きくて数テラバイトになることもありますから、純粋に保存するためのコストだけでも相当高額となります。保存容量の問題が解決されたとしても、その維持管理にはさらに膨大な設備や専門知識が必要となります。また、データをオープンにするには保存だけでは不十分で、検索してアクセスできるようにしておかなければ

訳注46　いわゆる検索キーワードのようなものですが、情報検索の専門用語としては、曖昧さを排除して検索の再現率向上を目的に設定される「統制語」を指します。例えば「PC」や「パソコン」は「パーソナルコンピュータ」というディスクリプタに集約されます。

なりません。検索するにはメタデータが必要で、検索エンジンや人々が情報を見つけられるようにコード化されたディスクリプタ[訳注46]を付与しておかなければなりません。そして（その存在が確認できたとして）データにアクセスできるようにしておくためには、サーバーやネットワークの継続的な管理も必要となります。データが増えれば増えるほど、スタッフの労働時間やネットワークの整合性の維持といった負担が増えていきます。出版物と同様に、データのオープン化は無料ではできませんし、決して安価でもないのです。ここで重要な疑問が生じます。誰が、どうやってそのお金を支払うのでしょうか。これは時間をかけて解決しなければならない問題で、その答えは状況によっても文脈（あるいは裁判管轄地域）によってもおそらく異なるでしょう。そして学術コミュニティがたどり着く解決策は、やはりどうしても論争が避けられないと予想されます。

全ての学問はオープンアクセスであるべきか？

これは学術コミュニケーションのエコシステムの中ではかなり物議を醸している問題です。オープンアクセスを支援する多くの人々から見れば、お金を払うことができないというだけで学術情報にアクセスできないのは、単にシステムが機能していないということです。この二元論的な考え方では、学術コミュニケーションの危機はあっても、価格の危機はないのです。金額の多寡にかかわらず、情報とそれにアクセスしたい人のあいだに費用の壁があるということが問題なのです。この観点から考えれば、その壁を完全に取り除くことこそがオープンアクセス運動のゴールとなります。他にも、オープンアクセスの擁護者の中には、非営利の学会が出版物に適正な価格を設定して、その売り上げを学術の進展のために使うのであれば問題ないと考える人々もいます。この考え方を支持する人々にとってのオープンアクセスは、学術出版物へのアクセスや再利用にかかる費用や制限を最小化することが目的であって、コストを完全に取り除くことではありません。なぜならそのような（適正範囲内の）コストを課すことは、学術の進展に役立つからです。

すでに述べたとおり、オープンアクセスは本質的に査読付きの科学出版物に特有なもので、それ以外の学術出版物はOAという枠組みから外れると考える人々もいます。この考え方を支持する人々は、人文系の分野の学術成果物は全く違うルールで取り扱うのが当然だと思っています。そうした出版物は大型の公的助成金の支援を受けることは稀で、そもそも解釈や創造性に由来するものが多いからです。

この最後のポイントは強調しておくべきでしょう。人文学や社会科学では、STM分野で広く推進されているオープンアクセスとは全く違うアプローチを適用すべきだと考える人々がいて、彼らの理屈では、STMで肝心なのは事実をどう表現するかではなくて事実そのものだから、ということです。例えば、公的助成金の支援を受けた研究者が特にマラリアに効果的な治療法を発見した場合、研究成果論文の根幹となるのはその研究者の表現能力ではなく、また出版物の目的も研究者による創造表現ではありません。一方、英文学の教授がT.S. エリオット[訳注47]の詩について全く新しい解釈を提起して、その解釈を提唱する本を出版した場合、独創的な解釈そのものや、

訳注47　トマス・スターンズ・エリオット (Thomas Stearns Eliot, 1888-1965) は、イギリスの詩人。

その解釈を表現する方法こそが学術的に重要な部分となります。この英文学の教授の著作を再利用に関する制限を設けずに無料で提供することは、マラリア研究者の発見について同じようにするのとはまた異なる意味合いがあります。両者は同じようなオープンアクセスとして提供されるべきでしょうか？

学術情報へのアクセスに関するその他の多くの疑問と同様に、オープンアクセスについてもまだしばらく論争は続きそうです。

日本におけるオープンアクセスの浸透

オープンアクセスは学術情報のデジタル化とインターネットの拡大を契機としてここ二十年余りのあいだに発展したものですから、学術コミュニケーション全体の中に位置付ければ、その歴史はまだ浅いものです。何をもってオープンアクセス運動の始まりとするかについては、1991年のarXivプレプリントサーバーの成立（第2章を参照）や、オープンアクセス提唱者として有名なハーナッド（Stevan Harnad）による1994年のセルフアーカイビングの提案を起源とする論説が多いようです。

セルフアーカイビング（self-archiving）は「著者が自ら保存する」という意味ですが、保存先としてはプレプリントサーバーや各分野の専門リポジトリ、そして大学や研究機関の図書館が運用する機関リポジトリなどが受け皿となっています。オープンアクセスの文脈においてはセルフアーカイビングはグリーンOAと同義で、「既存の出版形態に上乗せして機能」すると著者が述べているとおり、査読付きジャーナルに掲載される論文を（最終版ではなくとも内容がほぼ変わらない著者最終稿を）リポジトリなどで無料公開するというものです。論文を広く流通させるためには出版社による最終版（第2章のVersion of Recordについての解説を参照）という手段しかなかった印刷の時代から、誰でもインターネットに情報を公開できるようになったデジタルの時代に移行したことで、この選択肢が生まれたのです。ハーナッドの提案の日本語訳が2011年のデジタルリポジトリ連合のニュースレター上で紹介されていますが、一緒に掲載されている日本の大学図書館員による感想を読むと、これがどれほど画期的なアイディアであったかがうかがえます。

機関リポジトリはセルフアーカイビングの手段であるだけでなく、大学や研究機関が生み出す学術資料の保存・公開という重要な役割を担っています。千葉大学附属図書館が2005年に国内で最初の機関リポジトリの運用を開始して以降、日本では大学図書館が中心となって600以上の機関リポジトリが構築されています。セルフアーカイビングの進展には、手段としての機関リポジトリの充実だけではなく、その制度化や体制づくりも重要なポイントでした。欧米では2000年代に研究助成団体を中心に研究成果へのオープンアクセスの義務化が進められました。日本でも、第4期科学技術基本計画（2011-2015）の中で研究成果のオープンアクセス化が掲げられ、これを受けて文部科学省の審議会や日本の助成団体などがオープンアクセスへの取り組みに関する提言や具体策を示しました。また、図書館員を中心とするコミュニティでは機関リポジトリの構築や運営に関わる情報共有と人材の育成が活発に行われていて、日本では2006年に発足したデジタルリポジトリ連合と、2016年からその活動を受け継いだオープンアクセスリポジトリ推進協会 (JPCOAR) が中心的な役割を果たしています。

ハーナッドの提案には subversive という形容詞がついています

が、これは支配的な体制の転覆や破壊、反体制的、といったことを意味します。彼が転覆を試みたのは購読ジャーナルやその出版社でしたが、グリーン OA によるセルフアーカイビングの進展はそれらを壊滅するには至りませんでした。出版社は、それまで購読者や図書館が負担していた料金を「論文掲載料」として著者に課すという新たなビジネスモデルを作り出したのです。これが本章でも解説されているゴールド OA やハイブリッド OA です。科学技術・学術政策研究所の調査によれば、日本の研究者の約半数は論文掲載料の支払い経験があり、助成金を多く受け取っている研究者ほどその割合は大きくなっています。本章で著者が述べているゴールド OA の欠点、つまり研究助成金が研究自体ではなくてその成果公開のために流用されてしまうという現象が、日本でも生じていることがわかります。

本章では取り上げられていませんが、ブロンズ OA というモデルもあって、日本はその割合が非常に大きいという特徴があります。ブロンズ OA は「明確なライセンスは示されていないが、出版社のサイト上で無料でアクセスできる」というものです。単に無料でアクセスできるもの (Gratis OA) と、クリエイティブ・コモンズなどのライセンスの明示によって二次利用の許諾を含めたもの (Libre OA) を区別してオープンアクセスを論じることもあるのですが、ブロンズ OA は Gratis OA の一種だと言えます。第 4 章の章末コラムで、日本の学会誌の多くが登載されている J-STAGE について触れましたが、その 8 割程度がこのブロンズ OA に該当します。無料で読めるのだからブロンズでもゴールドでもいいのでは、と感じる方も多いかもしれませんが、きちんとしたライセンス表示がない場合、他の問題が生じることもあります。これについては次章の章末コラムで解説したいと思います。

参考：

栗山 正光 . 2010. オープンアクセス関連文献レビュー：「破壊的提案」から最近の議論まで . 情報の科学と技術 . 60(4):138–143. https://doi.org/10.18919/jkg.60.4_138

尾城孝一 , 市古みどり . 2018. オープンアクセスの現在地とその先にあるもの . 大学図書館研究 . 109:2014. https://doi.org/10.20722/jcul.2014

デジタルリポジトリ連合 . 2011. 特集 2 Steven Harnad (1994) The Subversive Proposal. 月刊 DRF. 20:3-4. http://hdl.handle.net/2115/73505

国立情報学研究所 学術機関リポジトリ構築連携支援事業 . 機関リポジトリ一覧 . https://www.nii.ac.jp/irp/list/

オープンアクセスリポジトリ推進協会 (JPCOAR). https://jpcoar.repo.nii.ac.jp/

文部科学省 科学技術・学術政策研究所 . 2021. 科学技術の状況に係る総合的意識調査 (NISTEP 定点調査 2020). NISTEP Report 189. https://doi.org/10.15108/nr189

西岡千文 , 佐藤翔 . 2021. Unpaywall を利用した日本におけるオープンアクセス状況の調査 . 情報知識学会誌 . 31(1):31–50. https://doi.org/10.2964/jsik_2021_016

林和弘 . 2019. 日本の学術電子ジャーナルの現状・課題とオープンサイエンスの進展を踏まえた展望 . 情報の科学と技術 . 69(11):492–496. https://doi.org/10.18919/jkg.69.11_492

第13章

学術コミュニケーションにおける課題と論争

「シリアルズ・クライシス」とは何か？

過去数十年にわたって、図書館員やその他の学術コミュニケーションのエコシステムの住人は、（特にSTM分野の）学術ジャーナルの毎年の値上げ幅が図書館の予算の伸びを追い越していることについて、警鐘を鳴らしてきました。学術ジャーナルの価格は毎年5%から6%程度値上げされるのが普通で、科学系のジャーナルの平均価格の方が高い傾向がある一方、人文系のタイトルは値上げ幅も少し抑え気味で、また査読の有無によっても大きな差があります[1]。

こうした価格の力学が与える影響は、近年とても複雑になっています。出版されるジャーナルの爆発的増加と、出版社によるジャーナルの一括販売（ビッグディールと呼ばれていますが、これについては後述します）によって、ジャーナルあたりの購読単価は下がっているにもかかわらず、図書館が実際にジャーナル購入に充てる総額は増えているからです[2]。この厄介な事態が、シリアルズ・クライシス[訳注48（次ページ）]と呼ばれる現実とその深刻さにつながっているのです。実際には一論文あたりの価格は以前図書館が支払っていた金額よりも下がっていて、図書館の予算が切迫しているのは単価の上昇よりはむしろ研究成果発表の爆発的な増加のせいだと主張する人もいます[3]。一論文あたりの単価は上がっていなくても、図書館は論文を（ジャーナル単位でもパッケージ単位でも）一括購入するべきだというプレッシャーは大きくなる一方で、そうした一括購入の価格こそが上昇し続けているのだ、という図書館側からの指摘もあります[4]。

その他にも、図書館予算がジャーナル価格の上昇に追いつかない唯一の理由は、大学が図書館の予算を削減し続けているからだと主張する人々もいます[5]。また、すでに何十年も前からわかっていたこのような市場の状況を「危機」と呼ぶこと自体に否定的な人たちもいます。ただこの見解は、「危機」と呼ぼうが呼ぶまいが、図書館予算とジャーナル価格傾向のあいだに現実に（誰の目にも明らかに）存在する乖離をどうしたらよいのかについて、結局のところ何の回答も提示していません。

ジャーナル価格に関する論争を複雑にしているもう一つの要因として、オンライン環境ではジャーナルの価格は変わりやすく不透明だということが挙げられます。印刷の時代には、出版社はどのジャーナルにも単一の価格を付けるのが普通でした。*Journal of the American Medical Association* の図書館向けの購読価格は、その図

訳注 48 「シリアル（serial）」とは出版業や図書館で使われる用語で、逐次刊行物、つまり定期的に（不定期の場合もありますが）同じタイトルのもとに継続して発行される出版物を指します。例えば新聞や雑誌、年鑑などがこれにあたります。ですから、「シリアルズ・クライシス（serials crisis）」は直訳すると「逐次刊行物の危機」となるのですが、学術ジャーナルの価格高騰による危機という意味ですっかり定着していて、日本でもカタカナで表記されることが多いです。

書館が大規模な研究大学のものだろうが小規模な一般教養大学だろうが、同じだったのです。これは主に、出版社が物理的にジャーナルを印刷して発送する費用が、大きな研究大学でも小さな一般教養大学でも変わらない、という現実を反映しているものでした。また、ジャーナルのバックナンバーへのアクセスを継続的に提供するという役割も出版社には期待されておらず、それを保存して提供し続けるのは図書館の仕事だったのです。

しかしジャーナルのコンテンツがオンラインに移行した結果、極めて重要な二つの変化が起こりました。大学によって大きく異なるユーザー数に対して出版社はオンラインアクセスを提供しなければならなくなったこと、またその購読コンテンツへの継続的なアクセスを管理し提供するのは（図書館ではなく）出版社の役割となり、ジャーナルのバックナンバーを保存するためのサーバーを購入して管理しなければならなくなったことです。資料の保存管理とオンラインアクセスの提供によって、出版社には確実に新しいコストが発生したわけで、そのコストをジャーナル価格の値上げに反映するのは当然でした。大学のユーザー数が多いか少ないかによって価格を変えることについては、もう少し異論があるかもしれません。しかし、オンラインアクセスを販売するようになったために、出版社は制作経費を反映するよりはむしろジャーナル自体の価値を考えて価格の設定ができるようになりました。これら全ての要因が重なって、オンラインジャーナルには定価というものがほとんどなくなってしまったのです。その代わり、購読を検討している図書館は出版社に見積もりを依頼し、それに対して出版社は図書館の予算に照らしてどのくらいなら支払ってもらえそうか、学生数はどのくらいか、また研究と教育のニーズは、といったことを主に考慮しつつ、カスタム価格を設定するようになったというわけです。

シリアルズ・クライシスの現実やその意味するところ、将来の展望などについては、今後も激しい論争が続くでしょう。このトピックを取り巻く疑問については、図書館が相当な数のジャーナル購読をキャンセルし始めた時になって、ようやくまともな答えが出てくることでしょう。これはすでに予測された結末であるにも関わらずまだ現実に起こっていません[訳注49]。少なくともその理由の一部は、図書館が図書購入予算をジャーナル購読の維持に振り分けているからです（これについては次に解説します）が、絶対に避けられない結末であることは確かです。

なぜ図書館は本を買わなくなっているのか？

ジャーナル価格と図書館予算の乖離ほどには注目を集めていないのですが、「シリアルズ・クライシス」のもう一つの側面として、学術コミュニケーションの世界に驚愕をもたらした問題があります。その反動として生じた図書館の学術書購入予算の減額です。2016年初頭に報告されたProQuest社の調査から、図書館における図書購入について主に二つの傾向が明らかとなりました。まず、値上がりし続けるジャーナル購読費に予算を振り分けるために学術書の購入予算が削減されていること、そして残りの図書購入費の中で（冊子体ではなく）電子ブックが占める割合が増加していることです[6]。

訳注49　本書の原著は2018年8月の刊行ですが、その後、大学図書館や図書館コンソーシアムが中心となって、ビッグディールからの転換を目指す新たな契約モデルが模索されています。これについては章末のコラムで解説しています。

この傾向には、少なくとも二つの要因が関連しています。

第一に、個々の本というのは大抵ジャーナルやデータベースの購読よりもはるかに安いので、利用者からの図書の購入リクエストの方がずっと受け入れやすいということがあります。ほとんどの大学図書館では、どんなに予算が限られていたとしても、「この75ドルの本を購入してもらえませんか」と利用者に言われたら、回答はほぼ自動的に「承知しました」となるでしょう。これに対して、ほとんどの大学図書館では（予算が潤沢なところでさえ）、「この年間800ドルのジャーナルを購読してもらえませんか」と利用者に言われたら、「検討しますのでお待ちください」となるでしょう。極端に予算が限られている場合には、利用者からの要望がない限り、図書を全く購入しないという図書館すらあるかもしれません（これを制度化したものが、第6章で解説した利用者主導のオンデマンドの図書購入モデルです）。一見したところでは、ジャーナル購読費用が上昇する中で、比較的受け入れられやすい図書の購入の方が増えそうにも思われますが、実際には図書館が将来を見越して本の購入を控え、代わりに利用者から要求されるのを待つようになってきているのです。

第二には、そしてこれが論争を呼んでいる点なのですが、図書はジャーナルのコンテンツよりもはるかに利用頻度が低いということで、特にこれは学術書において顕著な傾向です。ジャーナルの利用が増えているというだけではなく、研究図書館での本の稼働率は過去20年くらいにわたり絶対的に下がってきているのです[7]。どこでもそうだというわけではなく、（数は多くありませんが）一部の研究図書館ではこの傾向は見られませんし、一般教養大学や総合大学などでも現実はもっと複雑なのですが、そもそもこの事態は不安を掻き立てるものですから余計に物議を醸しています。図書館員は学生が図書を使わなくなったとは思いたくありませんし、図書館員も研究者も本の利用が減っていることが大学出版局の将来や専門領域で執筆を続けなければならない著者の今後に影響を及ぼすのではないかと心配しています。それでもこの傾向は不可避であって、この流れを止めるには何ができるのか、どうすべきなのかは明らかではありません。

「ビッグ・ディール」とは何で、なぜそれが一大事なのか？

ジャーナル出版はまだ冊子体からオンラインに完全に移行したわけではなく、また将来そうなることもないでしょう。しかし、すでに学術ジャーナル出版は圧倒的にオンライン産業となっていて、この変化は編集のプロセスやアクセス形態など、広範囲にわたる影響をもたらしています。そのうちもっとも破壊的だったのが、出版社によるジャーナル一括販売の出現で、これは（しばしば嘲笑的に）ビッグ・ディール[訳注50]と呼ばれています。

典型的なビッグ・ディールの仕組みでは、出版社が図書館に対して以下のようにアプローチします。出版社が100誌のジャーナルを発行していて、それぞれを図書館が個別に購読した場合の合計額が10万ドルだったとしましょう。そして図書館はそのうち40誌を実際に契約していて、年間4万ドルを支払っているとします。出版社

訳注50　Big dealは直訳すると「大口の取引」ですが、口語ではむしろ「一大事」とか「重要事案」といった意味で一般的に使われます。この用語は、ジャーナルの一括販売が高額であることと、それが学術コミュニティにとっての一大事であることの両方を示唆しています。

は（ほとんどコストをかけずに全てのオンラインジャーナルへのアクセスをこの図書館の利用者に提供できるとわかっているので）とても有利な提案として、例えばたった2万ドルの追加で100誌全てにアクセスできると図書館に持ちかけます。この提案が受け入れられれば、図書館は年間6万ドルを支払って10万ドル分のジャーナルにアクセスできることになります。

よくあることですが、そんなにうまい話はありません。もし図書館がこの提案を受け入れる場合、もともと購読していたジャーナルをキャンセルしないという条件に同意しなければなりません。そうすれば2万ドルを追加するだけで100誌全てにアクセスできるようになるというわけです。このような契約を結ぶことで図書館は相当な恩恵を受ける（つまりジャーナルの単価を抑えて多くの新しいジャーナルにアクセスできる）わけですが、同時にそれはかなり制約のある（つまり出版社が提供するジャーナルの中から取捨選択したり、支払う金額を減額できない）契約でもあるのです。さらに厄介なのは、ビッグ・ディールで支払う金額はその提案の時点ですでに支払っていた金額に大きく左右される点です。つまり別の図書館がこの出版社が提供する100誌のうち10誌だけを購読していたとすると、40誌をすでに購読していた図書館よりもずっと大きな恩恵をビッグ・ディールによって受けることになります。でもこれが本当にそうなのかどうか確認することは難しいのです。というのも、そのような一括販売の価格はいつも決まって秘密保持契約によって守られているからです。

「ビッグ・ディール」という用語は「図書館のジレンマ：ビッグ・ディールのコストについて考える」[8]という論文を書いたケネス・フレージャーによって考案されました。その中でフレージャーは、「それぞれは合理だと考えられる行動でも、利己的な目的に照らせばより悪い状況を招いてしまう」という囚人のジレンマ[訳注51]が作り出す状況に例えて、このモデルに関する多くの問題点を指摘しています。ビッグ・ディールは非常に魅力的ですし、多くの場合、短期的に考えれば論文の単価という点ではたいへん有利です。しかし、特定の出版社が提供するコンテンツの毎年の値上がりに拘束され、次第に図書館はより多くの予算をその出版社につぎ込む結果となり、他のもの（例えば図書など）に回せるお金が減っていくという状況に追い込まれてしまいます。

ビッグ・ディールについて図書館が懸念すべき理由はそれ以外にもあります。まず、図書館がジャーナルの購読をキャンセルしづらくなれば、出版社がそのジャーナルの品質を維持しようとするインセンティブは低くなります。そして、より多くの顧客がビッグ・ディールに拘束されればされるほど、この問題は大きくなるのです。さらに、出版社が新たに質の悪いジャーナルを創刊してジャーナルのリストを水増しし、ビッグ・ディールを実際よりも大きくて買い得であるかのように見せかけている、と懸念する図書館員もいます。ただ、

訳注51　「囚人のジレンマ（Prisoner's dilemma）」はゲーム理論の一つで、1950年にカナダの数学者アルバート・タッカー（Albert William Tucker, 1905-1995）が考案した。タッカーが次のような例えを用いて説明したため、この名がついた。共犯者の二人に対して別々に取り調べを行う際、「一人が自白すれば無罪放免、もう一人は厳罰」「二人とも自白すれば二人とも求刑どおり有罪」「二人とも黙秘すれば有罪だが、証拠不十分となり二人とも減刑」という三つの選択肢が与えられた時、それぞれが利己的に振舞った（無罪を求めて自白した）場合、協力した（黙秘して減刑される）場合よりもかえって悪い状況に陥ってしまう、というジレンマ。

この仮説は証明するのは難しいのですが。

そしてこれこそがビッグ・ディールの big deal（一大事）たる所以なのです。図書館にとっても出版社にとっても、これは大きな賭けです。ビッグ・ディールの支払いが年間数十万ドルにも上る研究図書館もあり、規模が大きく資金が潤沢な大学ではさらに高額となります。そのように高額な支払いが容赦なく毎年値上がりすれば、ほとんどの場合、図書館の毎年の予算の伸び率をはるかに超えてしまいます。つまり、図書館はビッグ・ディールの支払いを続けるために、毎年何か他の購入を控えなければなりません。ビッグ・ディールへの支払いを減らすためには、全部をキャンセルする以外に方法がないのです。そして多くの場合、長年提供されているジャーナルへのアクセスに依存してきた教員や学生にとって、それはひどい苦痛となるでしょう。図書館がビッグ・ディールを解消して最もよく利用されているジャーナルだけを購読することを選んだとしても、場合によってはビッグ・ディールを支払い続ける以上の出費となるのです。このジレンマには多くの図書館員が（出版社でさえも）困惑し、眠れない夜を過ごしています。現在の学術コミュニケーションのシステムをひっくり返して何か途方もない改革をしない限り、この問題にどのような解決策があるのかはわかりません。そのような可能性については最後の章で検討することにしましょう。

冊子体と電子ブック、どちらが良いのか？

当然ながら、この質問の答えは単純ではありません。「それは状況次第だ」というしかありませんが、その状況というのも立場によって異なります。読者として、出版社として、あるいは図書館や研究者として、本というものにどんな役割を期待するのかによるでしょう。電子ブックと冊子体の本の長所と短所について、それぞれの立場から考えてみましょう。

出版社

出版社は冊子体の本についてたくさんの深刻な課題を抱えています。まず、物理的に本というものには印刷部数が決められていて、出版社はどのくらいの売れ行きがあるかを予想して、それに近い部数を印刷するのですが、大抵この数字は間違っています。最初の部数が売り切れになってしまうとか（そうすると出版社は増刷するかどうか決めなければなりません）、あるいは全然売れないとか（その場合出版社は在庫を抱えることになり、廃棄したりディスカウントして売ったりしなければなりません）。さらに印刷コストや保管場所、配送料などの経費も問題となります。

こうした問題は電子ブックにはありません。部数を決めて印刷する必要はありませんし、配送料や物理的な保管コストもかかりません。しかし、電子ブックならではの課題というのはあります。まず、電子ブックには決まった形式がないので、多くの選択肢の中からどうやって電子ブック製品を世に出すのか、出版社は難しい決断を迫られます。また、電子ブックを制作するためには全く新しいスキルやこれまでとは違う資本設備が必要で、それらを全て揃えるにも、それを維持していくにも費用がかかります。しかも一方では冊子体の書籍の提供も続けていかなければなりません。保存と管理についても課題はたくさんあって、電子ブックの世界では出版社が責任を負わなければなりませんし、他のところ、とりわけ図書館でも、それができるように配慮しなければなりません。

図書館

たくさんの電子ブックを購入し始めてはいるのですが、どちらかというと図書館は出版社以上に態度を決めかねています。そもそも何世紀ものあいだ、図書館員という職業は冊子体の本の管理人と見なされ、図書館の建物もその目的のために設計されてきました。つまり図書館では冊子体からオンライン資料への移行にあたって、日常業務のレベルでも、より深遠な職業上の目的という点でも、大きな見直しが迫られたのです。また、電子ブックは一回限りの購入というよりもむしろ購読契約ですから、図書館に特別な課題を与えることになりました。図書館が電子ブックを「購入」する場合、大抵はどこか他の場所に維持管理されているコンテンツへのほぼ永続的なアクセス権を購入するということであって、それは図書館が自館で管理できる物理的なモノや電子ファイルではないのです。その一方、電子ブックによって図書館は従来不可能だったサービスを提供できるようになりました。利用者がどこにいても提供できるとか、一冊の本を同時に複数の利用者が読めるとか、全文テキストを検索できるといったことは、印刷物の時代にはどれも不可能だったのです。図書館は電子ブックを一括して大量購入することもできるので、一冊あたりの価格としては非常に買い得である一方、そのような一括購入には必要なものだけでなくほぼ必ず不要なものも入っていますから非効率でもあるわけです。電子ブックはまたオンデマンドの資料購入（この概念については第6章で解説しました）も可能としましたが、これについては図書館員のあいだでも賛否が分かれています。

研究者

ここでいう「研究者」とは、最初から最後まで本を読み通すよりも、本の中身についてあれこれ調べる必要がある人を指します。この後に述べる「読者」とは異なり、研究者は本文の中に散在する個々の情報の断片を探しているので、没頭するとか通読するという読書体験よりはむしろ、本をデータベースのように取り扱おうとします(読書することと調査することは互いに矛盾するものではなく、どちらも有効で価値のある本の利用法ですが、時と場合によってはいずれかのアプローチの方が適切だということです)。研究者にとっては、電子ブックは欠点よりも利点の方が多いでしょう。特に研究者にとっての電子ブックの利点は、「検索性」と「携帯性」の二点です。目的に適うほど細かくなかったり必要な概念を定義すらしていないような索引に頼らずに、単語やフレーズでテキスト全体を検索できるのですから、研究者にとっては多くの場合、これは大きな利点となります。どこからでもアクセスできるというのも非常に便利です。図書館を通してオンラインブックのコレクションにアクセスできる大学教員は、インターネット環境さえあれば世界のどこにいてもそれが利用できるのです。

読 者

一冊の本に没頭して通読したいという読者にとっては、電子ブックは厄介に絡み合った長所と短所の両方を持っています。電子ブックリーダーの技術発展によって、スクリーン上での読書体験は以前よりもずっと快適になりました。電子ブックの携帯性というのも重要な点で、キンドルは一冊の本ほど扱いやすくはないかもしれませんが、50 冊と比べたらはるかに手軽です。そのためキンドル（とその競合製品）は仕事で出張の多い人々や、クルージング船で旅する乗客、バスで通勤する人などにとってはたいへん便利なのです。通常、一般書の電子ブックは冊子体よりも価格が安く、自宅の本棚に場所もとりません。しかしその一方、多くの人々は印刷された本を読むことに本能的、身体的な喜びを感じるものです。製本の出来栄えや紙の匂い、ページをめくる行為というのは電子ブックにはありませんし、もちろん紙の本なら電池切れということもありません（暗いところで読むのはたいへんですが）。

これらの賛否両論は積み重なって複雑な現実を成していて、単純化することはできません。電子ブックも紙の本も少し居心地が悪いまま共存しているような状態ですが、読書であれ研究であれ、どちらもさまざまな人々の異なるニーズを満たしているのです。というわけで電子ブックは明らかに今後も必要とされますが、だからといって紙の本が近い将来に消えてしまうということはなさそうです。

なぜ査読は物議を醸しているのか？

第4章で解説したとおり、査読を経た出版物はほとんどの学問分野において学術成果の代表格となっています。査読付きのジャーナルに投稿された原稿は、編集者による吟味と校正だけではなく、著者と同じ分野の他の研究者たちによって妥当性と重要性、それから方法論や論証の質を綿密にチェックされ、そのまま出版してよいのか、手直しが必要なのか、あるいはリジェクトすべきなのか判定されます。著者が査読付きジャーナルに出版したいのは、そうすることで他の同僚たちに自分の論文の品質が認められたと示すことができ、また査読された出版物は大学教員という職を得てそれを続けていく上では欠かせないものだからです。

でも本当にそうでしょうか？　査読は実際に、その結果として出版される著作の品質を保証するのでしょうか？

もちろんその答えは、「場合によりけり」です。まず、厳しい査読をしているとうたっているジャーナル全てが本当にそうだとは限りません。査読をしているというのが全くの偽りというジャーナルはほんの一握りですが、査読プロセスの管理がいい加減で、原稿が何ヶ月も放っておかれるということはよくあります。引き受ける査読者の方も、厳正な審査を約束しておきながら実際にはざっと原稿に目を通すだけ、ということもあります。手を抜いたり全く査読をせずに誤魔化そうとして失敗するジャーナルや出版社もあります。残念ながら、故意にプロセスを偽っているようなところもあります（詐欺まがいのジャーナル出版の実態については後述します）。

以上の説明は全て学術ジャーナルの査読についてですが、すでに述べたとおり、学術書もまた出版前に査読を受けることがよくあります。

関連して、論文や学術書が質の高い学術業績であるとか科学的に信憑性があるとされるためには査読が必要なのか、という疑問もありますが、その答えは明らかにノーです。査読が研究者や読者に重んじられるのは、絶対に確実だからでも、それが唯一の手段だからでもありません。それは、査読が一般的にはうまく機能するからであって、少なくとも他の代替システムよりは優れていると信じられているからです。

学術出版物のインパクトを（仮に）はかるとしたらどうすれば良いのか？

ジャーナル論文の*質*だけでなく実際の*インパクト*をはかるという

考え方については、論争が激しくなってきています。

品質とインパクトの違いは重要なのでここで説明しておきましょう。*品質*というのは学術業績に内在する価値のことです。議論がしっかりしているか、きちんと書かれているか、研究方法は科学的に認められた規範に従っているか、結論はデータから導き出されているか、といったことです。品質の評価は通常、出版社の編集スタッフによって出版前に行われます。実際、査読者も含めて編集スタッフがそこにいる目的は、想定される読者に関わりの深い、良質な論文の提供を保証するためにほかなりません（もちろん関連性や対象領域というのは特に重要な条件です。どんなに優れたものだったとしても、比較言語学に関する学術論文が化学のジャーナルに掲載されることはないでしょう）。

*インパクト*は全く違うものです。ジャーナルのインパクトについてはかろうとするなら、同じ分野の中で他に出版されている論文や意見に影響を与えたかどうか、与えたとしたらどの程度か、ということを見極めようとするのです。出版物自体の品質は非常に高くても、実際のインパクトはほとんどない、ということもあり得ます（例えば、あまりに難解で誰も読まないようなことについて書かれている場合など）。

問題は、インパクトをはからなければいけないにもかかわらず、それが困難だということです。インパクトをはかるために提供されてきたツールが、個々の論文ではなくジャーナルに特化したものが多いという問題があります。インパクトファクターが付与されるのは論文ではなくて、ジャーナルなのです。この状況に変化をもたらそうとしているのがオルトメトリクスの潮流です。

インパクトをはかる上でもう一つ、上に述べたインパクトと品質の違いから生じる問題があって、それはインパクトが価値中立的だということです。本当にひどい論文がたくさん（全て馬鹿げた例として）引用されてものすごいインパクトがあったとしても、学問分野の発展には実質的に全く寄与しないのです。

インパクトをはかることについての問題や、その他の学術出版に関わる指標については、第10章で解説しています。

学術ジャーナルは広告を載せるのか？　そうすべきなのか？

多くの学術ジャーナルが広告を掲載せず、読者や図書館による（購読料という形での）費用負担によって支えられています。しかし、広告を掲載するジャーナルもたくさんあって、その分野は多岐にわたります。例えば、*Notes*（米国音楽図書館協会の季刊誌）は、各号の終わりに全頁または半頁の広告を掲載するセクションを設けています。広告主は誌上でレビューされている製品に関わる音楽出版社やメーカー、その他の企業などです。科学分野では、*Nature* や *British Medical Journal*、*Journal of Chemical Education* などが広告を掲載しています。

学術出版物では、掲載する論文の中で評価や報告の対象となっている製品を販売する企業から広告料を受け取る場合、利益相反をどのように回避しているのでしょうか？

どれだけ出版社が誠実にこれを達成しているかはさまざまです。

訳注52　政教分離原則（separation of church and state）は普通、国家において政府と宗教を分離するものですが、ジャーナリズムの世界でも本文に述べられたような文脈で、比喩的に同じ表現が使われているようです。

ジャーナリズムの世界では、一般に「政教分離原則[訳注52]」と呼ばれる長きにわたる伝統があります。そこでは、編集サイドは「教会」として何を出版するべきか決定してその内容について責任を持ち、広告サイドは「政府」としてどのような広告をいくらで掲載するのかを決定します。そして出版社の中でこの両サイドはお互いに独立して仕事をすることとなっていて、特に「政府」が「教会」に影響を与えることがないように細心の注意が配られています。例えば、ジャーナル編集者が喫煙による健康被害について実証する研究論文をレビューしている時に、広告担当者は多額の広告料を支払ってくれそうなタバコ企業のご機嫌をとるためにその論文を握りつぶすということはできません。

お気付きのように、これは過去においても現在でも不完全なシステムで、出版社は政教分離をいつもうまくやっているとは限りません。

「ハゲタカ出版」とは何か？

インターネットの到来は出版界全体のみならず、特に学術出版において多くの革新的な変化をもたらしました。出版業に参入する際の障壁が劇的に低くなったことはその一つです。印刷の時代には、出版社を起業するのは簡単ではありませんでした。そのためには編集と査読のプロセスを実施するだけでなく、資本設備を導入して印刷会社や流通業者との関係を構築するのに多額の投資が必要でした。編集や校正作業には特別なスキルが必要ですし、出版物をデザインして割り付け、組版しなければなりませんでした。ウェブページを自作するために無料で簡易なツールがたくさん提供されるようになり、オンライン出版物の制作も比較的簡単で安上がりになりました。

そして残念なことに、ちゃんとした学術出版物のような体裁をオンライン上でこしらえることもまた、極めて簡単で安上がりになってしまったのです。たとえそれがいい加減な学術業績やあからさまなデタラメを掲載するような単なる情報公開サイトにすぎないとしても。

しかし一体誰が、なぜそんなことをしたいというのでしょうか？市場に出すためにほとんどお金がかからないとしても、どうして粗悪品を提供してお金を儲けることができるのでしょうか？

この質問に答えるためには、学術コミュニケーションのエコシステムに特有の複雑な事情、つまり出版社が学術コミュニティのさまざまなメンバーにさまざまな製品を売っているという事実に立ち返ってみなければなりません。読者（のためにアクセスを提供する図書館のような仲介者も含めて）には、出版社は本やジャーナルといった製品を販売してその対価を受け取ります。著者には著作へのアクセスを販売する権利の引き換えとして、出版サービスを提供します。読者や図書館はアクセスを得るためにお金を支払い、著者は出版サービスを受けるために出版する権利を引きわたすのです。

しかし、インターネットは従来とは異なるビジネスモデルを可能にしました。伝統的なアクセスとサービスのモデルをひっくり返して、著者には出版サービスを*販売*し、その結果として出来上がる出

訳注 53　ジェフリー・ビール（Jeffrey Beall）は、米国コロラド大学デンバー校の図書館に勤務していた2008年に捕食出版（predatory publishing）という用語と概念を確立し、疑わしいジャーナルや出版社の一覧としてビールのリスト（Beall's list）の作成と、それについて解説するブログを始めました。日本では「ハゲタカ出版」という訳語が定着しているため、本書でも一貫してそのように訳しています。

版物を*無料*で読者に提供するようになったのです。確かに、出版サービスの対価を直接請求して、著者が出版したければどんなものでもその品質にかかわらず出版するという「自費出版」は長年のあいだ存在していました。しかし、「ハゲタカ」出版は自費出版とは全く違うもので、いちばん大きく異なるのは、それが*詐欺的*なビジネスモデルであるという点です。言い換えれば、自費出版は特に何かを偽ったりはしておらず、単に著者が伝統的な編集査読というフィルターを避けて一般に提供する方法の一つであって、それが出版に値するかどうか他人の目を気にしない、というだけのことです（これについては後述します）。しかしハゲタカ出版社は詐欺を働いて、著者を騙して論文が定評のある（あるいは少なくともまともな）出版物に掲載されるのだと信じこませたり、読者にはきちんと吟味された学術業績を読んでいるのだと思わせるのです。あるいは、これがいちばん有害なのですが、不道徳な著者が自分の論文がまともなジャーナルに受理されたように見せかけて他の同僚を騙すような行為に加担することもあるのです。実際には、著者が必要な料金を支払ったという理由だけで受理されているのですが。

「ハゲタカ出版」という用語はジェフリー・ビール[訳注53]というコロラド大学デンバー校の図書館員が考案したものです。彼は2008年に*Scholarly Open Access: Critical Analysis of Scholarly Open-access Publishing*というウェブサイト（すでに閉鎖されてしまいましたが、オンラインで保存されたものを見ることができます[9]）を立ち上げました。このウェブサイトでビールは彼自身の判断による「潜在的に、可能性のある、あるいはその疑いのある」ハゲタカ出版社のリストを発表しました。彼がこのリストに掲載する出版社を選んだ基準は、以下のようなものです。

- OASPA[訳注54]やSTM協会[訳注55]が提唱して広く受け入れられているような出版の原理原則に従っているかどうか。
- 同じ編集委員会が複数のジャーナルに携わっていないかどうか。
- 出版社が運営の本拠地を隠していないかどうか。
- 出版しているジャーナルの出自について読者や著者を騙していないかどうか。
- 出版社が論文投稿の勧誘メールを大量に送信していないかどうか。

非公式には「ビールのリスト」として知られたこのウェブサイトは、さまざまな理由で議論を呼びました。まず（これは驚くに値しませんが)、リストに掲載された出版社から怒りを買って、そのうちいくつかはビールに対して法的手段に訴えると脅迫しました[10]。しかしもう一つ論争となったのは、ビールがハゲタカ出版をオープンアクセスジャーナルに特有のものだと定義した点です。このため、彼のハゲタカ出版社に対する批判の裏には、実はオープンアクセス全般に対する反感があるのではないかという疑いが生じました。そのような反感がなかったとしたら、彼の言う「ハゲタカ」という概念には当然、トールアクセスの出版社によるいかがわしい行為も含まれ

訳注54　OASPA（Open Access Scholarly Publishers ASsociation）は学術出版におけるオープンアクセスの推進を目的とする会員制の業界団体で、2008年に設立された。

訳注55　STM協会（International Association of Scientific, Technical & Medical Publishers）は学術出版社や関連企業・団体を会員とする業界団体で、非公式には1960年代の終わりから活動しているが、現在の名称のもとに組織として確立したのは1994年から。

たはずです（例えば市場の独占をいいことに不当に価格を釣り上げたり、もとは低価格だった学会誌を買収して極端な値上げをしたり、といったことです）。

オープンアクセス出版については第12章で詳しく解説しましたが、もう一度ここで述べておきたいことがあります。著者による支払いが出版社の売り上げとなって、読者には無料で論文が提供される、というのはオープンアクセス出版のモデルの一つとして存在するのです。特定の分野でのトールアクセス出版でも著者による限定的な支払い（「投稿料[訳注56]」とよく言われます）はありますが、これはオープンアクセス出版の著者支払いモデルとは大いに異なります。投稿料はアクセス料金を置き換えることはなく、せいぜいそれを補填したりアクセス料金を抑える程度です。こうした出版社は、彼らが出版する論文の品質に満足している読者から得る売り上げに依存していますから、トールアクセスのジャーナルの投稿料は、著者の支払いがそのままジャーナルの売り上げとなるジャーナルに見られるような利益相反にはあたらないのです。

APCと呼ばれる論文掲載料に依存しているオープンアクセスジャーナルは、利益相反を避けられません。なぜなら彼らの経済的な利益は論文を受理することによってのみ獲得できるわけで、論文をリジェクトすることは利益にならないからです。言い換えれば、論文掲載料に依存するということは経済的な採算性から見れば矛盾

訳注56 原文ではpage charge。これは論文掲載料（article processing charge）の意味でも使われる用語ですが、ここでは投稿原稿が一定のページ数を超えている場合に課される料金や、一部の分野で査読前に著者に要求されることがある投稿料（submission charge）を指していると思われます。

するもので、学問的な権威性、つまり良い論文を出版し、そうでないものはリジェクトして、できるだけたくさんの論文を受理することが目的ではない、という信条とは相容れないのです。すなわち、ハゲタカ出版は厳密にはオープンアクセス出版に特有のものではないとはいえ、論文掲載料を唯一の財源として読者にコンテンツを無料で提供している出版市場であれば必然的に起こり得る問題なのです。そしてこれはオープンアクセス出版の大部分に当てはまりますが、トールアクセス出版の大部分については何も言っていないことになります。

しかし、「ハゲタカ」という用語は極めて主観的で、無節操で不道徳な不正行為なら何でも当てはまります。特定のビジネスモデルとは関係ありませんから、この呼び名自体が曖昧すぎて役に立たない、という議論もあります。ある業界人は「ハゲタカ」OA ジャーナルの場合には、「詐欺」といった用語の方が適切で使いやすい、と言っています[11]。

どうやってハゲタカ出版社を見分けるのか？

当然、彼らは自分たちがしていることを必死に隠そうとしていますから、これはある程度難しいのですが、まともな出版社かどうかを見分けるには以下のような点に着目します。

- 厳しい査読をうたっているにもかかわらず、実際には論文掲載料さえ支払えばどんなものでも受理して出版する。
- 編集委員とされている人たちが実際にはそれを引き受けていない。
- ジャーナルの対象とされている分野とは何の関連もない論文

を掲載する。

- 一等地にオフィスを構えていると言いながら、実際には全く別の場所を本拠地としている。
- インパクトファクターが高いと言いながら、実際にそのジャーナルにはインパクトファクターが付与されていない。
- （それが存在するか否かに関わらず）権威のある組織との関連を示唆するようなタイトルをジャーナル誌名として使う。
- 無差別に数百、数千人の研究者にメールを送りつけて、ジャーナルの対象分野とは無関係の研究をしている著者にも、論文の投稿を勧誘する。

ハゲタカ出版社は見るからに粗悪で、学術的にも明らかに標準以下のジャーナルを製作していることが多いので、なぜ彼らが事業を続けられるのか不思議に思う人もいるでしょう。実際、早々に消え失せてしまうことも少なくありません。しかしうわべだけ繕ってちゃんとした出版社に見せかけたウェブサイトを作成するのはお金もかからず簡単ですから、仮にハゲタカ出版社であることが明るみに出たとしても、元々あったウェブサイトを閉鎖して全く違う名前で、新しい架空の住所と偽の編集委員のリストを載せた新しいウェブサイトを立ち上げるのに一日もかからないでしょう。そしてもちろん、著者への投稿呼びかけをまたすぐに始めるのです。

しかし、ここでまたもう一つの疑問が生じます。なぜ著者はハゲタカ出版社に論文を投稿するのでしょうか？　ハゲタカ出版社は主に二種類の詐欺被害者をターゲットにしています。それは（1）著者と、（2）著者の同僚や読者です。

ハゲタカ出版社の最初のターゲットは他ならぬ著者自身です。キャリアのためにきちんとした権威のある出版物が必要な著者は、まともで信頼できる手厚い出版サービスを受けられると思えば、ジャーナルの真正性について細かく調査などせずにハゲタカジャーナルに論文を投稿してしまいます。このビジネスモデルの問題は、表面的にちゃんとしているジャーナルのウェブサイトを立ち上げるのは簡単だとしても、正当な定評あるジャーナルからの出版を純粋に求めている著者の目をごまかせるような偽のジャーナルのウェブサイトを作るのは、それほど簡単ではないということです。

それがハゲタカ出版社の第二の被害者カテゴリ、つまり読者や著者の同僚に関係してきます。ウェブサイトをよく見れば、普通はすぐにハゲタカジャーナルのペテンに気付くのですが、詐欺のターゲットは必ずしも意欲的な著者ばかりではありません。むしろハゲタカ出版では、ゴミ論文をあたかも貴重なもののように見せかけて掲載する出版社に加担してしまう著者の方が多いのです。それは次のような仕組みがあるからです。まず著者はテニュア審査にのぞむ前に、自分の業績書に箔をつけてくれる査読付きの出版物をいくつか必要としていますが、時間が限られています。審査は2カ月後に迫っていて、自分の研究分野で良いとされているジャーナルでは論文が受理されるとしても、投稿から出版まで最低6カ月はかかるということを著者は知っています。著者は別のジャーナルからメールが届いていたことを思い出します。そのジャーナルはこれまで聞いたこともありませんでしたが、彼の分野（か少なくともそれに近いところ）で厳格な査読や確実な編集サポートをするとうたっていて、2週間以内に論文を受理するというのです。さらに幸いなことに、ジャーナルには高いインパクトファクターが付与されているそうです。投稿料には75ドルから2,000ドルくらいまで幅がありますが、著者がそれを支払って論文を投稿すると、すぐに良い返事が来て、1カ月後にはそれを業績書に無事に載せることができました（それと同時に、彼は他にも二つの論文を同じ出版社の別のジャーナルにそれぞれ投稿し、両方とも同じような経過をたどりました）。

そのような状況で、著者は不審に思うべきでしょうか？ もちろんです。でももし著者が真に厳正な査読や編集サービスよりも、業績書をよく見せかけることの方が大事だと考えるなら、そしてもし業績書をよく見せることで素晴らしい結果が待っていたとしたら、出版社の真正性について疑う必要などありません。そして結局、詐欺ジャーナルに掲載された三つの論文は、その他の真っ当なジャーナル論文とともにこの著者の業績書にぬくぬくと収まって、見た目にわかるような違いはないのです。ハゲタカジャーナルのウェブサイトは見るからに素人仕事で雑だったとしても、そのジャーナルの書誌事項だけなら本物のように見えるでしょう。他の同僚をこのように騙そうとすればもちろん、業績書にある出版物を誰かが調べてそれが詐欺であると見破るリスクを著者は抱えることになりますが、多くの場合は露見する可能性は比較的低く、学術業績のような見かけによって得られる恩恵の方がはるかに価値があるのです。

このような「ハゲタカ」は、学術出版以外にもあるのか？

はい。出版に加えて、学術市場にはびこるハゲタカはコンファレンスなどでも暗躍しています。詐欺行為はハゲタカ出版とだいたい同じような形で行われます。被害者となる人々はコンファレンスでの発表のために論文の投稿を勧誘され、（驚くなかれ）いつも決まって受理されます。請求された料金を支払うと、発表のために招かれて、これもまた業績書に真っ当なものとして追加されることになります。

コンファレンスでは高名な人々の名前をレビュー委員として掲げているのが普通で（彼らのほとんどはそのコンファレンスとは実際には無関係なのですが)、発表のプロポーザルは厳正に吟味され、良しとされたものだけが受理されると標榜しています。コンファレンスの開催地がワクワクするような場所だったりすれば、一段と興味を引くことになります。実際にはもちろん、そうしたコンファレンスは投稿があったもの全てを受理していて、結果的にその主催者は多額のお金を儲ける一方、発表者はもっともらしい成果を業績書に加えることになります（そしておそらくは所属機関や助成金によって支払われた素敵な土地への楽しい出張も手に入れるのです)。

ハゲタカジャーナルは、時に高品質な研究成果を発表することもあるという点には注意しましょう。こうしたジャーナルの問題はゴミ論文ばかりを出版するということではなくて、提供するとうたっているサービスに虚偽があって、不道徳な著者が他の人たちや所属先の機関を騙すことに加担し、ひいては学術出版やオープンアクセスの評判をおとしめているということです。これが次の質問につながります。

ハゲタカ出版と自費出版の違いは何か？

ハゲタカ出版には自費出版（より軽蔑的に「虚栄」出版とも呼ばれます）に共通する特徴も見られる一方、重要な違いがあります。自費出版は主に本の世界で行われるもので、基本的には著者が普通の出版社から本を出版できないか、あるいは需要がないことがわかっているものを、私的な目的のために必要なだけ印刷製本したい、というものです（例えば、大家族の一員が一族の歴史について書いたものを、親戚一同に配るのに十分なだけ印刷製本するためにお金を支払う、といった場合です)。他にも著者が自分で宣伝して販売するための本を制作するとか、あるいは自分は熱心だけれど対象読者が少ないことがわかっている（そのため普通の出版社には敬遠されてしまう）ようなトピックに関する本を出版するために自費出版社を利用することもあります。ここで心に留めておくべき大事な点は、自費出版はそれ自体何の問題もないし、公明正大に隠し事なく行われるのであれば、不名誉でもないということです。

しかし、真っ当な自費出版なのか詐欺まがいのハゲタカ出版なのかはっきりしないような事例も学術出版の世界にはあって、そのような出版社は（オープンアクセスではなくて）本の出版ビジネスに見られます。これについては第７章でもっと詳しく扱っています。

ビッグ・ディールの「転換」とハゲタカ退治

シリアルズ・クライシスの「予測された結末」として、著者は図書館が相当な数のジャーナル購読をキャンセルするだろうと述べていますが、これは本書が出版されてまもなく現実となりました。価格の値上がりを主な理由とするキャンセルはそれ以前からありましたが、多くの場合、ビッグ・ディール契約を解消して選択的にいくつかのジャーナルだけを残したり、論文ごとの支払い (pay-per-view) に移行したり、あるいは論文複写サービスなどと提携して必要最小限のアクセスを保証するなど、サービスの縮小によってコスト削減を実現していたのです。また、複数の大学図書館が集まるコンソーシアムによる価格交渉がうまくいかずに、一時的に契約が停止したりすることもありました。

しかし、2019 年２月にカリフォルニア大学が発表した Elsevier 社の購読契約の停止は、学術コミュニケーションの世界で大きなニュースとなりました。それまで約5,000万ドルで五年間の購読契約を結んでいたカリフォルニア大学は、所属研究者がオープンアクセス論文を出版するために支払う論文掲載料を考慮した新たな契約への転換を希望していたのですが、Elsevier社との交渉は決裂しました。その結果、大学は購読契約を停止するだけでなく、同社が発行するジャーナルの査読を引き受けないように教員に対して呼びかけるなど、完全にボイコットする事態に発展したのです。その後二年あまりの交渉の末にようやく合意された新契約では、キャンセル以前に購読していたElsevierのジャーナルへのアクセスが再び提供されるだけでなく、カリフォルニア大学の研究者が新たに同社のジャーナルに出版する論文を基本的にオープンアクセスとし、図書館を通じて支払われる論文掲載料には割引が適用されることになりました。カリフォルニア大学はビッグ・ディールを解消して、サービスを縮小せずにコストを削減することに成功したのです。

このような新しいジャーナル出版モデルはここ数年で世界的に広がっていて、特にこれまで図書館が支払っていたジャーナル購読料を著者が支払う論文掲載料にシフトさせるというモデルは、転換契約 (Transformative Agreement) と呼ばれています。転換契約は、ジャーナルの価格高騰やビッグ・ディールのジレンマから図書館を解放するだけでなく、オープンアクセスを推進することにもつながり、機関全体で所属研究者がどれだけ論文掲載料を支払っているかを把握できるようになるので「二重取り」(第12章のハイブリッドOAの項目を参照)の懸念も取り除くというメリットをもたらします。日本でも、出版社との交渉を一元的に行っている大学図書館コンソーシアム連合 (JUSTICE) や大学・研究機関で、複数の出版社との転換契約が検討されています。

また、論文掲載料の支払いが著者の自由裁量ではなく組織的に管理されるようになれば、本章の後半で解説されているような詐欺まがいのジャーナルに著者が騙される（あるいは意図的にそれを利用する）ことへの抑止力となることが期待できます。

ジェフリー・ビールが詐欺まがいの学術出版社の一覧、いわゆる「ビールのリスト (Beall's list)」を掲載するウェブサイトを立ち上げたのは2008年のことでした。日本では当初 predatory publishing を「捕食出版」と訳して伝えられていましたが、栗山正光氏が2015年に「ハゲタカ出版」と訳して以来、この訳語が定着しています。そして2018年4月に毎日新聞がこの問題を大きく取り上げて以降、ハゲタカ出版は学術コミュニティを超えて広く知られるようになりました。一連の報道では、日本の研究者によって5,000以上の論文がハゲタカジャーナルに投稿・出版されたことが報じられ、各大学や研究機関では研究者に対して注意を呼びかけるなどの対策に追われました。

ハゲタカ出版社の見分け方については本章でも紹介されていますが、学術コミュニケーションに携わる企業や出版社が協力して開設した Think. Check. Submit. というウェブサイトでも、信頼できるジャーナルの条件をチェックリストとして提供しています。ハゲタカ出版を根絶することは難しいかもしれませんが、多くの研究者がこのチェックリストを使うようになれば、詐欺の被害も減るかもしれません。

また、DOAJ (Directory of Open Access Journals) というサイトでは、2003年から査読付きのOAジャーナルの一覧を作成しています。ハゲタカ出版社を排除し、収録されるOAジャーナルの質を保証するために2014年に収録条件が見直され、それ以降はより厳格な基準が適用されるようになりました。すでにリストに掲載されていたジャーナルについても再申請が必要となり、新たな基準に照らして再度審査が行われたため、それまで埋もれていた疑わしいジャーナルが排除できました。しかし、意外なことに多くの日本の OA ジャーナルも収録対象から外されてしまう結果となったのです。単に再申請を怠ったというケースもありますが、日本には前章のコラムで紹介したとおり、ブロンズ OA ジャーナル（明確なライセンスは示されていないが無料でアクセスできる）が多かったことが主な原因です。DOAJ の新しい基準では、二次利用のためのライセンスの明示を必須としているからです。

もちろん、DOAJ のリストに含まれていない OA ジャーナルが自動的にハゲタカと認定されるわけではありませんが、DOAJ に対する国際的な信頼は高まっていて、Think. Check. Submit. でも DOAJ への収録はチェック項目の一つとなっています。日本のブロンズ OA ジャーナルにも、二次利用のライセンスの明示やその他の条件をクリアして DOAJ に収録されることが求められるようになるでしょう。

参考：

"Big Deal Cancellation Tracking. " SPARC.
https://sparcopen.org/our-work/big-deal-cancellation-tracking/

"カリフォルニア大学、Elsevier 社の雑誌の購読を停止することを発表." カレントアウェアネス・ポータル . 2019.
https://current.ndl.go.jp/node/37717

"米・カリフォルニア大学と Elsevier 社、4 年間の転換契約を締結 ." カレントアウェアネス・ポータル . 2021.
https://current.ndl.go.jp/node/43568

大学図書館コンソーシアム連合：JUSTICE.
https://www.nii.ac.jp/content/justice/

小陳左和子 , 矢野恵子 . 2018. ジャーナル購読からオープンアクセス出版への転換に向けて . 大学図書館研究 109:2015.
https://doi.org/10.20722/jcul.2015

尾城孝一 . 2019.「転換契約」と JUSTICE の「転換」. 情報の科学と技術 69(8):387-389. https://doi.org/10.18919/jkg.69.8_387

栗山正光 . 2015. "ハゲタカオープンアクセス出版社への警戒 ." 情報管理 58(5): 92-99. https://doi.org/10.1241/johokanri.58.92

千葉浩之 . 2019. "ハゲタカジャーナル問題 : 大学図書館員の視点から ." カレントアウェアネス (341): 12-14 CA1960.
https://current.ndl.go.jp/ca1960

"粗悪学術誌：ネットで急増　査読ずさん、掲載料狙いか ." 毎日新聞 . 2018 年 4 月 2 日 .
https://mainichi.jp/articles/20180403/ddm/001/040/144000c.

"Think. Check. Submit (日本語版). " Thinkchecksubmit.Org.
https://thinkchecksubmit.org/translations/japanese/

Directory of Open Access Journals (DOAJ). https://doaj.org/

Marchitelli, Andrea, et al. 2016. Helping journals to improve their publishing standards: a data analysis of DOAJ new criteria effects. JLIS.it 8(1): 1-21. https://doi.org/10.4403/jlis.it-12052

第14章
学術コミュニケーションの未来

この最終章で取り組むべき質問は、*学術コミュニケーションの未来はどんなものか*、という一見とても単純なものですが、扱いやすいようにもう少し細分化してみたいと思います。

学術ジャーナルは将来どのようになっているのか？

ジャーナル出版はほぼ全ての学術分野で中心的な役割を果たしているので、まずこの質問から始めることにしましょう。学術書の出版がテニュア審査の決め手になるような人文学ですら、定評のある査読付きジャーナルに論文を発表することは基本的に重要なのです。

すでに明らかなのは、オープンアクセスはジャーナル出版の世界に広く浸透した重要な特性となっていて、今後もその状況が続くということです。分野ごとの専門性や経済的な仕組みと学術的な文化の違いがありますから、広がり方は一様ではありませんし、今後もそうでしょう。しかしゴールドOAジャーナルやハイブリッドOAジャーナルの数は、間違いなく今後も増え続けていくでしょう。現時点で言えるのは、出版市場でのオープンアクセスの割合が100%になることはほぼあり得ませんが、どの程度まで拡大するかはまだわかりません。

もっと根本的な質問は、研究成果を正式に発表する場としてのジャーナル自体の将来についてでしょう。そしてこの質問には（少なくとも）二つの側面があって、一つはジャーナルというモノ自体、もう一つはジャーナルの**巻号**というフォーマットです。

ジャーナルというモノ自体については、第2章と第4章で解説したとおり、学術成果にブランド価値を与える仕組みとして重要な役割を担っています。インターネットの時代には、単に読者に論文を提供したいという人々にとって、正式な出版物としてのジャーナルはもはや必要ありません。実際、もし論文をできるだけ多くの読者に提供することが目的ならば、読者にアクセス料金を課すようなジャーナルに出版するのはある意味自己矛盾しています。しかし研究者は一般的に、単なる成果発表以上のものを求めているのです。彼らは厳正で高品質なことで有名なジャーナルからお墨付きを得たいのであって、研究成果を他の研究者に積極的に伝えて欲しいのです。選択基準が厳しく評判の高いジャーナルに論文が掲載されることは、多くの学術分野で職の安定と昇進に不可欠なのです。つまりアクセスのモデルや新たな出版形態がどうなろうとも、***ブランディングされたモノとしてのジャーナル***は、当面は存続する可能性が極めて高いということです。

ジャーナルの**巻号**という考え方が将来どうなるかについては、あまりはっきりとしません。ジャーナルの巻号は人為的なもので、ある程度の内容を製本して定期的に（通常は月刊とか季刊とか）刊行するわけですが、印刷の時代にはこれは道理にかなったやり方でした。そうでないやり方、つまり個々の論文の出版準備ができ次第発送するには莫大な費用がかかったはずです。オンライン情報環境が整った現在では、月刊とか季刊とかいう体裁にはもはや意味がなく、それが人為的なものでしかないというのはあまりにも明らかです。論文を出版する準備が整っているのなら、オンラインですぐに公開しない理由はあるでしょうか？ そして実際、そのようなモデルを解消して、巻号ごとにではなく、個々の論文をほとんど絶え間なくオンラインで発行しているような出版社もすでにあります。ジャーナル自体は今後も存続し続けると思われますが、巻号という概念がすでに重要性を失いつつあることは明らかです。

第12章では「メガジャーナル」の台頭について解説しました。普通のトールアクセスのジャーナルよりもずっと多くの論文を掲載し、(新規性や予想される研究のインパクトよりも) 科学的な妥当性だけを基準として、編集者や査読者が認めれば論文を受理するというものです。非常に収益性の高いビジネスモデルということもあってこのモデルは人気を集めていますから、今後も学術コミュニケーションの世界の一部として定着する可能性が高いと考えられます。*PLOS ONE* や *Nature Communications*、*Scientific Reports* など成功を収めているメガジャーナルは、毎年何千、何万という論文を出版していて、それらがなくなるという兆候はありません。世界中で研究発表は増え続けて（そのため定評あるところに成果を出版しようとする著者の数も増え続けて）いることから、学術出版の世界には今後、メガジャーナルが増えていくと思われます。

学術書は将来どうなるのか？

この質問には少し慎重に回答しなければいけません。学術資料の中で、学術書ほど広く尊敬を集めるものは他にはありません。学術書として出版されるような研究をした人であれば、どんな研究者の集まりでもすぐさまある程度の尊敬を集めるはずです。そして本書でも述べてきたとおり、大学出版局から学術書を出版するということは、人文学や社会科学の学問分野ではテニュアを獲得する必須条件です。広範囲をカバーできる長さと入念かつ仔細な注釈が可能な学術書のフォーマットは、詳細で複雑な学術的議論を展開するには不可欠だと考えられています。学術書にはこれらの二つの重要な要素、すなわち学術書に対して払われる敬意と、それを執筆して出版したいという著者の継続したニーズがあって、その存続を支えているのです。

しかし残念ながら、学術書が存続するために必要な要因がもう一つあります。それは需要です。これについては、近年の状況は必ずしも学術書にとって良い方向には向かっていません。第6章で述べたとおり、研究大学の図書館での冊子体の本の利用はすでに十年以上にわたり一貫して、しかも急激に落ち込んできています（一般教養大学の図書館ではその傾向はもう少し緩やかですが）。その一方で、学術ジャーナル論文に対するアクセス需要は依然として非常に高く、ジャーナルの数も爆発的に増えています。ジャーナルへの高い需要の継続と、提供されるジャーナル数の増加、そして急上昇するジャーナル価格は、需要が伸び悩み落ち込んでいる学術書の図書館市場を確実に蝕んでいます。ジャーナルへの需要に応え続けるために、多くの研究図書館では図書予算を単純に振り替えてジャーナル購読費用を強化しているのです。

もう一つの学術書にとって厄介な要因は、学術コミュニケーション全体が紙媒体からデジタルでネットワーク化された環境へと移行していることです。オンラインの世界は特にジャーナル論文には適していて、それは論文が短く、比較的狭い範囲に限定された成果を報告しているからです。ほとんどの論文はコンピュータやその他のデバイスのスクリーン上で簡単に、快適にオンラインのまま読むことができます（あるいは素早く便利にオフラインで読むために印刷することもできます）。そのため1990年代の終わり頃から学術ジャーナル出版は迅速に、そしてためらうことなくインターネットの世界に移行していきました。しかし、学術書にとっては、インターネットというのは読書に快適な環境とは言い難いのです。小説やノンフィクションなどは、長時間の読書に耐えるように設計されたさまざまな電子ブックのデバイスで間に合っているかもしれませんが、学術的な著作というのはデスクトップやラップトップのコンピュータ上で読まれることが多く、スクリーン表示は学術書の要である長い文章の通読にはあまり相応しくないのです。とりわけこのことが、学術書がジャーナルのようにオンラインの世界に素早く移行しなかった理由です。大学出版局が出す新刊は（同時にではないにしても）冊子体と電子ブックの両方で提供されるのがだんだんと当たり前になってきてはいますが、そうなるまでには学術コミュニケーションのエコシステムの誰もが期待したよりもずっと長い時間がかかりました。

それでも、インターネットは決して学術書にとって全く適さない環境ではないということは指摘しておくべきでしょう。第7章で、延々と通読することだけが学術書の一般的な使われ方ではないことに触れました。むしろデータベースのように、読者は読むというよりは特定の断片的な情報を探して内容を検索するのです（あるトピックについて5ページの研究論文を書くために、図書館の書架から10冊の本を取り出して使ったことがある人なら、そのようなシナリオについてすぐに理解できるでしょう）。電子ブックの大きな長所の一つは、冊子体の本とは違って、データベースのように効果的に利用できるという点です。冊子体の本のフルテキストを効果的に「検索」する唯一の方法は、それを通読することです。そして本を読むという行為自体は素晴らしいことなのですが、多くの場合、その本にどんな内容が含まれているかを探し出すのに最適な方法ではありません（5 ページの研究論文を書くために 10 冊の本を隅から隅まで読むのは賢明でしょうか？）。冊子体の学術書には、研究者が特定の情報にたどり着けるように索引が備わっていることが多いのですが、索引というのは大雑把でその本の概略しか指し示すことができません。一方、フルテキスト検索なら網羅的なアクセスが可能です。

しかし全体的には、学術コミュニケーションのエコシステムの一般的な情勢が学術書に相応しいものになるかどうかは定かではありません。近い将来に学術書が絶滅するなどとは誰も思っていませんが、その商業的な見通しというのはだんだんと狭まってくるように思われます。そして将来的には何か新しい形式や表現方法を採用していくことになるでしょう。

学問の品質は将来どのように評価されるのか？

第 10 章ではインパクトファクターに関する批判について解説しました。インパクトファクターは今のところジャーナル出版の世界では、品質と評判をはかるツールとして広く行きわたっています（学術書にはこれに相当する指標はなく、肯定的な書評や受賞歴を品質と評判の証しとしているようです）。研究の品質を評価するより良いツールとして、インパクトファクターに取って代わろうとしている「オルトメトリクス」の台頭についても触れました。そうした新しい指標のいくつかは継続して利用されていて、学術コミュニケーションのコミュニティの中である程度広く受け入れられていますが、同時にインパクトファクターはどのような弱点があろうとも、評価ツールの首位から脱落したようにはほとんど見えません。これはつまり将来の学問の品質はこれまでと同じように評価されていくだろう、ということです。それでも新しいツールが今後も出てきては、さまざまな分野の研究者（と彼らを評価する人々）の期待や特定のニーズに応えていくことでしょう。

研究図書館の将来はどうなるのか？

この疑問はウェブが出現して、正式な学術コミュニケーションが印刷環境からオンラインネットワークへと移行し始めて以来、図書館員自身が切迫感をもって自問しているものです。

その答えは、研究図書館の主要な目的をどう考えるかによって異なります。モノとしての本やジャーナル、その他の資料を入念に精査して構築する蔵書の保管場所として図書館を捉えている人々にとっては、図書館には将来性などほとんどないでしょう。研究図書館における物理的な資料の利用は落ち込み、使いやすく広々とした作業スペースの需要は学内で高まっています。本は建物から追いやられるか、少なくとも図書館の公共スペースからは移動されて、代わりに共同作業のための空間が増えています。今後もこの傾向は続くと思われます。

オンライン資料については、拮抗するような力が働いています。一方では、冊子体からオンライン資料の収集によって、図書館は以前よりずっと多くのコンテンツを利用者に提供できるようになりました。かつてはせいぜい数百から数千の学術ジャーナルを冊子体として購読していた大学図書館は、いまや何万ものオンラインジャーナルへのアクセスを提供しているのです。しかし他方では、情報の供給という点でオンラインの世界が可能にしたとてつもない規模の経済性によって、情報生産者が商品を個々の読者や研究者に手頃な価格で提供できるようになったため、図書館のアクセス仲介者としての役割は無用となりつつあります。その役割は何世紀ものあいだ、図書館の中核として重要なものでしたが、それが脇に追いやられた分だけ、図書館という組織の存在意義が問われるようになりました。その役割はまだ消え去ってはいませんし、近い将来にそうなるとも思えませんが、この点について心配している図書館員はたくさんいます。さらに困るのは、オンラインアクセスというのは手軽すぎて、その簡単に迅速にアクセスできる情報が実は図書館によって（多額のお金と引き換えに）提供されているのであって、単に無料提供されているのではない、ということを図書館の利用者は簡単に見過ごしてしまうのです。

しかしどれをとっても、それで大学の図書館が消えて無くなるというわけではありません。多くの大学で、社会的な交流の場としても真剣に学問に取り組む場としても、図書館の建物は人が集まる場所として人気が高まっています。図書館は研究指導や教育・学習センターなどのキャンパスプログラムや、新しいデジタル研究プログラムなどと提携したり、新しい学術出版イニシアチブに直接関与したりしています。大学出版局を図書館組織の傘下に置く大学が増えていて、その結果、いくつかの主要な大学で革新的な新しい出版プログラムが生まれています。特にカリフォルニア大学やミシガン大学がそうです（両者の活動については第12章を参照のこと）。

大学図書館の将来に影響を与えそうなもう一つの要因は、その母体である大学自体の動向です。大学が変わるにつれて、それと連携する大学図書館も変化します（高等教育一般に将来起こり得る変化については、次の項目で考察しましょう）。

これらの傾向が示唆しているのは、大学図書館の将来にはいくつもの可能性があるということです。そして大学図書館の多様性は今後広がっていくように思われます。何世紀も続いていた印刷の時代には、一般教養大学の図書館は大きな研究大学の図書館とよく似ていて、ただ小さいというだけでした。しかし将来は、性質の異なる大学図書館は、物理的なデザインにおいてもその活動においても、その差を広げていくことになるかもしれません。高等教育の予算が縮小する中で（米国でも英国でも可能性が高いシナリオです）、研究大学はより多額の助成金を獲得できそうな科学技術分野に重点化し、人文・社会科学のプログラムを軽視するようになるかもしれません。また、私立の一般教養大学でますます現実化している深刻な財政的困難を考えると、その図書館にはどんな成長の見通しがあるのかと疑問に思わざるを得ません。

研究者のあいだでは、どのような新しいコミュニケーションが生まれているのか？

これまで述べてきたとおり、既存の学術ジャーナルや学術書の領域で新たなコミュニケーションの経路が生まれつつあります。オープンアクセスのメガジャーナルや、プレプリントサーバー、学術的なブログなどは全て、ここ二十年ほどのあいだに登場した新しいコミュニケーション手段の例です。

しかし、全く新しい領域もひらけてきています。LinkedIn や

Mendeley、ResearchGate、Academia.eduなどに代表されるソーシャル・ネットワーキングは非公式なもので、時に物議を醸してもいますが、アイディアを共有して研鑽を重ねようとする研究者にとってはすでに重要なツールとなっています（学術ジャーナルはもともと研究者どうしが互いに交わした書簡から発展したものですから、学術コミュニケーションの場としてオンライン上のソーシャル・ネットワーキングが台頭してきたのは「古いものが新しく生まれ変わった[訳注57]」ようで心地よい感じがします）。

研究者向けソーシャル・ネットワークの成功事例として特に興味深いのが、ResearchGateとAcademia.eduです。どちらも無料で、研究者は自分の論文のコピーを（原稿のまま、あるいは出版後のPDF版を）アップロードして、他の研究者など、サービスに登録している人であれば誰にでも無料で提供できます。著者が気軽にオンラインで論文を共有して著作権法に違反するかもしれませんから、こうしたサービスは厄介な問題につながる可能性もありますが、完全に合法的に（ほとんどの場合はそうです）利用することだって可能です。また、こうしたネットワークを提供している営利企業が、アップロードされたデータや資料をどのように使うのか、という点について警鐘を鳴らす評論家もいます[1]。

興味深いことに、Twitterは研究者に最も人気のあるソーシャル・

訳注57 原文はeverything old being new againで、これは米国のミュージカル映画All That Jazz（1979年）の劇中歌Everything Old is New Againから来ていると思われます。溌剌とした曲調で「過去のものは捨てないで／またいつか必要になるかもしれないから（Don't throw the past away / You might need it some rainy day）」という歌詞があります。

ネットワークの一つです。彼らはTwitter上でアンケートを実施して公開したり、データをまとめたり、研究に必要な二次情報を求めて不特定多数から提供を求めたりします。Twitterを利用して、ある期間や地域でどのようなトピックがトレンド入りしているのか追跡するための研究者向けアプリケーションもたくさんあります。そしてもちろん、最新のプロジェクトや出版物について告知したければ、ツイートするのが手っ取り早いでしょう[2]。

「デジタル・ヒューマニティーズ」とは何か？

「デジタル・ヒューマニティーズ」(digital humanities、人文情報学）とは最近の用語で、コンピュータ技術や定量的ツールを、科学技術ではなく人文学に関連した学術的探求に応用する分野を指します。

人文学における疑問を解明するためにデジタル技術を利用するという方法にもいろいろあることは想像できるでしょう。非常に新しく画期的なものもあれば、すでに長いあいだ使われてきた方法でも他の事情と相まって新たに注目されているものもあります。いくつかの事例を見てみましょう。

テキストやその他のドキュメントのデジタル化

おそらく最も基本的な（そして最も確立された）デジタル・ヒューマニティーズの例は、アナログなドキュメントのデジタル版を作成して配布するというプロセスそのものでしょう。図書館や出版社はすでに長年これをやっていて、稀覯本や写真やその他の資料から高品質な画像を作成して、オンライン上で公開しています。実際、米国で公的助成を受けた最初のウェブサイトの一つとして、米国議会図書館によるアメリカン・メモリー[訳注58]というプロジェクトがあります。合衆国憲法や権利章典といったアメリカ建国期の資料から高解像度画像を作成し、オンラインで自由に閲覧・ダウンロードできるようにしたものです[3]。それ以来、資料をデジタル化するプロジェクトは世界中で急増し、歴史的価値のある日記や書簡、政府や自治体の記録文書、歴史上重要な本の批判校訂版、重大な公判記録文書などがオンラインでアクセスできるようになりました。そうしたプロジェクトが人文学研究に与えた影響は計り知れません。希少価値の高い貴重な資料に実際にアクセスできるのはほんの少数ですが、そうした資料の知的なコンテンツは何十億人もの人々に無料で簡単に提供できるようになったのです。

テキスト・マイニング（Text-mining）

デジタル・ヒューマニティーズでいちばんよく引き合いに出される例が、テキスト資料の定量分析です。Google の Ngram Viewer はテキスト・マイニングのツールとして有名で、研究者（大学の教員、あるいは関心のある一般市民でも）はこれを使って Google Books でデジタル化された何百万冊もの本の中に含まれる特定の単語やフレーズの時系列分布を調べることができます[4]。デジタルなテキスト・マイニング分析は他にも、同じ時代の資料どうしの関係を調べたり、著者の同一性を検証したり、地域を超えて特定の語法が発展した状

訳注58 アメリカン・メモリー（American Memory）は議会図書館（LC=Library of Congress）が1990年頃から着手していた資料のデジタル化の成果を、1994年からウェブ上で無料公開し始めたもの。当初は独立したウェブサイトの体裁をとっていたが、現在はLCのデジタル・コレクションの一部となっている。

況を追跡したり、コンピュータによる自動文書作成の開発をサポートしたり、といったことに役立ちます。実際、既存のテキストを分析するにしても新たな創作においても、デジタル技術をどのように活用できるかは人間の想像力次第です。ソフトウェアを使って新たなテキスト・マイニング活用のアイディアを考案することだってできるかもしれません。

地理空間分析（Geospatial studies）

地理学は物理科学であると同時に人文学でもあります。人間がどのように地球環境の物理的な形質と関わりあうのか（そしてそれがどのように人間の行動に影響を及ぼすのか）を研究するこの学問は、地球とその物理的な特性に関する科学研究から枝分かれした、長い伝統を持つ人文研究分野です。地形と人間文化の相互作用に関する研究というのは新しいものではありませんが、近年新たなツールを使ってその相互作用を調査するための無数の方法が生まれています。国際デジタル・ヒューマニティーズ学会連合[訳注59]では、この種の研究を専門的に扱う人文地理学のSIG[訳注60]を結成しています[5]。世界中の大学で日々新しいプロジェクトが生まれていて、出版物の中で言及されている都市の地理的分布や、異なる裁判管轄地域から集められた供述調書の地理的視覚化といった研究が行われています。

訳注59　Alliance of Digital Humanities Organizations（ADHO）はデジタル・ヒューマニティーズ関連の学会や団体をメンバーとする連合体で、2005年に設立された。日本のデジタル・ヒューマニティーズ学会も参画している。

訳注60　SIGはSpecial Interest Groupの略で、特定の事柄についてメンバーが互いに知識や情報を交換するグループのこと。

批判的コード研究（Critical code studies）

これは、コンピュータのコードを批判的に吟味するというデジタル・ヒューマニティーズの一部門で、ソフトウェアとしての機能的な目的とは関係なく、単なる「テキスト」としてコードを扱って、それ自体の意味を分析するというものです。例えば、あるコンピュータのコードは音色を奏でるという目的で書かれているかもしれませんが、コード自体にもテキストとしての意味があって、それを作るために使われたツールとか、製作者の文化的・社会的な背景や制作当時の経済状況など、音楽とは明らかに無関係の意味や情報が含まれているかもしれません。これはデジタル・ヒューマニティーズの中でも難解なものの一つかもしれませんが、人文研究とデジタル技術が交差して可能となる無限の可能性の一例とも言えるでしょう。

「デジタル・ヒューマニティーズ」という用語自体はすでに流行遅れとなった感があり、次第に「デジタル・スカラーシップ（digital scholarship）」という用語の方が好まれているようです。後者が念頭に置いているのは、デジタル技術によって可能となる新たな学問分野は厳密に言えば人文学だけではなく、最近までデジタル技術があまり重要な役割を果たしてこなかった一部の社会科学にも及んでいる、ということです。それでも、「デジタル・ヒューマニティーズ」という用語はいまのところ最も一般的なものだと言えます。

ただし、デジタル・ヒューマニティーズ（あるいはデジタル・スカラーシップ）について懐疑的だったり、批判する人がいないわけではありません。デジタル・スカラーシップの突然の成長に疑いの目を向けて、さまざまな懸念を表明する人もいます。*The New Republic* 誌に掲載されて反響を呼んだエッセイで、アダム・カーシュ[訳注61（次ページ）]は「学問のことば」が「セールスマンの精神で」「よく耳にする Apple 社の革新的な製品の、大げさで強引な売り込み方と同じように」使われていることに警鐘を鳴らしています。デジタル・スカラーシップの熱狂的な信望者の声が彼に訴えるのは「未来はここにある、私たちにはわかるはずだ、これに加わるのか、立ちはだかって轢き殺されるかだ、というような脅迫めいた、歴史的に見ても不合理で陳腐な発想」だとカーシュは述べています[6]。

他にもっと心配している人たちもいます。*Los Angeles Review of Books* 誌に掲載された記事では、デジタル・ヒューマニティーズに対する熱狂的な支援は、新自由主義派によるアカデミックな進歩主義への脅迫だとしています。この記事によれば、デジタル・ヒューマニティーズの推進派が「技術革新それ自体が最終目的であって、破壊的なビジネスモデルの発展を政治的な進歩と同一視」していると言います。しかしそこにはイデオロギー的な脅威だけではなく、限られたリソースが招いた経済的な問題もあります。「デジタル・ヒューマニティーズがかつてないほどの物質的支援を受けているのは、新自由主義者による大学乗っ取りに（おそらく期せずして）加担して、学内政治に大きく貢献したからだ」と記事は指摘します[7]。

現時点で明らかなのは、デジタル・ヒューマニティーズがその規模と影響力を今後も拡大していくこと、そしてその影響は良くも悪くも複雑に絡み合ったものとなるだろう、ということです。

訳注 61　Adam Kirsch (1976-) は米国の詩人・文芸批評家。

学術コミュニケーションにおけるテクノロジーの役割

学術コミュニケーションにまつわるさまざまなトピックを取り上げてきた本書ですが、最終章ではその将来像について考察しています。学術成果に信頼と威信を与える査読付きジャーナルは、今後も中心的な学術成果のプラットフォームとして存続するだろうと著者は述べています。ここ数十年でジャーナルのオンライン化とオープンアクセス化が進み、ジャーナルの数は増え、OA メガジャーナルの台頭により掲載論文数はそれ以上に増加傾向にあって、この状況は今後も続きそうです。一方、ジャーナルの変化に比べて（あるいはその反動として）需要も予算も伸び悩んでいる学術書のデジタル化はゆっくりで、商業的な見通しは決して明るくありません。学術書がもつ学問的な価値と研究者（そして読者）にとっての必要性が継続する限り、学術書がなくなってしまうことはないかもしれませんが、学術書を主要な成果とする分野の価値観が永久に続くとも限りません。実際、ジャーナル出版の世界で広く評価指標として使われてきたインパクトファクターに対する考え方には、近年大きな変化が見られます（第 10 章のコラムを参照）。

本章ではその他、大学図書館の将来や、研究者向けのソーシャル・ネットワークについても触れられていますが、いちばん最後の「デジタル・ヒューマニティーズ」に関する解説について、読者の皆さんはどのような感想をお持ちでしょうか？本書のまとめであるはずの最終章のいちばん最後に、このように新しい情報がたくさん出てくることに、訳者の私は少々戸惑いを感じました。特にデジタル・ヒューマニティーズに対する懸念や批判に関する部分はとても難解です。原文にできるだけ忠実な日本語訳をお届けすることが翻訳者の役割ですが、この最後のコラムではそこから一歩踏み出して、以下のような考察を加えてみたいと思います。

2014年に *The New Republic* 誌に発表された文芸評論家のアダム・カーシュによるエッセイのタイトルは、"Technology is taking over English departments: the false promise of the Digital Humanities"（テクノロジーが英語学科を支配する：デジタル・ヒューマニティーズの偽りの約束）という刺激的なものです。著者が紹介しているように、ここでカーシュはデジタル・ヒューマニティーズに対する疑問や懸念を述べているのですが、それは主に「テクノロジーの利用によって達成される効率化は必ずしも人文学の発展にはつながらず、むしろその本質を蝕んでしまうのではないか」というものです。人間性の理解や共感の範囲を広げ、心の問題を取り扱う人文学的な思考をコンピュータに委ねることはできず、学術コミュニティの予算制度や評価の体制がどのように定量的な評価を求めても、あるいはデジタル・ヒューマニティーズのような新しい枠組みが予算の獲得につながったとしても、それは人文学自体への脅威にしかならない、とカーシュは訴えています。

デジタル・ヒューマニティーズに関するカーシュの批判は、人工知能が学術コミュニケーションに果たす役割についての論争にも通じるものがあります。近年、人工知能を応用したツールやサービスが盛んに開発されていますが、学術コミュニケーションの世界も決して例外ではありません。新たに出版される膨大な論文から自分の研究に関連するものを自動的に探し出したり、自分が書いた論文を自動的に校閲してくれたり、論文から重要な情報を取り出して自動的にまとめたり、といったサービスが次々に登場しています。実際、2019年には、ある分野の発展状況について人工知能が執筆したという初めての学術書が刊行されました。

本書にも何度か登場する *The Scholarly Kitchen* というブログ

サイトでは、人工知能が学術コミュニケーションに及ぼす影響について何名かの専門家が意見を述べています。その多くは、機械学習のアルゴリズムから意味のあるアウトプットを得るには、質の良い（そして正しい）インプットが必要であることに賛同しています。また、既存の情報のインプットだけで全く新しい情報や価値が生み出せるのか、あるいはそのインプットに内在する情報の偏りや間違いによって生じる問題はないのか、さらに莫大な費用と努力を投じて人工知能を学術コミュニケーションに応用することが本当にその発展に寄与するのか、といった疑問が投げかけられています。テクノロジーの進歩は人間自身の進歩よりもずっと早いので、そのため重大なリスクがあってもそれに対する戦略や対策が不十分なまま進展してしまうことが危惧されます。そのような危惧は、デジタル・ヒューマニティーズに対するカーシュの懸念と似てはいないでしょうか。

カーシュはこうしたさまざまな疑問が新しいものではなく、産業革命以降、形を変えて繰り返し投げかけられた人類と道具の関係にまつわる考察に過ぎない、と結論づけています。産業革命への反動として起こったラッダイト運動のように機械を撃ち壊すのではなく、デジタル技術という道具をどのように使いこなすべきか、それを批判的に考えることが人文学者に課された知的責任だというカーシュの意見は、分野の枠組みを超えて広く学術コミュニケーションのシステム全体にも当てはまるかもしれません。

参考：

Kirsch, Adam. 2014. "Technology Is Taking Over English Departments: The False Promise of the Digital Humanities." The New Republic. https://newrepublic.com/article/117428/limits-digital-humanities-adam-kirsch

宮入暢子 . 2019. 人工知能がもたらす学術コミュニケーションの変容 . figshare. Presentation. https://doi.org/10.6084/m9.figshare.8378915

“Springer Nature 社、アルゴリズムを活用して内容を機械生成した研究書を刊行 .” カレントアウェアネス・ポータル . 2019. https://current.ndl.go.jp/node/37966

Michael, Ann. 2019. “Ask The Chefs: AI and Scholarly Communications.” The Scholarly Kitchen. https://scholarlykitchen.sspnet.org/2019/04/25/ask-chefs-ai-scholarly-communications/

訳者あとがき

本書の原著タイトルは、*Scholarly Communication: What Everyone Needs to Know*、直訳すれば「学術コミュニケーション：みんなが知らなければいけないこと」です。著者は「学術コミュニケーションについて知ることによって理解が深まる何かを、誰もが持っている」と言います。

折しも本書の翻訳を進めている最中、新型コロナウイルスの感染が世界中で拡大し、ニュースでは毎日のように研究者や専門家の方々が意見を述べられています。また、感染予防のためのワクチンや治療に効果があるとされる薬品が注目されたり、その効果を報告する論文が「権威あるジャーナル」に掲載されたとか、それが後に「撤回」された、といったことが目まぐるしく報道されています。社会全体が事態の収束を願い、研究の発展と成果に関心を寄せているのは明らかで、まさに著者が言うとおり、学術コミュニケーションについて知ることで理解が深まる状況に誰もが置かれています。研究者とは一体どのような人々なのか、彼らはなぜ論文を書くのか、権威があるというのはどういうことか、撤回とは何か。これらの質問の答えはどれも、本書に書かれています。

しかし、本書を翻訳しようと思ったきっかけは、新型コロナウイルス以前にさかのぼります。2019年の春から夏にかけて、私は筑波大学で「研究者のための学術情報流通論」と題した講義の一部を非常勤講師として担当していました。「学術情報とは何か」から始まって、学術制度の成り立ち、そして特にインターネットの出現によって生じた近年の学術情報環境の変化や問題点についてマクロな視点で概観するこの授業には、さまざまな分野で「これから研究者を目指す」大学院生が集まっていました。毎回の授業は、関連トピックをいくつか取り上げて解説し、学生はそれをもとにディスカッションやレポート課題に取り組むというものでした。本書と出会ったのは、ちょうどこの授業の最終回を終えた頃で、取り扱ったトピックの多くを簡潔に解説しているこの本を教材として使えたらよかったのに、と思いました。その後、ご縁をいただいて日本語訳を手がけることができ、ますますその思いを強くしています。

学術情報の生産者である研究者の多くは専門知識の習得以外、いわば「仕事のやり方」とも言うべき部分のほとんどを、指導教員や先輩から教わったり、時には見よう見真似で体得しています。例えば、研究計画の立て方や助成金の申請の仕方、研究データの共有方法、文献の探し方、論文の読み方と書き方、どのジャーナルや出版社から論文や書籍を出版したらいいのか、どの学会で発表するべきか、といったようなことです。それぞれの分野の中にいる人にしかわからないノウハウがあって、その多くは学術的な徒弟制度の中で長年にわたって受け継がれています。

しかし昨今、「仕事のやり方」は激しく変化しています。私が大学を卒業して就職した1990年代前半は、職場で一人に一台パソコンが与えられるという時代ではありませんでした。簡単な連絡は電話や

FAX で、重要な打ち合わせは対面で行われていました。携帯電話はまだ普及し始めたばかりでしたから、約束の時間に遅れそうになっても簡単に相手に連絡できるとは限りません。電子メールも、まだ一部の人しか使っていませんでした。

すでに研究者として仕事をされている方々の多くは、そうした一般的な「仕事のやり方」が変わっても、「研究のやり方」は変わらない、と感じるかもしれません。実は、私はそういう方にこそ、本書を読んでいただきたいと思っています。

学術情報流通の世界では次々に新たな枠組みやサービスが登場し、すぐに消えていくものもあれば、広く受け容れられて普及するものもあって、学術情報の生産者である研究者の仕事のやり方に多かれ少なかれ直接影響を与えています。常に関心をもって新しい変化に敏感に反応するのはたいへんですが、背景を踏まえた上で「自分でアップデートしていく力」が、これからの研究者には必要だと感じます。そのベースとなる基礎知識や背景が、本書では質問形式である程度簡潔にまとめられていますから、必要なところだけを拾い読みするにも便利です。

著者のリック・アンダーソン氏は、米国ユタ大学の図書館に勤務する傍ら、SSP[訳注1] や NASIG[訳注2] といった専門団体の代表を歴任し、学術コミュニケーションに関する専門ブログ *The Scholarly Kitchen* にもたびたび寄稿しています。著者の豊かな知識と洞察は主に欧米

訳注 1　Society for Scholarly Publishing (SSP) は、学術出版社が中心となって組織する国際専門団体。学術出版だけでなく、学術コミュニケーションに関わる幅広い議論の場を提供している。

訳注 2　NASIG (前・North American Serials Interest Group) は、主に北米の大学図書館で逐次刊行物に関わる業務に従事する図書館員による研究団体。

の学術出版事情を背景としていますが、日本特有の事情や解説が必要な点については、各章の末尾に参考文献とともに訳者によるコラムを追加しています。

また、英語特有の言い回しや日英の微妙なニュアンスの違い、学術コミュニケーションならではの専門用語についても、読みやすさを念頭に意味を損なわない程度に意訳し、また必要に応じて訳注を追加しています。

日本語のタイトルは、悩んだ末に「学術コミュニケーション入門：知っているようで知らない128の疑問」としました。これから研究者を目指している方々には是非、最初から最後まで読み通していただければと思います。すでに若手ではない研究者の方でも、目次に並んだ質問の中に「知っているようで知らない」というものがあれば、本書がお役に立つことを願っています。そして冒頭に述べたとおり、学術研究に携わる以外の多くの人々にとっても、学術コミュニケーションがどのように行われているのかについて理解を深める一助となればたいへん幸いです。

本書の翻訳にあたって、筑波大学図書館情報メディア系教授の逸村裕先生には、さまざまなご示唆をいただきました。深く感謝申し上げます。また、これまで学術コミュニケーションの世界で仕事をするにあたり、直接・間接にご指導をいただきました多くの方々にも、心からの敬意と感謝を表します。出版元の株式会社アドスリー代表の横田節子氏には、企画段階から出版に至るまでたいへんお世話になりました。そして、本書の翻訳についてご快諾をいただいたオックスフォード大学出版局と著者のリック・アンダーソン氏にも心より感謝申し上げます。

2021年10月　　宮入暢子

原 著 注

ここでは原著に示された注記をそのまま掲載しています。翻訳時点までに消失してしまったWebページや参照元が曖昧なものについて、訳者が補足、もしくは代わりとなる参照情報を追記した「補訂版」を以下のURLからダウンロードしていただけます(上のQRコードからもアクセスできます)。
https://doi.org/10.6084/m9.figshare.18237995

第1章　学術コミュニケーションの定義と歴史

1. Porter, B.R. "The Scientific Journal—300th Anniversary." *Bacteriological Reviews* 1964 Sep; 28(3): 210-230.
2. https://www.aaup.org/sites/default/files/2015-16 EconomicStatusReport.pdf (see especially Figure 2)
3. http://www.nature.com/news/the-future-of-the-postdoc-1.17253
4. https://www.investopedia.com/terms/b/business-ecosystem.asp

第2章 研究者と学術コミュニケーション

1. https://www.whitehouse.gov/sites/default/files/microsites/ostp/ostp_public_access_memo_2013.pdf
2. Cummings, W.K., & Finkelstein, M.J. "Declining Institutional Loyalty." In *Scholars in the Changing American Academy: New Contexts, New Rules, and New Roles* (pp. 131-140). Dordrecht, Heidelberg, London, New York: Springer, 2012.
3. http://classifications.carnegiefoundation.org
4. http://carnegieclassifications.iu.edu/classification_descriptions/basic.php
5. http://carnegieclassifications.iu.edu/methodology/basic.php
6. http://arxiv.org/help/general

第3章 学術コミュニケーションの市場

1. Outsell. STM 2015 market size, share, forecast, and trend report.
2. https://www.simbainformation.com/about/release.asp?id=3880
3. Morris, S. Data about publishing. *ALPSP Alert* 2006 (112): 8.
4. https://en.wikipedia.org/wiki/List_of_university_presses
5. http://publishingperspectives.com/2011/07/publishing-in-india-today-19000-publishers-90000-titles/
6. http://www.stm-assoc.org/2015_02_20_STM_Report_2015.pdf
7. http://www.humanitiesindicators.org/content/indicatordoc.aspx?i=88

第4章 学術出版の仕組み

1. http://science.sciencemag.org/content/349/6251/aac4716

2. http://www.nature.com/news/1-500-scientists-lift-the-lid-on-reproducibility-1.19970?WT.mc_id=SFB_NNEWS_1508_RHBox
3. http://blogs.nature.com/news/2014/05/global-scientific-output-doubles-every-nine-years.html
4. https://www.ncbi.nlm.nih.gov/pmc/articles/PMC2909426/
5. http://www.slate.com/articles/health_and_science/future_tense/2016/04/biomedicine_facing_a_worse_replication_crisis_than_the_one_plaguing_psychology.html
6. http://www.infotoday.com/searcher/oct00/tomaiuolo&packer.htm
7. http://arxiv.org
8. http://biorxiv.org
9. Several studies of academic culture have found this to be true; for some discussion of them, see Fulton, O. "Which Academic Profession Are You In?" In R. Cuthbert (ed.), *Working in Higher Education* (pp. 157-169). Buckingham: The Open University Press, 1996.
10. http://www.nature.com/nature/focus/accessdebate/22.html

第５章　著作権の役割

1. Joyce, C., & Patterson, L.R. "Copyright in 1791: An Essay Concerning the Founders' View of Copyright Power Granted to Congress in Article 1. Section 8, Clause 8 of the U.S. Constitution." *Emory Law Journal* 2003; 52 (909). Available at SSRN: https://ssrn.com/abstract=559145

2. http://www.archives.gov/exhibits/charters/constitution_transcript.html
3. http://www.copyright.gov/circs/circ01.pdf
4. https://cyber.law.harvard.edu/property/library/moralprimer.html
5. https://www.law.cornell.edu/uscode/text/17/101
6. http://web.archive.org/web/20100109114711/;http://www.lexum.umontreal.ca/conf/dac/en/sterling/sterling.html
7. http://www.copyright.gov/title17/92chap1.html#107
8. http://www.copyright.gov/circs/circ15.pdf
9. http://www.columbia.edu/cu/provost/docs/copyright.html
10. http://www.wipo.int/treaties/en/text.jsp?file_id=283854#P68_3059
11. https://en.wikipedia.org/wiki/World_Intellectual_Property_Organization#cite_note-1
12. https://www.gnu.org/philosophy/open-source-misses-the-point.en.html
13. https://www.gnu.org/copyleft/copyleft.html
14. https://creativecommons.org/about/
15. https://en.wikipedia.org/wiki/Copyright_infringement#.22Piracy.22
16. https://en.wikipedia.org/wiki/Napster#Lawsuit
17. https://www.linkedin.com/in/elbakyan
18. http://www.mhpbooks.com/meet-the-worlds-foremost-pirate-of-academic-research/

19. http://www.nytimes.com/2016/03/13/opinion/sunday/should-all-research-papers-be-free.html?_r=0
20. https://svpow.com/2016/02/25/does-sci-hub-phish-for-credentials/

第6章 図書館の役割

1. http://www.ingramcontent.com/publishers/print/print-on-demand
2. http://www.lightningsource.com/ops/files/comm/CST127/51400_CaseStudy_Oxford_NoCropmarks.pdf
3. https://www.publishing.umich.edu/projects/lever-press/
4. https://tdl.org/tdl-journal-hosting/
5. https://scoap3.org
6. http://www.projectcounter.org
7. http://www.niso.org/about/join/alliance
8. http://hathitrust.org
9. http://dp.la
10. http://www.gutenberg.org/wiki/Main_Page
11. http://memory.loc.gov
12. http://www.cdlib.org
13. http://www.digitalnc.org
14. http://digitallibrary.tulane.edu
15. https://collections.lib.utah.edu/details?id=1081984&q=%2A&page=2&rows=25&fd=title_t%2Csetname_s%2Ctype_t&gallery=0&facet_setname_s=uu_awm#t_1081984

16. http://lj.libraryjournal.com/2014/08/opinion/peer-to-peer-review/asserting-rights-we-dont-have-libraries-and-permission-to-publish-peer-to-peer-review/
17. https://www.lib.ncsu.edu/textbookservice/
18. https://www.oercommons.org

第７章　大学出版局の役割

1. Meyer, S. "University Press Publishing." In P.G. Altbach & E.S. Hoshino (eds.), *International Book Publishing: An Encyclopedia* (pp. 354-363). New York: Garland Publishing, 1995.
2. http://global.oup.com/about/annual_report_2015/?cc=us
3. http://www.sr.ithaka.org/publications/the-costs-of-publishing-monographs/
4. http://lj.libraryjournal.com/2011/06/academic-libraries/print-on-the-margins-circulation-trends-in-major-research-libraries/
5. http://www.aaupnet.org/images/stories/data/librarypresscollaboration_report_corrected.pdf
6. https://scholarlykitchen.sspnet.org/2013/07/16/having-relations-with-the-library-a-guide-for-university-presses/
7. https://www.insidehighered.com/news/2016/08/01/amid-declining-book-sales-university-presses-search-new-ways-measure-success
8. https://www.lib.umich.edu/news/michigan-publishing-collaborates-launch-lever-press

第８章　Google Books とハーティ・トラスト

1. https://books.google.com/googlebooks/about/history.html
2. http://www.nytimes.com/2015/10/29/arts/international/google-books-a-complex-and-controversial-experiment.html?_r=1
3. https://www.authorsguild.org/authors-guild-v-google-questions-answers/
4. http://publishers.org/news/publishers-sue-google-over-plans-digitize-copyrighted-books
5. http://articles.latimes.com/2009/dec/19/world/la-fg-france-google19-2009dec19
6. https://en.wikipedia.org/wiki/Authors_Guild,_Inc._v._Google,_Inc.
7. http://www.wired.com/images_blogs/threatlevel/2013/11/chindecision.pdf
8. https://books.google.com/ngrams
9. https://www.hathitrust.org/partnership
10. http://www.thepublicindex.org/wp-content/uploads/sites/19/docs/cases/hathitrust/complaint.pdf
11. https://www.library.cornell.edu/about/news/press-releases/universities-band-together-join-orphan-works-project
12. http://www.arl.org/focus-areas/court-cases/105-authors-guild-v-hathi-trust#.V-rdsWU34vg
13. http://www.arl.org/storage/documents/publications/hathitrust-decision10oct12.pdf

14. https://www.documentcloud.org/documents/1184989-12-4547-opn.html

第9章 STMとHSS：ニーズと実践

1. https://www.researchtrends.com/issue-32-march-2013/trends-in-arts-humanities-funding-2004-2012/

第10章 メトリクスとオルトメトリクス

1. http://wokinfo.com/essays/impact-factor/
2. http://onlinelibrary.wiley.com/doi/10.1087/20110203/abstract
3. http://www.ncbi.nlm.nih.gov/pmc/articles/PMC4477767/
4. http://chronicle.com/article/the-number-thats-devouring/26481
5. http://www.bmj.com/content/314/7079/461.5
6. http://blogs.nature.com/news/2013/06/new-record-66-journals-banned-for-boosting-impact-factor-with-self-citations.html
7. https://scholarlykitchen.sspnet.org/2012/04/10/emergence-of-a-citation-cartel/
8. http://www.pnas.org/content/102/46/16569.full
9. http://eigenfactor.org/about.php
10. http://www.tandfonline.com/doi/abs/10.1080/00048623.2014.1003174?journalCode=uarl20
11. http://blogs.lse.ac.uk/impactofsocialsciences/2012/09/25/the-launch-of-impactstor/
12. http://plumanalytics.com

13. https://www.datacite.org/mission.html

第11章 メタデータとその重要性

1. http://www.niso.org/publications/press/Understanding Metadata.pdf
2. http://www.metametadata.net
3. http://www.doi.org/hb.html
4. http://orcid.org/content/about-orcid

第12章 オープンアクセスの機会と課題

1. http://www.budapestopenaccessinitiative.org/boai-10-recommendations
2. http://crln.acrl.org/content/76/2/88.full
3. http://poeticeconomics.blogspot.com/2012/10/cc-by-wrong-goal-for-open-access-and.html
4. https://www.whitehouse.gov/sites/default/files/microsites/ostp/ostp_public_access_memo_2013.pdf
5. https://eve.gd/2012/08/31/open-access-needs-terminology-to-distinguish-between-funding-models-platinum-oagold-non-apc/
6. http://www.the-scientist.com/?articles.view/articleNo/27376/title/Merck-published-fake-journal/
7. http://blog.historians.org/2013/07/american-historical-association-statement-on-policies-regarding-the-embargoing-of-completed-history-phd-dissertations/

8. https://scholarlykitchen.sspnet.org/2013/07/26/dissertation-embargoes-and-the-rights-of-scholars-aha-smacks-the-hornets-nest/
9. http://www.knowledgeunlatched.org
10. http://luminosoa.org
11. http://leverpress.org
12. http://caselaw.findlaw.com/us-supreme-court/499/340.html
13. https://en.wikipedia.org/wiki/Sweat_of_the_brow

第13章 学術コミュニケーションにおける課題と論争

1. https://www.ebscohost.com/promoMaterials/EBSCO_2017_Serials_Price_Projection_Report.pdf?_ga=1.114315076.2126980745.1477713241
2. http://www.infotoday.com/it/sep11/The-Big-Deal-Not-Price-But-Cost.shtml
3. https://scholarlykitchen.sspnet.org/2013/01/08/have-journal-prices-really-increased-in-the-digital-age/
4. See this author's comment in response to Kent Anderson's blog post cited immediately above.
5. https://scholarlykitchen.sspnet.org/2014/07/22/libraries-receive-shrinking-share/
6. http://contentz.mkt5049.com/lp/43888/438659/D187_Ebooks_Aquisition_whitepaper_v5.pdf
7. https://www.libraryjournal.com/story/print-on-the-margins-circulation-trends-in-major-research-libraries
8. http://www.dlib.org/dlib/march01/frazier/03frazier.html

9. https://web.archive.org/web/20170112125427/; https://scholarlyoa.com/
10. http://chronicle.com/article/Publisher-Threatens-to-Sue/139243/?cid=at&utm_source=at&utm_medium=en
11. https://scholarlykitchen.sspnet.org/2015/08/17/deceptive-publishing-why-we-need-a-blacklist-and-some-suggestions-on-how-to-do-it-right/

第14章 学術コミュニケーションの未来

1. http://www.universityaffairs.ca/news/news-article/some-academics-remain-skeptical-of-academia-edu/
2. http://www.emeraldgrouppublishing.com/rsearch/guides/management/twitter.htm?part=2
3. https://memory.loc.gov/ammem/index.html
4. https://books.google.com/ngrams
5. http://geohumanities.org
6. https://newrepublic.com/article/117428/limits-digital-humanities-adam-kirsch
7. https://lareviewofbooks.org/article/neoliberal-tools-archives-political-history-digital-humanities/#

索　引

ここでは、原著に採用されている用語を中心に構成していますが、日本の読者のニーズに合わせて追加したものもあります。また、「学術コミュニケーション」のように本書の大半を通じて使用されている用語や、単に例として言及されている人名、地名などの固有名詞については、あえて省略したものもあります。著者も述べているとおり、冊子体の書籍の索引というのは大雑把な概略しか指し示すことができません。目次とあわせてご活用ください。

カ 行

サ 行

タ 行

ナ 行・ハ 行

マ 行

ヤ 行・ラ 行

学術コミュニケーション入門
知っているようで知らない128の疑問

2022年10月1日　発　行

訳　者　宮入暢子

発行所　株式会社アドスリー
〒162-0814 東京都新宿区新小川町5-20
TEL(03)3528-9841／FAX(03)3528-9842
principle@adthree.com
https://www.adthree.com

発売所　丸善出版株式会社
〒101-0051 東京都千代田区神田神保町2-17
TEL(03)3512-3256／FAX(03)3512-3270
https://www.maruzen-publishing.co.jp

組版 日本メディネット協会／印刷・製本 日経印刷株式会社

ISBN 978-4-904419-95-3 C0004　Printed in Japan